저자

김기훈   現 ㈜ 쎄듀 대표이사
            現 메가스터디 영어영역 대표강사
            前 서울특별시 교육청 외국어 교육정책자문위원회 위원
저서   천일문 / 천일문 Training Book / 천일문 GRAMMAR
            어법끝 / 어휘끝 / 첫단추 / 쎈쓰업 / 파워업 / 빈칸백서 / 오답백서
            쎄듀 본영어 / 거침없이 Writing / 쓰작 / 리딩 릴레이 / 리딩 플랫폼
            Grammar Q / Reading Q / Listening Q 등

쎄듀 영어교육연구센터

쎄듀 영어교육센터는 영어 콘텐츠에 대한 전문지식과 경험을 바탕으로
최고의 교육 콘텐츠를 만들고자 최선의 노력을 다하는 전문가 집단입니다.

인지영 책임연구원

마케팅	콘텐츠 마케팅 사업본부
영업	문병구
제작	정승호
인디자인 편집	올댓에디팅
디자인	쎄듀 디자인팀
영문교열	Stephen Daniel White

중학영어

쓰작

쓰기 + 작문

중학영어

3

중학 내신
서술형 완벽대비

Features 구성과 특징

<쓰작> 시리즈는 단순히 '문법 학습을 위한 영작 연습'에서 벗어나, '영작을 위한 도구로서의 문법 지식'을 담고 있으며,
교과서에 가장 자주 등장하는 어휘와 표현으로 다양한 구문을 써 볼 수 있도록 구성했습니다.

1 한 페이지로 끝내는
중3 공통 핵심 문법 요소별 서술형 대비!

❶ 문장을 쓰는 데 꼭 필요한 기본 문법 개념과 원리를 확인한 후,

❷ 다양한 기출 유형으로 통합 서술형을 효과적으로 대비할 수 있도록 구성했습니다.

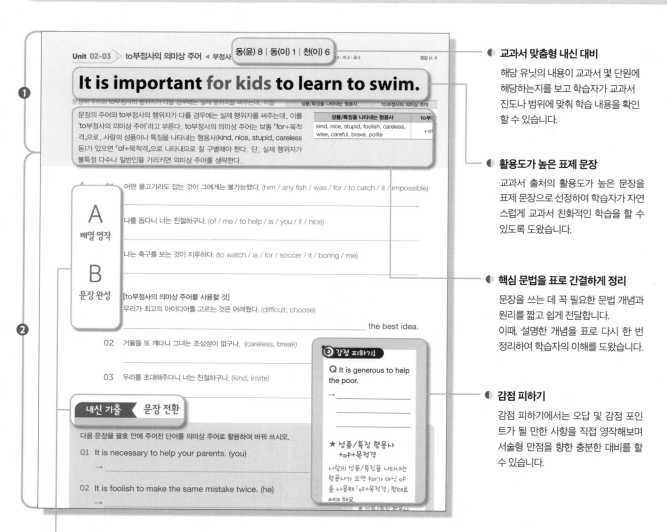

교과서 맞춤형 내신 대비

해당 유닛의 내용이 교과서 몇 단원에 해당하는지를 보고 학습자가 교과서 진도나 범위에 맞춰 학습 내용을 확인할 수 있습니다.

활용도가 높은 표제 문장

교과서 출처의 활용도가 높은 문장을 표제 문장으로 선정하여 학습자가 자연스럽게 교과서 친화적인 학습을 할 수 있도록 도왔습니다.

핵심 문법을 표로 간결하게 정리

문장을 쓰는 데 꼭 필요한 문법 개념과 원리를 짧고 쉽게 전달합니다.
이때, 설명한 개념을 표로 다시 한 번 정리하여 학습자의 이해를 도왔습니다.

감점 피하기

감점 피하기에서는 오답 및 감점 포인트가 될 만한 사항을 직접 영작해보며 서술형 만점을 향한 충분한 대비를 할 수 있습니다.

배열 영작 → 문장 완성 → 내신 기출

체계적인 3단계 쓰기 훈련을 통해 문장 쓰기가 수월해집니다.
영작의 기본 틀을 잡는 것은 물론 내신 서술형에 대한 자신감을 얻을 수 있습니다.

2 최신 서술형 유형 대비를 위한
내신 서술형 잡기

최신 서술형 유형이 100% 반영된 챕터별 <내신 서술형 잡기>를 통해 적용 및 실전 대비가 가능합니다. 1단계 → 2단계 → 3단계로 서술형 유형 난도에 따라 문제를 구성하여, 가장 기본적인 유형뿐 아니라 고난도 유형도 확실히 연습할 수 있도록 했습니다.

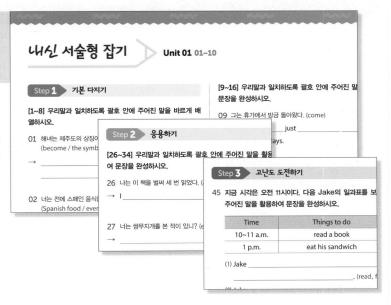

내신 서술형 잡기 ➤ Unit 01 01~10

Step 1 기본 다지기

[1~8] 우리말과 일치하도록 괄호 안에 주어진 말을 바르게 배열하시오.

01 해녀는 제주도의 상징이
(become / the symb
→

02 너는 전에 스페인 음식을
(Spanish food / eve
→

[9~16] 우리말과 일치하도록 괄호 안에 주어진 말을 문장을 완성하시오.

09 그는 휴가에서 방금 돌아왔다. (come)
just

Step 2 응용하기

[26~34] 우리말과 일치하도록 괄호 안에 주어진 말을 활용여 문장을 완성하시오.

26 나는 이 책을 벌써 세 번 읽었다. (
→ I

27 너는 쌍무지개를 본 적이 있니? (e
→

Step 3 고난도 도전하기

45 지금 시각은 오전 11시이다. 다음 Jake의 일과표를 보주어진 말을 활용하여 문장을 완성하시오.

Time	Things to do
10~11 a.m.	read a book
1 p.m.	eat his sandwich

(1) Jake
. (read, f

Unit 02-03 ➤ to부정사의 의미상 주어 ◀ 부정사

A
배열 영작

다음 우리말과 일치하도록 괄호 안에 주어진 말을 바르게 배열하시오.

01 아이들이 한곳에 머물러 있기는 힘들다. (stay / for / is / in one place / it / to / hard

02 여권을 잃어버리다니 그는 부주으   it / ca

03 그렇게 이야기하다니 그녀는 어리

학습 계획표 ❶	내신 대비 10주 완성		
	권장 학습 진도	유닛명
1주차	Unit 01 - 01~10	시제와 조동사
2주차	Unit 02 - 01~06	부정사

3 서술형 추가 연습을 위한
WORKBOOK

본문에서 학습한 내용을 워크북에서 충분히 영작해 봄으로써 서술형을 마스터합니다.

10주, 14일, 8일 완성 중 각자에게 맞는 계획표로 꼼꼼하게 학습해보세요.

특별 부록 구성 📝

교과서별 문법 분류표와 연계표, 의사소통 기능문 연계표, 의사소통 기능문 모음을 제공하여, 학년별로 반드시 학습해야 하는 내용뿐 아니라, 그 내용이 본 책 어느 유닛에 해당하는지도 한눈에 확인할 수 있습니다.

Contents 목차

중3 영어 교과서에서 어떤 문법을 다루고 있는지 확인해 보세요.

단원	동아 (윤)	동아 (이)	천재 (이)	천재 (정)	미래엔	능률 (김)	능률 (양)
1	• 명사절을 이끄는 접속사 if와 whether • to 부정사의 형용사적 용법	• to부정사의 의미상 주어 • 관계대명사 what	• 관계대명사 what • 지각동사+목적어+목적격 보어	• 간접의문문 • 관계대명사의 계속적 용법	• 관계대명사 what • 양보 접속사 although	• 현재완료진행시제 • 관계대명사 what	• 가주어, 진주어 (it ~ to부정사) • to부정사의 의미상 주어 • 관계대명사의 계속적 용법
2	• 사역동사+목적어+목적격 보어 • so that ~ (목적)	• 부분 표현+of+명사의 수 일치 • 조동사의 수동태	• 명사를 수식하는 현재분사, 과거분사 • 이유 접속사 since • 양보 접속사	• 과거완료시제 • 비교급 강조 어구	• It … that 강조 구문 • 관계대명사의 계속적 용법	• 관계대명사의 계속적 용법 • 명사를 수식하는 현재분사, 과거분사	• It … that 강조 구문 • think+목적어+목적격 보어(명사)
3	• 관계대명사의 계속적 용법 • 명사절 접속사 that	• 사역동사+목적어+목적격 보어 • It … that 강조 구문	• 현재완료진행시제 • so … that ~	• enough to부정사 • not only A but also B	• 명사를 수식하는 현재분사, 과거분사 • 강조의 do	• 과거완료시제 • 접속사 since, after, although	• 관계대명사 what • 사역동사+목적어+목적격 보어
4	• 현재완료진행시제 • 의문사+to부정사	• the+비교급, the+비교급 • 이유 접속사 since	• 관계부사 • 명사절을 이끄는 접속사 if와 whether	• 분사구문 • 관계대명사 what	• 과거완료시제 • 간접의문문	• 명사절을 이끄는 접속사 if와 whether • 조동사의 수동태	• 과거완료시제 • 분사구문
5	• 명사를 수식하는 현재분사 • 원급	• 가정법 과거시제 • 의문사+to부정사	• 과거완료시제 • It … that 강조 구문	• 가정법 과거시제 • 소유격 관계대명사 whose	• 분사구문 • not only A but also B	• to부정사의 의미상 주어 • 관계부사	• 의문사+to부정사 • the+비교급, the+비교급
6	• 과거완료시제 • 관계대명사 what	• so that ~ (목적) • enough to부정사	• 가주어, 진주어 (it ~ to부정사) • to부정사의 의미상 주어 • 가정법 과거시제	• the+비교급, the+비교급 • It … that 강조 구문	• 관계부사 • 연결어	• the+비교급, the+비교급 • 분사구문	• 간접화법 • 지각동사+목적어+목적격 보어
7	• 분사구문 • 접속사 as	• 소유격 관계대명사 whose • 접속사 while, until, after	• 분사구문 • 조동사의 수동태	• 간접화법 • 명사절을 이끄는 접속사 if	• 소유격 관계대명사 whose • 가정법 과거시제	• 가정법 과거시제 • so that ~ (목적)	• 가정법 과거시제 • so … that ~
8	• to부정사의 의미상 주어 • 가정법 과거시제	• 분사구문 • 과거완료시제	• 조동사+have+p.p. • 관계대명사의 계속적 용법	• some/others • one/the other • order+목적어+to부정사			

단원	비상	YBM (박)	YBM (송)	지학	금성	다락원
1	• 관계대명사 what • 관계부사	• 강조의 do • 관계대명사 what	• too … to부정사 • to부정사의 부정	• 관계대명사 what • 지각동사+목적어+ 목적격 보어	• 사역동사+목적어+ 목적격 보어 • 동명사의 관용 표현	• 최상급 • 이유 접속사 since • 관계대명사 what
2	• to부정사의 의미상 주어 • 현재완료진행시제	• 현재완료진행시제 • 명사를 수식하는 현재 분사	• 분사구문 • 명사절을 이끄는 접속사 if	• 가주어, 진주어 (it ~ to 부정사) • to부정사의 의미상 주어 • 명사를 수식하는 현재 분사	• the+비교급, the+비교급 • 가주어, 진주어 (it ~ to 부정사) • to부정사의 의미상 주어	• ask/want/tell+목적어 +to부정사 • 명사를 수식하는 현재 분사 • 소유격 관계대명사 whose
3	• 명사절을 이끄는 접속사 if • 과거완료시제	• It … that 강조구문 • 사역동사+목적어+ 목적격 보어	• the+비교급, the+비교급 • It … that 강조구문	• not only A but also B • 간접의문문	• not only A but also B • B as well as A • I wish 가정법	• 목적격 관계대명사 • 조동사의 수동태 • 가정법 과거시제
4	• 명사를 수식하는 현재 분사, 과거분사 • 가목적어, 진목적어 구문	• to부정사의 의미상 주어 • 가정법 과거시제	• 양보 접속사 although • seem to부정사	• 과거완료시제 • to부정사의 부사적 용법	• 과거완료시제 • 원급	• 현재완료시제 • to부정사의 부사적 용법
5	• 분사구문 • so that ~ (목적)	• 과거완료시제 • so that ~ (목적)	• 관계대명사 what • 현재완료진행시제	• 대명사 one • 분사구문	• so … that ~ • 지각동사+목적어+ 목적격 보어	• 강조의 do • 접속사 while • 과거완료시제
6	• It … that 강조구문 • 사역동사+목적어+ 목적격 보어	• 관계대명사의 계속적 용법 • to부정사의 부사적 용법	• 원급 • 과거완료시제	• It … that 강조구문 • 연결어	• It … that 강조구문 • 분사구문	• 동명사의 관용 표현 • 명사절을 이끄는 접속사 whether • to부정사의 명사적 용법
7	• 접속사 as • 부분 표현+of+명사의 수 일치	• 관계부사 • the+비교급, the+비교급	• 가정법 과거시제 • so that ~ (목적)	• 가정법 과거시제 • 형용사를 목적격 보어로 취하는 동사	• to부정사의 부사적 용법 • so+조동사[be동사]+주 어	• 관계대명사의 계속적 용법 • the+형용사 = 복수 보통명사 • 가목적어, 진목적어 구문
8	• 가정법 과거시제 • with+목적어+분사	• 분사구문 • 동명사의 관용 표현	• not only A but also B • 접속사 while	• too … to부정사 • 전체부정	• 명사절을 이끄는 접속사 whether • It is time+가정법 과거 시제	• 동명사의 관용 표현 • Here+동사+주어 • There is[are] • some/others
9		• I wish 가정법 • 명사절을 이끄는 접속사 if와 whether				• It … that 강조구문 • 사역동사+목적어+ 목적격 보어 • I wish 가정법

본 분류표는 참고 자료일 뿐임을 알려 드립니다.

쓰작의 내용이 내 교과서의 몇 단원에 해당하는지 여기서 확인하세요.

단원	목차	동아(윤)	동아(이)	천재(이)	천재(정)	미래엔	능률(김)	능률(양)	비상	YBM(박)	YBM(송)	지학	금성	다락원
시제	현재완료 긍정문													4
	현재완료 부정문/의문문													
	현재완료 진행형	4		3			1		2	2	5			
	과거완료 긍정문/부정문	6	8	5	2	4	3	4	3	5	6	4	4	5
조동사	cannot+have+p.p.													
	may+have+p.p.			8										
	must+have+p.p.			8										
	should+have+p.p.			8										
	would rather A than B													
	used to													
부정사	부정사의 용법(명사/형용사/부사)	1								6		4	7	4, 6
	It(가주어) ~ to부정사			6			1					2	2	
	의미상 주어	8	1	6			5	1	2	4		2	2	
	It(가목적어) ~ to부정사								4					7
	지각동사+목적어+목적격 보어			1			6					1	5	
	사역동사+목적어+목적격 보어		3				3	6	3				1	9
	help/get+목적어+목적격 보어													
	의문사+to부정사	4	5				5							
	too … to부정사										1	8		
	… enough to부정사		6		3									
	seem to부정사										4			
	It takes … to부정사													
동명사	동명사의 부정													
	의미상 주어													
	동명사와 to부정사													
	by/without+동명사													
	동명사의 주요 표현		5		3					8			1	6, 8
분사	현재분사	5		2		3	2		4	2		2		2
	과거분사			2		3	2		4					
	지각동사+목적어+목적격 보어													
	사역동사+목적어+목적격 보어	2												
	get+목적어+목적격 보어													
	분사구문	7	8	7	4	5	6	4	5	8	2	5	6	
	with+명사+분사								8					

단원	목차	동아(윤)	동아(이)	천재(이)	천재(정)	미래엔	능률(김)	능률(양)	비상	YBM(박)	YBM(송)	지학	금성	다락원
관계사	주격 관계대명사													
	목적격 관계대명사													3
	소유격 관계대명사		7		5	7								2
	관계대명사 that													
	관계대명사 what	6	1	1	4	1	1	3	1	1	5	1		1
	관계대명사의 계속적 용법	3		8	1	2	2	1		6				7
	관계대명사의 생략													
	관계부사 when			4		6			1					
	관계부사 where			4		6	5		1					
	관계부사 why					6	5		1					
	관계부사 how									7				
수동태	현재진행형													
	현재완료형													
	조동사가 있는 수동태		2	7			4							3
	4형식 문장의 수동태													
	5형식 문장의 수동태													
	동사구의 수동태													
	by 이외의 전치사													
접속사	as	7						7						
	since		4	2			3							1
	although/even though			2		1	3				4			
	so that ~	2	6				7		5	5	7			
	so … that ~			3				7					5	
	명사절 접속사 that													
	if/whether	1		4	7		4		3	9	2		8	6
가정법	가정법 과거	8	5	6	5	7	7	7	8	4	7	7		3
	가정법 과거완료													
	I wish+가정법 과거									9			3	9
	as if+가정법 과거													
	It's time+(that)+주어+과거동사												8	
	가정법 과거를 이용한 표현							6				7		
비교	the+비교급, the+비교급		4		6		6	5		7	3		2	4
	비교급+than any other													
	No (other)+비교급+than													
	최상급을 이용한 표현													1
특수구문	강조의 do					3				1				5
	It … that 강조구문		3	5	6	2		2	6	3	3	6	6	9
	부정어구 도치													
	전체부정/부분부정												8	

본 분류표는 참고 자료일 뿐임을 알려 드립니다.

중3 영어 교과서 13종 의사소통 기능문 연계표 | 2015 개정 교육과정 |

중3 영어 교과서에서 어떤 의사소통 기능문을 다루고 있는지 확인해 보세요.

주제		동아(윤)	동아(이)	천재(이)	천재(정)	미래엔	능률(김)	능률(양)	비상	YBM(박)	YBM(송)	지학	금성	다락원
문제	문제/고민 묻기					4						1		
관심과 선호	관심 묻고 답하기									8		3		5, 9
	선호 묻고 답하기	8		2	6		6			1		2	7	
계획과 희망	의도/계획 묻기					1	1	3	4				4	3
	바람/소원 표현하기					7			8	9		7	3	7
정보	정보 전달하기		7						2, 3		1	8		
	강조하기										3			6
	음식 주문하기	2												1
	방법 묻기	7											2	
	길/위치 묻고 답하기											5		
	빈도 묻기	5												
의견	의견 묻고 표현하기	8	4		7		5	1	4	3		2, 6	5, 7	9
	만족/불만족 묻기					6	1	2	7	8		4	1	1
	동의/반대하기		4	1	7						2	6	1	
	궁금한 점 묻고 답하기		7	4	5	4	3	5		1	7		6	5
이유	이유 묻기			3		2		5				4		
확인	알고 있는지 확인하기						2			5	1	3		3, 8
	확실성 정도 표현하기						4			3				
	상기시켜 주기						6	7						
	이해 확인하기					7		5				8		
	오해 지적하기			8					1					
감사와 기원	감사하기	7	6		2					7				
	안심시키기						6				2		5	
	기원하기		8		3							1		

	주제	동아 (윤)	동아 (이)	천재 (이)	천재 (정)	미래엔	능률 (김)	능률 (양)	비상	YBM (박)	YBM (송)	지학	금성	다락원
감정 표현	기쁨 표현하기		1	1	1			2						
	화냄 표현하기	6			8			1	1					4
	슬픔, 불만족, 실망의 원인에 대해 묻기				4									
	희망/기대 표현하기	1	5	5	3		5		2	5				
	놀람 표현하기						2							
	걱정 표현하기		2			5								
	후회 표현하기		8	8						7		3		
	축하/유감 표현하기	6												
요청	부탁하기			7										
	허락/허가 요청하고 답하기			6		2			3	7	6			8
	설명 요청하기			2		4	7	6	5				6	2
	반복 요청하기	3									8			
	충고 요청하기		2, 3		4	3				2				6
	추천 요청하기			5							8			
	표현/정의 요청하기	3			5			4		5				
	생각할 시간 요청하기							7		7				
	교환/환불 요청하기	4												
	대안 요청하기										5			
사과	비난 수용/다짐하기					6							8	
당부	당부/경고하기		3	7			3	3		2				
	의무 표현하기					5		4		4	4		8	4
	충고하기			6						4			2	2
	금지하기		6											
가능성	가능성 정도 묻고 표현하기						7		8	9	4	5		7
가정	상상하여 말하기								6			7		
발표	주제 소개하기			3	2					6				
경험	경험 묻고 답하기	1											4	
안부	안부 묻고 답하기		1			3								
제안과 권유	제안/권유하고 거절하기	5	5							6				
	도움 제안하기			4		1		6					3	

본 분류표는 참고 자료일 뿐임을 알려 드립니다.

- 중학교 3학년 영어 교과서에 수록된 의사소통 기능문들을 주제별로 분류했습니다.
- 여러 번 반복해서 보고, 교재 자료실에 있는 시험지로 점검해 보세요.

문제

문제/고민 묻기

A : You look down. What's the matter?
너 우울해 보여. 무슨 문제라도 있어?

B : I didn't get a good score on my essay.
과제물에서 좋은 점수를 받지 못했어.

관심과 선호

관심 묻고 답하기

A : Do you find the movie interesting?
너는 그 영화가 흥미롭다고 생각해?

B : Yes, I'm fascinated by its special effects.
응, 난 그것의 특수 효과에 매료됐어.

선호 묻고 답하기

A : Which do you prefer, getting up early or staying up late?
넌 일찍 일어나는 거랑 늦게까지 깨어있는 것 중에 뭘 선호해?

B : I prefer staying up late because I enjoy listening to the radio at night.
난 늦게까지 깨어있는 걸 선호해. 왜냐하면 나는 밤에 라디오를 즐겨 듣거든.

계획과 희망

의도/계획 묻기

A : What's your plan for this year?
네 올해 계획은 뭐야?

B : I'm thinking of taking swimming lessons.
난 수영 레슨을 듣는 것을 생각 중이야.

바람/소원 표현하기

A : I wish I could go back to my childhood.
난 내 어린 시절로 돌아갈 수 있으면 좋겠어.

B : If you built a time machine, then you could do that.
네가 타임머신을 만들어 내면 그렇게 할 수 있어.

정보

정보 전달하기

A : How was he able to become a famous reporter?
그는 어떻게 유명한 기자가 될 수 있었지?

B : I've heard that he started writing articles as a teenager.
난 그가 십 대 때부터 기사를 쓰기 시작했다고 들었어.

강조하기

A : What should I do to speak well in front of people?
사람들 앞에서 말을 잘하려면 뭘 해야 할까?

B : First of all, it is important to speak clearly.
무엇보다도, 분명하게 말하는 게 중요해.

음식 주문하기

A : What would you like to order?
어떤 걸 주문하시겠어요?

B : I'd like to order one hot dog.
핫도그 한 개 주문할게요.

A : Is it for here or to go?
여기서 드시나요, 아니면 포장인가요?

B : It's for here, please.
여기서 먹을게요.

방법 묻기

A : Do you know how to return these books?
이 책들을 어떻게 반납하는지 아나요?

B : Sure. First, insert the card. Then put the books in the box.
그럼요. 먼저, 카드를 삽입해요. 그다음에 책들을 함에 넣어요.

길/위치 묻고 답하기

A : How do I get to the restaurant?
레스토랑까지 어떻게 가면 될까요?

B : Turn left and go straight for about 20 meters.
왼쪽으로 꺾고 20m 정도 직진해요.

빈도 묻기

A : How often do you exercise?
너 얼마나 자주 운동해?

B : I exercise once a week.
난 일주일에 한 번 운동해.

의견

의견 묻고 표현하기

A : How do you feel about the single food diet?
한 음식만 먹는 다이어트에 대해 어떻게 생각해?

B : It seems to me that it's unhealthy.
내가 보기에는 그건 건강에 해로운 것 같아.

● 만족/불만족 묻기

A : How do you like your new apartment?
새 아파트는 어때?

B : I'm satisfied with it. It is close to the subway station.
난 만족해. 지하철역이랑 가깝거든.

● 동의/반대하기

A : Schools should ban junk food. Don't you agree?
학교는 인스턴트식품을 금지해야 해. 너도 동의하지 않니?

B : I agree with you. It will make students unhealthy.
나도 그렇게 생각해. 그건 학생들을 건강하지 못하게 할 거야.

● 궁금한 점 묻고 답하기

A : I wonder why the band is so popular.
나는 그 밴드가 왜 그렇게 인기 있는지 궁금해.

B : I think the reason is that their songs are catchy.
난 그 이유가 그들의 노래가 기억하기 쉽기 때문이라고 생각해.

이유

● 이유 묻기

A : What made you join a book club?
너는 왜 독서 클럽에 가입했어?

B : I wanted to share my thoughts.
나는 내 생각을 공유하고 싶었어.

확인

● 알고 있는지 확인하기

A : Have you heard the rumor about Dave?
Dave에 관한 그 소문을 들어본 적 있니?

B : Yes, I have heard it several times, but it isn't true.
응, 여러 번 들었는데, 그건 사실이 아니야.

● 확실성 정도 표현하기

A : I'm in charge of taking pictures for the field trip report.
난 현장 학습 보고서를 위한 사진 촬영 담당이야.

B : I have no doubt that you will take wonderful pictures.
난 네가 멋진 사진을 찍을 거라고 믿어.

● 상기시켜 주기

A : Don't forget to bring your instrument.
네 악기를 가져오는 걸 잊지 마.

B : Okay. I won't forget.
알았어. 안 잊을게.

● 이해 확인하기

A : Do you see what I mean?
내 말이 무슨 뜻인지 알겠어?

B : No. It isn't clear to me what you mean.
아니. 네 말이 무슨 뜻인지 확실히 모르겠어.

● 오해 지적하기

A : Toronto is the capital of Canada, right?
토론토가 캐나다의 수도야. 그렇지?

B : I'm afraid your answer's wrong. It's Ottawa.
미안하지만, 네 대답은 틀렸어. 그건 오타와야.

감사와 기원

● 감사하기

A : Thank you for finding me my locker key. I appreciate your help.
내 사물함 열쇠를 찾아줘서 고마워. 도와줘서 고마워.

B : It's my pleasure. I'm glad to be of help.
아니야. 내가 도움이 되어 기뻐.

● 안심시키기

A : I'm worried about making friends at my new school.
난 새 학교에서 친구들을 사귀는 게 걱정돼.

B : Don't worry. I'm sure you'll make a lot of friends there.
걱정하지 마. 난 네가 그곳에서 많은 친구를 사귈 거라고 확신해.

● 기원하기

A : I have a presentation tomorrow. I'm so nervous.
나 내일 발표가 있어. 너무 긴장돼.

B : I hope your teacher likes it. I'll keep my fingers crossed for you.
네 선생님께서 마음에 들어 하길 바라. 행운을 빌게.

감정 표현

● 기쁨 표현하기

A : It's going to rain all day long.
온종일 비가 올 거야.

B : I'm glad to hear that. I can wear my new raincoat.
그 말을 들으니 기뻐. 난 내 새 우비를 입을 수 있어.

● 화냄 표현하기

A : They are talking too loudly. I can't stand it.
저 사람들은 너무 크게 말하고 있어. 난 못 참아.

B : Calm down! They are very old. They can't hear well.
진정해! 저 사람들은 아주 연세가 많아. 잘 안 들리잖아.

● 슬픔, 불만족, 실망의 원인에 대해 묻기

A : Why are you disappointed?
왜 낙담했어?

B : I failed the audition for the dance team.
난 댄스팀 오디션에 떨어졌어.

● 희망/기대 표현하기

A : Are you aware that there is a big soccer game next Monday?
다음 주 월요일에 큰 축구 경기가 있는 걸 알고 있니?

B : Of course! I can't wait to see the soccer match.
물론이지! 난 그 축구 경기를 빨리 보고 싶어.

A : Me, too. I'm looking forward to watching it with my friends.
나도. 난 내 친구들이랑 그걸 보는 것을 기대하고 있어.

● 놀람 표현하기

A : Weren't you amazed when the singer showed up suddenly on the stage?
그 가수가 갑자기 무대에 등장했을 때 놀라지 않았어?

B : Of course I was. I was surprised to see him in person.
당연히 그랬지. 그를 직접 봐서 놀랐어.

● 걱정 표현하기

A : Is something wrong? You look concerned.
무슨 문제라도 있니? 너 걱정스러워 보여.

B : My sister has broken her arm. I'm worried about her.
여동생 팔이 부러졌대. 동생이 걱정돼.

● 후회 표현하기

A : I wrote the wrong answer on my math test. I should have been more careful.
수학 시험지에 틀린 답을 적었어. 좀 더 신중했어야 했는데.

B : That's too bad. Don't be in a hurry next time.
정말 안됐다. 다음에는 급하게 하지 마.

● 축하 표현하기

A : I won first prize in the speech contest. I'm so excited.
난 말하기 대회에서 일등상을 받았어. 정말 신나.

B : That's wonderful. Congratulations!
정말 멋지다. 축하해!

● 유감 표현하기

A : My bike is broken. I'm very upset.
내 자전거가 고장 났어. 난 정말 속상해.

B : That's too bad. I'm sorry to hear that.
정말 안됐다. 유감이야.

요청

● 부탁하기

A : Can you do me a favor?
내 부탁을 들어줄 수 있어?

B : Sure. What is it?
그래. 뭔데?

A : Please feed the dog while I'm gone.
내가 없는 동안 강아지한테 밥을 줘.

● 허락/허가 요청하고 답하기

A : Do you mind if I look around the stage?
제가 무대를 둘러봐도 될까요?

B : I'm sorry. It's open only for the actors.
죄송합니다. 배우들에게만 개방돼요.

● 설명 요청하기/생각할 시간 요청하기

A : Could you explain how to get a discount?
할인을 어떻게 받는지 설명해 줄 수 있나요?

B : Let me see... You need to download the coupons from the website.
어디 보자... 웹사이트에서 쿠폰을 받아야 해요.

● 반복 요청하기

A : My name is Lucius, and it is spelled L-U-C-I-U-S.
제 이름은 Lucius이고, 철자는 L-U-C-I-U-S입니다.

B : I'm sorry, sir. Could you say that again?
죄송합니다, 손님. 다시 한번 말씀해 주시겠어요?

● 충고 요청하기

A : Can I get your advice on visiting the Netherlands?
네덜란드를 방문하는 것에 관해 네 조언을 얻을 수 있을까?

B : Sure. You should never stand on a bike path.
물론이지. 자전거 도로에 절대 서 있으면 안 돼.

● 추천 요청하기

A : Could you recommend a good traditional dish?
괜찮은 전통 요리를 추천해줄래요?

B : Try Samgyetang. It'll give you energy.
삼계탕을 먹어 봐요. 힘이 나게 할 거예요.

● 표현/정의 요청하기

A : What does "pull myself together" mean?
'자제심을 되찾다'가 무슨 의미야?

B : It means "to calm down."
그건 '진정하다'라는 의미야.

● 교환/환불 요청하기

A : I'd like to get a refund for this bag.
전 이 가방을 환불받고 싶어요.

B : Please show me your receipt.
영수증을 보여주세요.

● 대안 요청하기

A : Are there any other sauces?
다른 소스가 있을까요?

B : Sorry. Those are the only two we have.
죄송합니다. 저희는 그 두 개만 있습니다.

사과

● 비난 수용/다짐하기

A : We missed the train because of me. It's my fault.
나 때문에 우리가 기차를 놓쳤어. 내 잘못이야.

B : Never mind. Let's wait for the next train.
신경 쓰지 마. 다음 기차를 기다리자.

A : I promise I won't be late again.
다신 늦지 않겠다고 약속할게.

당부

● 당부/경고하기

A : I almost caused an accident when I crossed the street.
나 길 건너다가 사고당할 뻔했어.

B : Make sure that you look both ways carefully.
양옆을 주의 깊게 살피도록 해.

A : I'll keep that in mind.
명심할게.

● 의무 표현하기

A : You're supposed to hand in the book report today.
너 오늘 독후감 제출해야 해.

B : Oh, thanks for reminding me.
어머, 상기시켜줘서 고마워.

● 충고하기

A : I didn't bring my science homework.
나 내 과학 숙제를 안 가져왔어.

B : If I were you, I'd do it again during breaks.
내가 너라면 난 쉬는 시간에 다시 할 거야.

● 금지하기

A : You're not allowed to feed the birds here.
여기서 새들한테 먹이를 주면 안 돼요.

B : I'm sorry. I didn't know that.
죄송해요. 전 몰랐어요.

가능성

● 가능성 정도 묻고 표현하기

A : Is it possible for humans to live on Mars?
인간이 화성에서 사는 게 가능한가요?

B : Well, I think it is impossible, because of its temperature. Occasionally it drops to below -60° C.
글쎄요, 제 생각엔 온도 때문에 불가능하다고 봅니다. 가끔 영하 60도 아래로 내려가거든요.

가정

● 상상하여 말하기

A : What would you do if you became a millionaire?
네가 백만장자가 된다면 무엇을 하겠니?

B : Well, I would donate money to the poor.
음, 나는 가난한 사람들에게 돈을 기부할 거야.

발표

● 주제 소개하기

A : I'd like to talk about Frida Kahlo.
전 프리다 칼로에 대해 얘기하고 싶어요.

B : Okay, I'm ready. You may start.
네, 전 준비됐어요. 시작해도 돼요.

경험

● 경험 묻고 답하기

A : Have you ever visited Jeju-do?
제주도에 가본 적 있니?

B : Yes, I have.
응, 가본 적 있어.

안부

● 안부 묻고 답하기

A : How have you been?
어떻게 지냈어?

B : I've been good, thanks.
나는 잘 지냈어, 고마워.

제안과 권유

● 제안/권유하고 거절하기

A : I suggest you exercise more often.
난 네가 운동을 더 자주 하는 걸 제안해.

B : I'd love to, but I can't. I don't have enough time.
난 그러고 싶은데 못해. 시간이 충분하지 않거든.

● 도움 제안하기

A : Can I give you a hand?
내가 도울까?

B : That'd be great. Thank you.
그럼 좋지. 고마워

She has studied Spanish for three years.

현재완료는 과거의 특정 시점에 일어난 동작이나 상태가 현재까지 영향을 미칠 때 사용하며, 「주어+have[has]+p.p.(동사의 과거분사형)」의 형태로 쓴다. 편의상 크게 경험, 완료, 계속, 결과의 4가지 용법으로 나누는데, 용법마다 자주 쓰는 시간 부사(구)가 다르므로 잘 알아두어야 한다.

용법	시간 부사(구)
경험	before(이전에), once(한 번), ~ times(~ 번)
완료	already(벌써, 이미), just(이제 막), yet(아직)
계속	for+기간(~ 동안), since+시작 시점(~ 이후로)

A
배열 영작

01 나는 Hailey를 오랫동안 알고 지냈다. (have / I / Hailey / for / known / a long time)

_____

02 그녀는 전에 물 위에서 식사를 해본 적이 있다. (a meal / had / on water / she / before / has)

_____

03 비행기가 보스턴에서 이미 이륙했다. (already / from Boston / has / the flight / taken off)

_____

B
문장 완성

[현재완료형을 사용할 것]

01 미국인들은 1820년 이후로 토마토 먹는 것을 즐겨왔다. (enjoy, eating tomatoes)

Americans _____ .

02 그는 아직 숙제를 끝내지 않았다. (finish the homework)

_____

03 나는 그 영화를 세 번 봤다. (watch the movie)

_____ .

내신 기출 조건 영작

다음 ①~③에 주어진 표현을 활용하여, Aiden을 소개하는 글을 현재완료형으로 쓰시오.

My friend, Aiden
① play, soccer   ② just, become the captain   ③ score, 23 goals

Aiden ① _____ 9 years.
He ② _____ of his team.
Surprisingly, he ③ _____
last year.

감점 피하기!

Q
① move   ② live

Clara ① _____
to LA last year. She
② _____ there
since then.

★ 과거를 나타내는 부사(구)
과거를 나타내는 부사(구)인
ago, yesterday, last night
[week, month, year …]은
현재완료와 같이 쓸 수 없어요.

Have you ever visited another country?

현재완료의 부정문은 「주어+have[has]+not[never]+p.p.」의 형태로 쓴다. 이때, 부사 never를 쓰면 '전혀 ~한 적이 없다'라는 부정의 의미를 강조할 수 있다. 의문문은 「Have[Has]+주어+p.p. ~?」의 형태로 쓰며, 긍정의 대답은 「Yes, 주어+have[has].」로, 부정의 대답은 「No, 주어+haven't[hasn't].」로 한다. 단, 의문사가 있으면 「의문사+have[has]+주어+p.p. ~?」의 형태로 쓰며, 질문에 Yes나 No로 대답하지 않는 점에 유의한다.

A
배열 영작

01 Jeff가 자신의 스마트폰을 잃어버렸니? (lost / Jeff / his smartphone / has)

_____

02 나는 내 꿈에 대해서 누구에게도 말한 적이 전혀 없다. (have / about / I / told / anyone / never / my dream)

_____

03 너는 요즘 어떻게 지냈니? (recently / you / been / have / how)

_____

B
문장 완성

[현재완료형을 사용할 것]

01 너는 친구와 크게 싸운 적이 있니? (ever, have a big fight)

_____ with your friend?

02 그 작가는 자신의 가족에 대해 글을 쓴 적이 전혀 없다. (write, about her family)

The author _____.

03 너는 전에 불고기를 먹어본 적이 있니? (try, bulgogi)

_____?

내신 기출   대화 완성

다음 괄호 안에 주어진 단어를 활용하여 대화를 완성하시오. (단, 현재완료형을 사용할 것)

01 A: _____ you ever _____ squash? (play)

B: No, but I _____ always _____ to try it. (want)

02 A: _____ _____ ever _____ the man before? (meet)

B: Yes, I _____ _____ him. (meet)

03 A: Mom, _____ _____ you _____? (be)

B: I _____ just _____ out to the supermarket. (be)

I have been waiting for his call all afternoon.

현재완료 진행은 현재완료(have[has] p.p.)와 진행(be -ing)을 결합한 시제로 과거 어느 시점에 일어난 동작이 현재까지 진행 중일 때 사용한다. 「주어+have[has]+been+동사원형+-ing」의 형태로 쓰며, '~해 오고 있다, ~하고 있는 중이다'라는 의미를 나타낸다. 현재완료는 완료된 동작의 결과를 강조하고, 현재완료 진행은 동작의 계속을 강조하는 점이 다르다. 의문문은 주어와 have[has]의 위치를 바꾸되, 의문사가 있으면 의문사를 문장의 맨 앞에 쓴다. 또한, 축약형은 「주어+have[has]」를 축약하여 've['s] been -ing로 쓴다.

A
배열 영작

01 그녀는 2년째 테니스를 배워오고 있다. (for / has / two years / tennis / learning / she / been)

_____

02 Peter는 최근에 잠을 잘 못 자고 있다. (well / sleeping / Peter / hasn't / been / lately)

_____

03 어젯밤부터 비가 내리고 있니? (since / it / been / last night / has / raining)

_____

B
문장 완성

[현재완료 진행형을 사용할 것]

01 나는 30분째 버스를 기다리고 있다. (wait for the bus)

_____ for thirty minutes.

02 너는 기타를 친 지 얼마나 됐니? (play the guitar)

How long _____ ?

03 Judy는 2시간째 TV를 보고 있다. (watch TV)

_____ .

내신 기출 문장 전환

다음 두 문장을 같은 뜻이 되도록 한 문장으로 바꿔 쓰시오. (단, 현재완료 진행형을 사용할 것)

01 It began to snow last Friday. + It is still snowing.

→ _____ since last Friday.

02 They started to play the board game three hours ago. + They are still playing the game.

→ _____ for three hours.

03 Greg started to work at the bank in January. + He is still working at the bank.

→ _____ since January.

The thief **had escaped** when the police arrived.

과거완료는 과거의 어느 한 시점을 기준으로 그 이전에 완료되었거나 그 시점까지 지속된 동작 또는
상태를 나타낼 때 사용한다. 이때, 주어의 인칭, 수와 관계없이 「주어+had+p.p.」의 형태로 쓰며,
줄여서 'd p.p.로도 쓸 수 있다. 현재완료와 마찬가지로 경험, 완료, 계속, 결과의 4가지 용법이 있
으며, 부정문은 「주어+had+not[never]+p.p.」의 형태로 쓴다. 이때, before나 after와 같이 시간
의 순서를 분명하게 나타내는 접속사가 있으면 과거완료 대신 과거시제로도 쓸 수 있다.

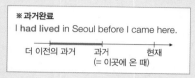

A 01 네가 이곳에 도착하기 전에 기차는 이미 출발했다.

배열 영작 (you / already / the train / had / here / arrived / left / before)

_____

02 그는 버스를 놓쳤기 때문에 학교에 늦었다.

(late for / he / the bus / missed / because / he / was / school / had)

_____

B 01 우리는 부산으로 이사 가기 전에 서울에 살았었다. (live in Seoul)

문장 완성 _____ before we moved to Busan.

02 내가 들어왔을 때 소포가 이미 도착해 있었다. (arrive, come in)

The package _____.

03 내가 잠자리에 든 후에 지진이 발생했다. (an earthquake, hit, go to bed)

_____.

내신 기출 ▷ 오류 수정

다음 문장에서 어법상 틀린 부분을 찾아 바르게 고쳐 쓰시오.

01 We didn't have talked on the phone before we met.

_____ → _____

02 He reported on the news that the automobile company has paid a fine.

_____ → _____

03 Mason hasn't fixed my bike yet, so I couldn't ride it.

_____ → _____

Unit 01-05 ▷ cannot＋have＋p.p. ◀ 시제와 조동사

She cannot have told you a lie.

「조동사+have+p.p.」는 말하는 시점보다 먼저 일어난 과거의 일을 이야기할 때 쓰는 표현으로, 조동사에 따라 달라지는 각각의 의미를 정확히 알아두어야 한다. 이 장에서 다루는 「cannot[can't]+have+p.p.」는 '~이었을 리가 없다[~했을 리가 없다]'라는 뜻으로 과거의 일에 대한 강한 부정적 추측이나 불가능을 나타낸다.

cannot[can't]＋have＋p.p.	~이었을 리가 없다[~했을 리가 없다]

A
배열 영작

01 그것은 사실이었을 리가 없다. (been / cannot / it / true / have)

_____

02 Beth가 너의 아이디어를 훔쳤을 리가 없다. (have / cannot / your idea / Beth / stolen)

_____

03 Amy가 도서관에서 나를 봤을 리가 없다. (at the library / cannot / me / seen / Amy / have)

_____

B
문장 완성

[cannot have p.p.를 사용할 것]

01 나는 Emma가 시험에서 부정행위를 했을 리가 없다고 확신한다. (cheat)

I'm sure that _____ on the exam.

02 그들이 오랫동안 알고 지냈을 리가 없다. (know, each other)

_____ for a long time.

03 James가 요리사였을 리가 없다. (be, a chef)

_____ .

내신 기출 조건 영작

다음 괄호 안에 주어진 표현과 can을 활용하여 ①~②를 영어로 옮기시오.

> A: Did you hear that Kathy left for Ottawa last week?
> B: Really? Where did you hear that? ① <u>Kathy가 작별 인사도 없이 떠났을 리가 없어!</u>
> A: Her sister told me she left last Tuesday.
> B: I've texted her many times. ② <u>그녀가 나를 잊었을 리가 없어!</u>

① _____ without saying goodbye! (leave)

② _____ (forget)

Mason may have been sick last weekend.

「may＋have＋p.p.」는 '~이었을지도[~했을지도] 모른다'라는 뜻으로 과거의 일에 대한 약한 추측을 나타낸다. 부정문은 「may not＋have ＋p.p.」로 '~이 아니었을지도[~을 하지 않았을지도] 모른다'라는 뜻이다. may는 not과 축약해서 mayn't로 쓰지 않는 점에 유의한다.

긍정	may＋have＋p.p.	~이었을지도[~했을지도] 모른다
부정	may not＋have＋p.p.	~이 아니었을지도[~을 하지 않았을지도] 모른다

A
배열 영작

01 너는 도난당한 전화기를 샀을지도 몰라. (may / a stolen phone / have / you / bought)

_____

02 그것은 농담이 아니었을지도 모른다. (not / been / a joke / it / have / may)

_____

03 그들이 계약을 취소했을지도 모른다. (the contract / have / may / they / canceled)

_____

B
문장 완성

[may have p.p.를 사용할 것]

01 내가 네 기분을 상하게 했을까 봐 걱정이야. (hurt, feelings)

I'm afraid that _____.

02 Steve가 그 경기의 진정한 승자가 아니었을지도 모른다. (the real winner)

_____ of the game.

03 그녀는 학교에서의 실수를 걱정하지 않았을지도 모른다. (worry about, the mistake at school)

_____.

내신 기출 ▶ 문장 완성

다음 우리말과 일치하도록 괄호 안에 주어진 표현과 may를 활용하여 문장을 완성하시오.

01 그가 비행기를 타지 않았을지도 모른다.

He _____ the plane. (get on)

02 그들은 새 건물로 옮겼을지도 모른다.

They _____ to a new building. (move)

03 그의 진술이 사실이었을지도 모른다.

His statement _____. (true)

My grandma must have loved baseball.

「must＋have＋p.p.」는 '～이었음에[～했음에] 틀림없다'라는 뜻으로 과거의 일에 대한 강한 추측이나 확신을 나타낸다. 부정문은 「must not[mustn't]＋have＋p.p.」로 '～이 아니었음에[～하지 않았음에] 틀림없다'라는 뜻이다.

긍정	must＋have＋p.p.	～이었음에[～했음에] 틀림없다
부정	must not[mustn't]＋have＋p.p.	～이 아니었음에[～하지 않았음에] 틀림없다

A 배열 영작

01 그 선수들은 긴장했음에 틀림없다. (been / the players / must / nervous / have)

_____

02 그녀는 기차를 타지 않았음에 틀림없다. (must / the train / she / taken / have / not)

_____

03 Jake는 감기에 걸렸음에 틀림없다. (a cold / have / Jake / caught / must)

_____

B 문장 완성

[must have p.p.를 사용할 것]

01 그들은 파티에서 즐거운 시간을 보냈음에 틀림없다. (have a good time)

_____ at the party.

02 어젯밤에 비가 세차게 내렸음에 틀림없다. (rain, hard)

_____ .

03 Mike는 어제 집에 없었음에 틀림없다. (be, at home)

_____ .

내신 기출   조건 영작

다음 괄호 안에 주어진 단어와 must를 활용하여 ①~②를 영어로 옮기시오.

> Janis bought those shoes. She told me they were uncomfortable.
> ① 그녀는 그것들을 구입한 것을 후회했음에 틀림없다.

> The necklace looks great, and it seems like real gold.
> ② 그것은 진짜 금으로 만들어졌음에 틀림없다.

① She _____ buying them. (regret)

② It _____ . (be made from, real gold)

You should have saved food for the winter.

「should＋have＋p.p.」는 '~했어야 했는데(하지 않았다)'라는 뜻으로 과거에 하지 못한 일에 대한 후회나 유감을 나타낸다. 부정문은 「should not[shouldn't]＋have＋p.p.」로 '~하지 말았어야 했는데 (해버렸다)'라는 뜻으로 과거에 한 일에 대한 후회나 유감을 나타낸다. should와 not은 축약해서 주로 shouldn't로 쓴다.

긍정	should＋have＋p.p.	~했어야 했는데(하지 않았다)
부정	should not[shouldn't]＋have＋p.p.	~하지 말았어야 했는데(해버렸다)

A

배열 영작

01 나는 더 열심히 공부했어야 했다. (studied / I / harder / have / should)

_____

02 너는 그런 실수를 하지 말았어야 했다. (have / should / not / such mistakes / you / made)

_____

03 우리는 지난번에 경기를 더 잘했어야 했다. (should / last time / we / played / better / have)

_____

B

문장 완성

[should have p.p.를 사용할 것]

01 그는 친구들에게 주의를 더 기울였어야 했다. (pay more attention to)

_____ his friends.

02 내가 너를 기다리게 하지 말았어야 했다. (make)

_____ you wait.

03 너는 그 중고자전거를 사지 말았어야 했다. (buy, the used bike)

_____.

내신 기출 조건 영작

다음 괄호 안에 주어진 단어와 should를 활용하여 후회의 의미를 담은 문장을 완성하시오.

01 I wasted all my money shopping.

I _____ all my money shopping. (spend)

02 I always traveled to the same places.

I think that _____ to visit new places. (try)

03 I gained a lot of weight.

I _____ healthy food and worked out. (eat)

I would rather stay home than go out.

「would rather A (than B)」구문은 '(B 하느니) 차라리 A 하겠다'라는 뜻으로, 특정 대상에 대한 주어의 선택이나 선호를 나타내는 표현이다. 이때, A와 B에 오는 동사는 동사원형으로 쓴다. 부정문은 「would rather not+동사원형」으로 '차라리 ~하지 않겠다'라는 뜻이다. would rather는 보통 'd rather로 줄여서 쓴다.

긍정	would rather['d rather] A (than B)	(B 하느니) 차라리 A 하겠다
부정	would rather['d rather] not+동사원형	차라리 ~하지 않겠다

A
배열 영작

01 나는 버스를 타느니 차라리 걷겠다. (than / a bus / rather / take / walk / I / would)

_____

02 그는 차라리 그 질문에 답하지 않는 게 낫겠다. (answer / not / would / he / the question / rather)

_____

03 나는 TV를 보느니 차라리 잠을 자겠다. (TV / sleep / than / I / rather / watch / would)

_____

B
문장 완성

[would rather A than B를 사용할 것]

01 그녀는 거짓말을 하느니 차라리 침묵을 지키는 게 낫다고 생각한다. (keep silent, tell a lie)

She thinks she _____.

02 Parker 씨는 차라리 그 낡은 가구를 팔지 않겠다고 말했다. (sell, the old furniture)

Mr. Parker said he _____.

03 나는 저녁을 거르느니 차라리 운동을 하겠다. (exercise, skip dinner)

_____.

내신 기출 대화 완성

다음 괄호 안에 주어진 단어와 「would rather A than B」 구문을 활용하여 대화를 완성하시오.

01 A: Did you see Emma's new bag? Really cool! I want to have one, too.

B: Well, _____ abroad _____ a bag. (go, buy)

02 A: Dan is too boring. _____ home _____ him. (stay, meet)

B: Really? Dan is a nice guy. Everyone likes him.

03 A: Will you take the subway today?

B: I'm late, so _____ the subway. (take, a taxi)

She used to be a cook in a restaurant.

「used to+동사원형」은 '~하곤 했다'라는 뜻으로 과거의 규칙적인 습관을 나타내거나 '(전에는) ~이었다[~했다]'라는 뜻으로 과거의 상태나 상황을 나타낸다. 과거의 규칙적인 습관을 나타낼 때는 would와 바꿔 쓸 수 있지만, 과거의 상태 또는 상황을 나타내거나 주어가 there일 때는 반드시 used to만 써야 한다. 한편, be used to 뒤에 동사+-ing형이 오면 '~하는 것에 익숙하다'라는 뜻의 전혀 다른 의미가 되므로 혼동하지 않도록 유의한다.

used to+동사원형	과거의 규칙적인 습관 (= would+동사원형)	~하곤 했다
	과거의 상태나 상황	~이었다[~했다]

A
배열 영작

01 그 미술관은 기차역이었다. (be / a train station / used / the gallery / to)

_____

02 뒷마당에 사과나무가 있었다. (an apple tree / to / there / used / in the backyard / be)

_____

03 우리는 더 자주 어울려 다니곤 했다. (used / more often / we / to / hang out)

_____

[used to/would를 사용할 것]

B
문장 완성

01 Peter는 얼굴에 여드름이 있었다. (have, acne)

_____ on his face.

02 그는 주말마다 낚시를 하러 다니곤 했다. (go fishing)

_____ on weekends.

03 나의 할머니는 간호사이셨다. (grandmother, a nurse)

_____ .

내신 기출 ▶ 조건 영작

다음 괄호 안에 주어진 표현과 used to/would를 활용하여 ①~③을 영어로 옮기시오.

> ① 우리 동네에는 팬케이크 가게가 있었다. ② 나는 가족들과 그곳에 가곤 했다. ③ 우리는 그곳에서 많은 시간을 보내곤 했다. Sadly, the pancake house has closed. I miss those happy moments sometimes.

① There _____ in my town. (pancake house)

② I _____ with my family. (go)

③ We _____ a lot of time there. (spend)

감점 피하기!

Q 그는 저녁식사로 생선을 요리하곤 했다.

_____

for dinner. (cook)

★ be used to+-ing
'~하는 데 익숙하다'의 의미를 나타내는 「be used to+동명사」표현과 구분해야 한다.
He is used to cooking fish. (그는 생선을 요리하는 데 익숙하다)

Step 1 기본 다지기

[1~8] 우리말과 일치하도록 괄호 안에 주어진 말을 바르게 배열하시오.

01 해녀는 제주도의 상징이 되었다.
(become / the symbol / haenyeo / have / of Jeju Island)

→ _____

_____

02 너는 전에 스페인 음식을 먹어 본 적이 있니?
(Spanish food / ever / you / before / have / had)

→ _____

03 Jake는 오후 내내 잠을 자고 있다.
(sleeping / has / all afternoon / been / Jake)

→ _____

04 그들은 내가 이미 도착했다고 생각했다.
(thought / had / arrived / I / already / they)

→ _____

05 그녀가 그 기차를 놓쳤을 리가 없다.
(missed / cannot / she / have / the train)

→ _____

06 Mason이 큰 실수를 했을지도 모른다.
(may / a big mistake / made / Mason / have)

→ _____

_____

07 그녀는 내 말을 제대로 듣지 않았음에 틀림없다.
(not / me / must / heard / she / correctly / have)

→ _____

08 Alice는 긴 금발머리였었다.
(used / long blonde hair / Alice / to / have)

→ _____

[9~16] 우리말과 일치하도록 괄호 안에 주어진 말을 활용하여 문장을 완성하시오.

09 그는 휴가에서 방금 돌아왔다. (come)

→ He _____ just _____ _____

from his holidays.

10 나는 전에 로마에 가본 적이 없다. (be)

→ I _____ _____ to Rome before.

11 Lucy는 자신이 복사기를 고장 내지 않았다고 말했다. (break)

→ Lucy said that she _____ _____ the

copy machine.

12 그들이 무료 콘서트 티켓을 받을 기회를 놓쳤을 리가 없다. (miss)

→ They _____ _____ _____

the chance to get free concert tickets.

13 너는 전화기를 화장실에 두고 왔음에 틀림없다. (leave)

→ You _____ _____ _____ your

phone in the restroom.

14 그는 이곳에 자차로 운전해서 오지 말았어야 했다. (drive)

→ He _____ _____ _____

his car here.

15 나는 카드게임을 하느니 차라리 잠을 자겠다. (rather)

→ I _____ _____ _____

_____ _____ card games.

16 예전에 우리 집 근처에 공원이 있었다. (used to)

→ There _____ _____ _____

_____ _____ near my house.

우리말을 영어로 옮긴 문장의 어법이나 의미가 틀린 부분을 찾아 바르게 고치시오.

17

(나는 이 소식을 예전에 들은 적이 있다.)

I have hear this news before.

_____ → _____

18

(과학자들은 아직 그 연구를 시작하지 않았다.)

The scientists didn't have started the research yet.

_____ → _____

19

(Jane은 3년째 중국어를 배워오고 있다.)

Jane has been learned Chinese for three years.

_____ → _____

20

(그녀는 막 피자를 먹었기 때문에 배고프지 않았다.)

She wasn't hungry because she has just eaten pizza.

_____ → _____

21

(그가 그때 진실을 알았을 리가 없다.)

He cannot know the truth then.

_____ → _____

22

(그는 자신의 어리석은 행동을 후회했음에 틀림없다.)

He must regret his foolish behavior.

_____ → _____

23

(우리는 그들을 위한 파티를 준비했어야 했다.)

We shouldn't have prepared a party for them.

_____ → _____

24

(나는 차라리 놀이공원을 혼자 가지 않는 게 낫겠다.)

I'd not rather go to an amusement park alone.

_____ → _____

25

(나는 어렸을 때 여동생을 간절히 바라곤 했다.)

I am used to praying for my little sister when I was young.

_____ → _____

Step **2** 응용하기

[26~34] 우리말과 일치하도록 괄호 안에 주어진 말을 활용하여 문장을 완성하시오.

26 나는 이 책을 벌써 세 번 읽었다. (already, read)

→ I _____ this book three times.

27 너는 쌍무지개를 본 적이 있니? (ever, see)

→ _____ a double rainbow?

28 네 개가 내가 만들어둔 눈사람을 망가뜨렸어. (destroy, build)

→ Your dog _____ the snowman I _____.

29 어젯밤 이후로 계속 비가 내리고 있다. (rain)

→ It _____ since last night.

30 그들은 잘못된 길로 갔을지도 모른다. (go)

→ They _____ the wrong way.

31 그가 일찍 잠자리에 들었을 리가 없다. (go to bed)

→ He _____ early.

32 너는 양치를 하지 않았음에 틀림없다. (brush)

→ You _____ your teeth.

33 저기에 분수대가 하나 있었다. (fountain)

→ There _____ over there.

34 나는 사람들 앞에서 춤을 추느니 차라리 노래를 부르겠다. (dance, sing)

→ I _____ in public.

[35~39] 다음 문장을 괄호 안의 지시대로 바꿔 쓰시오.

35 The lawyer has gone back to his country. [의문문으로]

→ _____

36 Steve has tried raw fish before. [부정문으로]

→ _____

37 My dad began to read a newspaper an hour ago.
He is still reading it. [같은 뜻의 한 문장으로]

→ My dad _____
for an hour.

38 I regret that I stayed up late last night.
[should를 넣어 같은 뜻의 문장으로, 주어진 표현을 사용해서]

→ _____
_____

39 I would rather attend the meeting. [부정문으로]

→ _____
_____

[40~44] 다음 괄호 안에 주어진 말을 활용하여 대화를 완성하시오.

40
> A: _____ the school bus already _____?
> (go)
> B: No, I _____ _____ _____
> for it for fifteen minutes. (wait)

41
> A: Have you ever been to LA?
> B: Sure. I _____ _____ in LA before
> I _____ to Iowa. (live, move)

42
> A: Did you eat the peaches on the table?
> B: No, I didn't. Peter _____ _____
> _____ them. (eat)
> A: I don't think so. He _____ _____
> _____ them. (eat) He is allergic to
> peaches.

43
> A: Look! The leaves have fallen off.
> B: You _____ _____ _____
> the plant more often. (water)
> A: You're right. I didn't take good care of it.

44
> A: I need to lose some weight. Let's skip dinner.
> B: Well, I _____ _____ _____
> to the gym _____ _____ dinner.
> (go, skip)
> A: I _____ _____ _____ to the
> gym every day before. (go) But it was too hard.

Step 3 고난도 도전하기

45 지금 시각은 오전 11시이다. 다음 Jake의 일과표를 보고, 주어진 말을 활용하여 문장을 완성하시오.

Time	Things to do
10~11 a.m.	read a book
1 p.m.	eat his sandwich

(1) Jake _____
_____. (read, for)

(2) Jake _____
_____. (eat, yet)

46 주어진 두 문장을 의미가 같도록 완료형을 사용하여 한 문장으로 바꿔 쓰시오. (단, 주어진 표현을 사용할 것)

My dad came home at 11 o'clock.
I already went to bed at that time.

→ I _____ when my

dad _____.

47 다음 대화를 읽고, 주어진 〈조건〉에 맞게 대화의 내용을 요약하는 문장을 완성하시오.

〈조건〉
1. Peter and Alice를 주어로 시작할 것
2. 현재완료진행형으로 쓸 것
3. for를 포함하여 10단어로 쓸 것

A: Are Peter and Alice playing badminton?
B: Yes, they are.
A: When did they start playing?
B: They started playing two hours ago.

_____

_____.

48 주어진 〈조건〉에 맞게 다음 대화를 완성하시오.

〈조건〉
1. be를 알맞은 형태로 바꿀 것
2. 문맥에 맞는 조동사를 추가할 것

A: I saw Mike running in the park this morning.
B: It _____ _____ _____ Mike.
He has gone to New York.

49 다음 글을 읽고, 주어진 〈조건〉에 맞게 마지막 문장을 완성하시오.

〈조건〉
1. 과거의 일에 대한 후회를 나타낼 것
2. 본문에 제시된 표현을 사용할 것

It was very cloudy in the morning. Mom told me to bring my umbrella, but I didn't. It rained heavily this afternoon. I _____

_____.

50 다음 우리말과 일치하도록 〈보기〉에서 알맞은 말을 골라 문장을 완성하시오. (단, 중복 사용 가능)

〈보기〉 used	there	be	to	play

(1) 운동장에는 시소가 있었다.

_____ a seesaw in

the yard.

(2) 그들은 어렸을 때 시소를 타며 놀곤 했다.

They _____ on the seesaw

when they were young.

I want to become a good photographer.

to부정사의 명사적 용법은 to부정사가 문장에서 주어, 목적어, 보어 역할을 하며 명사처럼 쓰인 것이다. 형용사적 용법은 명사나 대명사를 꾸미는 형용사적 역할을 하는 것이다. 수식을 받는 명사가 to부정사 뒤에 오는 전치사의 목적어이면 to부정사 뒤에 전치사가 반드시 필요하다. 부사적 용법은 동사, 형용사, 부사, 또는 문장 전체를 꾸미는 것이 특징이며 문맥에 따라 가장 자연스러운 의미를 파악해야 한다.

용법	의미
명사적 용법	주어(~하는 것이, ~하기가), 목적어(~하는 것을, ~하기를), 보어(~하는 것이다, ~하기(이)다)
형용사적 용법	(대)명사 수식(~하는, ~할)
부사적 용법	목적(~하기 위해, ~하려고), 감정의 원인(~해서), 판단의 근거(~하다니), 결과(결국 ~하다) …

A 배열 영작

01 나는 오로라를 볼 기회가 있었다. (see / a chance / the Northern Lights / I / to / got)

_____

02 몇몇 과학자들이 그 문제를 논의하기 위해 모였다. (discuss / met / some scientists / to / the matter)

_____

03 그 프로젝트는 벽화를 그리는 것이었다. (a wall painting / was / do / the project / to)

_____

B 문장 완성

01 우리는 동물들을 구하기 위해 남아프리카에 갔다. (save, the animals)

We went to South Africa _____.

02 Lindsay는 자신이 가장 좋아하는 밴드를 보게 되어 무척 흥분했다. (so excited, see)

_____ her favorite band.

03 나는 대화를 나눌 누군가가 필요하다. (need, someone, talk with)

_____.

내신 기출 〉 문장 완성

다음 우리말과 일치하도록 괄호 안에 주어진 단어를 활용하여 문장을 완성하시오.

01 나의 일은 학생들이 자신들의 목표에 도달하도록 격려하는 것이다. (encourage)

My job is _____ to reach their goals.

02 그 발레리나는 오디션에 합격하기 위해 열심히 연습했다. (practice, pass)

The ballerina _____ the audition.

03 너를 도와줄 많은 친구들이 있다. (many friends, help)

You have _____.

It is hard to see honey bees these days.

to부정사(구)가 주어인 경우 to부정사(구)를 문장의 맨 뒤로 보내고 원래 주어 자리에 형식상 주어 it을 넣은 형태가 자주 쓰이는데, 이 구문을 '가주어, 진주어' 구문이라고 한다. 이때 it은 아무 의미가 없어 가주어(가짜 주어)라 부르고, 뒤로 보낸 to부정사(구)를 진주어(진짜 주어)라고 부른다. it을 지시대명사와 혼동하여 '그것'으로 해석하지 않도록 유의한다. 가주어, 진주어 구문은 to부정사의 명사적 용법에 해당한다.

> ※ It(가주어) ~ to부정사(진주어) 구문
> · To wake up early in the morning is difficult.
> · It is difficult *to wake up early in*
>   가주어(의미 x)   진주어
>   *the morning*.

A 배열 영작

01 4월에 눈이 내리는 것은 흔치 않다. (snow / is / in April / unusual / to / it / have)

_____

02 길에서 노는 것은 위험하다. (play / dangerous / is / in the street / to / it)

_____

03 한 팀으로 일하는 것은 좋다. (as / is / to / a team / it / good / work)

_____

B 문장 완성

[가주어를 사용할 것]

01 현재에 사는 것이 중요하다. (important, live)

_____ in the present.

02 쌍둥이를 구별하는 것은 어려웠다. (difficult, tell)

_____ the twins apart.

03 매일 운동하는 것은 힘들다. (hard, exercise)

_____ .

내신 기출 ▷ 문장 전환

다음 문장을 「It ~ to …」 구문을 활용하여 같은 뜻의 문장으로 바꿔 쓰시오.

01 To donate blood regularly is healthy.

→ _____

02 To prevent water pollution is necessary.

→ _____

03 To drive a car on an icy road is dangerous.

→ _____

It is important for kids to learn to swim.

문장의 주어와 to부정사의 행위자가 다를 경우에는 실제 행위자를 써주는데, 이를
'to부정사의 의미상 주어'라고 부른다. to부정사의 의미상 주어는 보통 「for+목적
격」으로, 사람의 성품이나 특징을 나타내는 형용사(kind, nice, stupid, careless
등)가 있으면 「of+목적격」으로 나타내므로 잘 구별해야 한다. 단, 실제 행위자가
불특정 다수나 일반인을 가리키면 의미상 주어를 생략한다.

성품/특징을 나타내는 형용사	to부정사의 의미상 주어
kind, nice, stupid, foolish, careless, wise, careful, brave, polite	+of	+목적격

A
배열 영작

01 어떤 물고기라도 잡는 것이 그에게는 불가능했다. (him / any fish / was / for / to catch / it / impossible)

_____

02 나를 돕다니 너는 친절하구나. (of / me / to help / is / you / it / nice)

_____

03 나는 축구를 보는 것이 지루하다. (to watch / is / for / soccer / it / boring / me)

_____

B
문장 완성

[to부정사의 의미상 주어를 사용할 것]

01 우리가 최고의 아이디어를 고르는 것은 어려웠다. (difficult, choose)

_____ the best idea.

02 거울을 또 깨다니 그녀는 조심성이 없구나. (careless, break)

_____ a mirror again.

03 우리를 초대해주다니 너는 친절하구나. (kind, invite)

_____ .

내신 기출 ▶ 문장 전환

다음 문장을 괄호 안에 주어진 단어를 의미상 주어로 활용하여 바꿔 쓰시오.

01 It is necessary to help your parents. (you)

→ _____

02 It is foolish to make the same mistake twice. (he)

→ _____

03 It can be dangerous to eat raw fish. (people)

→ _____

⊙ 감점 피하기!

Q It is generous to help the poor. (he)

→ _____

_____

_____

★ 성품/특징 형용사
+of+목적격

사람의 성품/특징을 나타내는
형용사가 오면 for가 아닌 of
를 사용해 「of+목적격」 형태로
써야 해요.

I found it possible to inspire people with music.

to부정사(구)가 목적어로 쓰이면 to부정사(구)를 문장의 맨 뒤로 보내고 원래 목적어 자리에 형식상 목적어 it을 넣은 형태를 '가목적어 구문'이라고 한다. 이때 it은 아무 의미가 없어 가목적어(가짜 목적어)라 부르고, 뒤로 보낸 to부정사(구)를 진목적어(진짜 목적어)라고 부른다. 가목적어는 대체로 think, find, believe, make, consider와 같은 동사와 함께 쓴다.

동사	가목적어	목적격 보어	진목적어	의미
think				~가 …하다고 생각하다
find				~가 …하다고[…하다는 것을] 알아내다[생각하다]
believe	+it	+형용사/명사	+to부정사 (구)	~가 …하다고 믿다
make				~가 (…이 되게) 만들다
consider				~를 …하다고 여기다[생각하다]

A 배열 영작

01 나는 나 자신을 존중하는 것이 필요하다고 믿는다. (believe / I / it / necessary / respect / myself / to)

_____

02 그 기계는 집안을 청소하는 것을 쉽게 해 준다. (the house / makes / to / easy / it / clean / the machine)

_____

03 Sally는 그 남자를 믿기 어렵다고 생각한다. (difficult / thinks / the man / Sally / to / it / believe)

_____

B 문장 완성

[가목적어를 사용할 것]

01 나는 "고마워"라고 말하는 것이 중요하다고 생각한다. (find, important, say)

_____ "Thank you."

02 많은 사람들이 재활용하는 것이 중요하다고 생각한다. (consider, important, recycle)

Many people _____.

03 그들은 거짓말하는 것이 잘못되었다고 생각한다. (think, wrong, tell lies)

_____.

내신 기출 ▷ 문장 완성

다음 우리말과 일치하도록 괄호 안에 주어진 단어와 가목적어를 활용하여 문장을 완성하시오.

01 그는 받는 것보다 주는 것이 더 낫다고 생각한다. (think, better, give)

He _____ than to receive.

02 나는 매일 신문을 읽는 것을 원칙으로 삼았다. (make, a rule, read)

I _____ a newspaper every day.

03 Jonathan은 더는 어떤 말을 해도 소용이 없다는 것을 알았다. (find, useless, say)

Jonathan _____ anything further.

She saw all the children run away.

지각동사는 감각기관을 이용해 대상을 인식하는 동사로 see, watch, look at, hear, listen to, feel 등을 일컫는 말이다. 지각동사는 목적격 보어로 원형부정사(동사원형)가 와서 「주어+지각동사+목적어+목적격 보어(원형부정사)」 형태로 쓰며, '주어는 목적어가 ~하는 것을 보다, 듣다, 느끼다'라는 의미를 나타낸다. 단, 동작의 진행 상태(~가 …하는 중인)를 강조할 때는 목적격 보어 자리에 현재분사(-ing)도 쓸 수 있다.

• 원형부정사를 목적격보어로 가지는 지각동사

see+목적어 +동사원형	목적어가 ~하는 것을 보다	hear+목적어 +동사원형	목적어가 ~하는 것을 듣다
watch+목적어 +동사원형	목적어가 ~하는 것을 보다	listen to+목적어 +동사원형	목적어가 ~하는 것을 듣다
look at+목적어 +동사원형	목적어가 ~하는 것을 보다	feel+목적어 +동사원형	목적어가 ~하는 것을 느끼다

A 배열 영작

01 그는 그 여자아이가 무언가 속삭이는 것을 보았다. (whisper / the girl / he / something / watched)

_____

02 Ethan은 바닥이 흔들리는 것을 느꼈다. (the floor / shake / Ethan / felt)

_____

03 Josh는 그들이 Ben에 관해 이야기하는 것을 들었다. (heard / about Ben / Josh / talking / them)

_____

B 문장 완성

01 나는 그가 기타 치는 것을 듣고 싶다. (listen to, play)

I want to _____ .

02 경비원은 누군가 몰래 건물에 들어가는 것을 보았다. (see, someone, sneak)

The guard _____ into the building.

03 나는 네가 버스에서 내리는 것을 보았다. (look at, get off)

_____ .

내신 기출 ▷ 문장 전환

다음 두 문장을 한 문장으로 바꿔 쓰시오.

01 We saw a dog. + The dog ran after a cat.

→ _____

02 They heard the sirens. + The sirens went off for about 3 minutes.

→ _____

03 Alex felt something. + Something touched his shoulder.

→ _____

Let me introduce myself.

사역동사는 상대에게 어떤 행위를 시키는 동사로, make(강요), have(지시), let(허가) 등을 일컫는 말이다. 사역동사는 목적격 보어로 원형부정사(동사원형)가 와서 「주어+사역동사+목적어+목적격 보어(원형 부정사)」 형태로 쓰며, '주어는 목적어가 ~하게 하다'라는 의미를 나타낸다. 단, 목적어와 목적격 보어가 수동의 관계(~가 …되도록)일 때는 과거분사(p.p.)로 쓴다.

• 원형부정사를 목적격보어로 가지는 사역동사

make+목적어+동사원형	
have+목적어+동사원형	목적어가 ~하게 하다
let+목적어+동사원형	

A
배열 영작

01 그녀는 개가 자신의 침대에서 자게 해준다. (her dog / lets / she / on her bed / sleep)

_____

02 선생님은 학생들이 줄을 서게 했다. (made / the teacher / line up / the students)

_____

03 그는 그의 집이 전문가들에 의해 설계되도록 했다. (by experts / designed / had / he / his house)

_____

B
문장 완성

01 Beth는 방학 동안 내가 그녀의 집에 머물게 해주었다. (let, stay)

_____ in her house during the vacation.

02 그 선생님은 그의 학생들이 학급 토론에 참여하게 했다. (have, take part in)

_____ the class discussion.

03 Jessie는 내가 내 방을 청소하게 했다. (make, clean up)

_____ .

내신 기출 ❯ 문장 완성

다음 우리말과 일치하도록 괄호 안에 주어진 표현을 활용하여 문장을 완성하시오.

01 우리 엄마는 내가 나의 진정한 잠재력을 찾을 수 있게 해 주었다. (let, find)

My mom _____ my true potential.

02 Danny의 헤어스타일이 그를 더 어려 보이게 한다. (make, look younger)

Danny's hairstyle _____ .

03 정비사는 펑크 난 타이어가 교체되도록 했다. (have, the flat tire, replace)

The mechanic _____ .

The glasses will help him see better.

사역동사 help는 「주어+help+목적어+목적격 보어(동사원형/to부정사)」형태로 쓰며, '주어는 목적어가 ~하는 것을 도와 …하게 하다'라는 뜻을 나타낸다. 이때, 목적격 보어로 오는 동사원형 또는 to부정사는 서로 의미상의 차이가 없다. 반면, 사역동사 get은 「주어+get+목적어+목적격 보어(to부정사)」 형태로 쓰며, '주어는 목적어가 ~하게 하다'라는 뜻을 나타낸다. 단, 목적어와 목적격 보어가 수동의 관계일 때는 과거분사(p.p.)로 쓴다.

help+목적어+동사원형	목적어가 ~하는 것을 도와 …하게 하다
help+목적어+과거분사(p.p.)	목적어가 ~하는 것을 도와 …되도록 하다
get+목적어+to부정사	목적어가 ~하게 하다

A
배열 영작

01 엄마는 내가 물고기에게 먹이를 주게 했다. (feed / me / got / the fish / to / Mom)

_____

02 Peter는 노인이 엘리베이터를 타는 것을 도왔다. (the elevator / Peter / helped / take / the old man)

_____

03 그녀는 그가 그녀의 컴퓨터를 고치게 했다. (her computer / she / fix / him / got / to)

_____

B
문장 완성

01 의사는 그녀가 식단에서 소금을 빼게 했다. (get, cut)

The doctor _____ the salt out of her diet.

02 내가 이 탁자를 옮기는 것을 도와주겠니? (help, move)

Can you _____?

03 비타민 C는 네가 건강을 유지하도록 돕는다. (vitamin C, help, stay healthy)

_____.

내신 기출 ▶ 오류 수정

다음 문장에서 어법상 틀린 부분을 찾아 바르게 고쳐 쓰시오.

01 The singer got his road manager picking him up.

_____ → _____

02 Lisa got her son take out the garbage.

_____ → _____

03 The teacher helped me speaking English better.

_____ → _____

We didn't know how to read music.

「의문사(what, who(m), when, where, how)+to부정사」구문은 '(무엇을, 누구를[에게], 언제, 어디서, 어떻게) ~할지'라는 뜻으로, 문장에서 명사 역할(주어, 보어, 목적어)을 한다는 점에서 to부정사의 명사적 용법에 해당하며 주로 목적어로 쓰인다. 단, 「why+to부정사」로는 쓰지 않으며, 「의문사+to부정사」구문은 「의문사+주어+should+동사원형」으로도 바꿔 쓸 수 있다.

A
배열 영작

01 제가 어디에서 내려야 하는지 알려주세요. (get off / let / to / know / where / me)

_____

02 그녀는 언제 식물에 물을 줘야 하는지 내게 말해줬다. (told / water / she / me / when / the plants / to)

_____

03 그는 어디에서 그 책을 사야 하는지 알아냈다. (found out / to / the book / he / where / buy)

_____

B
문장 완성

[「의문사+to부정사」를 사용할 것]

01 아무도 어떻게 그 악기를 연주해야 하는지 알지 못했다. (play)

No one knew _____ the musical instrument.

02 나는 엄마를 위해 무엇을 사야 할지 모르겠다. (know, buy)

_____ for Mom.

03 그녀는 누구에게 책임을 물을지 결정했다. (decide, blame)

_____ .

내신 기출 ◀ 대화 완성

다음 〈보기〉에서 알맞은 의문사를 골라 괄호 안에 주어진 단어와 「의문사+to부정사」구문을 활용하여 대화를 완성하시오.

보기 ▷	how	what	where

01 A: Which shop will you buy the boots from?

B: I'm not sure. I still haven't decided _____ them. (buy)

02 A: What a noise! What is the little boy doing over there?

B: His parents should teach him _____ in public places. (behave)

03 A: What do you do when you get in trouble?

B: I ask my family for advice. They tell me _____ . (do)

It is too late to go out.

「too+형용사/부사+to부정사」 구문은 부정어가 들어 있지 않지만, '너무 …해서 ~할 수 없다'라는 부정의 의미를 나타내는 관용적인 표현이다. 이때 to부정사의 의미상 주어가 필요하면 to 앞에 「for+목적격」을 넣는 다. 또, 「so+형용사/부사+that+주어+cannot[can't, couldn't]+동사 원형」 구문과 바꿔 쓸 수 있으며, 이때 that절의 주어와 동사의 시제, 인 칭, 수 일치에 유의해야 한다.

too+형용사/부사+to부정사 = so+형용사/부사+that+주어+cannot [can't, couldn't]+동사원형	너무 …해서 ~할 수 없다[없었다]

A
배열 영작

01 그 장치는 너무 커서 사용할 수 없었다. (big / use / the device / too / was / to)

_____

02 그녀는 너무 두려워서 스카이다이빙을 시도할 수 없었다. (afraid / skydiving / she / try / too / was / to)

_____

03 이 책은 너무 어려워서 내가 이해할 수 없다. (too / understand / is / for / this book / me / difficult / to)

_____

[「too … to ~」 구문을 사용할 것]

B
문장 완성

01 그 상자는 너무 무거워서 그가 들어 올릴 수 없었다. (heavy, lift)

The box was _____.

02 내 남동생은 너무 어려서 투표할 수 없다. (young, vote)

My brother is _____.

03 이 셔츠는 너무 작아서 Jason이 입을 수 없다. (small, wear)

_____

내신 기출 ▶ 문장 전환

다음 문장을 「too … to ~」 구문을 활용하여 같은 뜻의 문장으로 바꿔 쓰시오.

01 The news is so good that it cannot be true.

→ The news is _____.

02 Bora is so sick that she cannot go camping with her friends.

→ Bora is _____.

03 The necklace was so expensive that I couldn't buy it.

→ The necklace was _____.

감점 피하기!

Q The pants are so long that he can't wear them.

→ _____

★ **that절의 목적어 생략**
「too … to부정사」 구문으로 전환할 때 that절의 목적어를 반드시 생략하는 것에 주의해 야 해요.
The pants are too long for him to wear them. (×)

Our songs are easy **enough to sing.**

「형용사/부사+enough+to부정사」 구문은 '~할 만큼 충분히 ···한[하게]'이라는 뜻을 나타내는 to부정사의 관용적인 표현으로, 형용사와 부사의 위치가 「enough to」 앞이라는 점에 유의해야 한다. 또한, to부정사의 의미상 주어가 필요할 때는 to 앞에 「for+목적격」을 넣는다.
「too ··· to부정사」 구문과 마찬가지로 「so+형용사/부사+that+주어+can[could]」 구문과 바꿔 쓸 수 있다.

형용사/부사+enough+to부정사 = so+형용사/부사+that+주어 +can[could]+동사원형	~할 만큼 충분히 ···하다

A
배열 영작

01 너는 세상을 바꿀 만큼 충분히 젊다. (the world / to / enough / young / you're / change)

_____

02 그는 전용기를 갖고 있을 만큼 충분히 부유하다. (have / enough / a private jet / rich / he / to / is)

_____

03 Chris는 자신의 친구들을 도울 만큼 충분히 착하다. (enough / help / Chris / his friends / to / nice / is)

_____

[「··· enough to ~」 구문을 사용할 것]

B
문장 완성

01 이 경기장은 약 8만 명을 수용할 만큼 충분히 크다. (large, hold)

This stadium is _____ about 80,000 people.

02 Angela는 어려운 수학 문제를 풀 만큼 충분히 똑똑하다. (smart, solve)

_____ difficult math problems.

03 너는 커피를 마실 만큼 충분한 나이가 아니다. (old, drink)

_____ .

내신 기출 ⯈ 문장 전환

다음 문장을 「··· enough to ~」 구문을 활용하여 같은 뜻의 문장으로 바꿔 쓰시오.

01 The dog barked so loudly that it could wake me up.

→ The dog barked _____ .

02 It was so warm that we could go on a picnic.

→ It was _____ .

03 The couch is so comfortable that I can fall asleep on it.

→ The couch is _____ .

Ants seem to be busy all the time.

「주어+seem+to부정사」 구문은 '주어가 ~인 것 같다, ~처럼 보인다'라는 뜻으로 「It seems (that) ~」 구문으로 바꿔 쓸 수 있다. 이때, 동사의 시제에 주의하여 seem의 시제와 that절의 시제가 현재형으로 동일하면 「It seems (that)+주어+현재동사」로 쓰고, 둘 다 과거형일 때는 「It seemed (that)+주어+과거동사」로 쓴다. 둘의 시제가 서로 다른 경우도 있는데 여기에서는 주로 시제가 동일한 경우를 다룬다.

현재	주어+seem+to부정사	~하는 것 같다
	= It seems (that)+주어+현재동사	
과거	주어+seemed+to부정사	~하는 것 같았다
	= It seemed (that)+주어+과거동사	

A
배열 영작

01 그 남자는 배우처럼 보인다. (seems / an actor / the man / be / to)

_____

02 그들은 자유 시간이 많은 것 같았다. (free time / they / have / seemed / lots of / to)

_____

03 그녀는 활동적인 생활방식을 즐기는 것 같다. (to / an active lifestyle / enjoy / she / seems)

_____

[「seem to ~」 구문을 사용할 것]

B
문장 완성

01 그 여성은 자신을 증오하는 것처럼 보였다. (hate oneself)

The woman _____.

02 Amy는 결과에 실망한 것처럼 보인다. (disappointed)

_____ with the result.

03 Kevin은 힙합 음악을 좋아하는 것 같았다. (like, the hip-hop music)

_____

내신 기출 ◀ 문장 전환

다음 문장을 「seem to ~」 구문을 활용하여 같은 뜻의 문장으로 바꿔 쓰시오.

01 It seems that Mr. Wilson enjoys his job.

→ Mr. Wilson _____.

02 It seemed that the play was long and boring.

→ The play _____.

03 It seems that Sophia has a great time with her friends.

→ Sophia _____.

It takes two hours to complete the course.

「It takes+시간/노력/돈+to부정사」 구문은 '~하는 데 ···의 시간/노력/돈이 필요하다[걸리다, 든다]'라는 뜻이다. 사람(행위자)을 생략하는 경우가 대부분이지만, 필요할 때는 「It takes+사람+시간/노력/돈+to부정사」의 형태로도 쓴다. 또, '~하는 데 얼마나 걸려요?'라는 뜻으로 어떤 일을 하는 데 '시간'이 얼마나 걸리는지 묻는 질문으로는 「How long does[did, will] it take+to부정사 ~?」 형태의 의문문을 쓴다.

A
배열 영작

01 여권을 받는 데 3일이 걸린다. (a passport / takes / three days / get / it / to)

_____

02 행복해지는 데는 노력이 필요하다. (to / happy / it / effort / be / takes)

_____

03 그녀가 그 드레스를 만드는 데 5시간이 걸렸다. (her / took / the dress / to / 5 hours / it / make)

_____

B
문장 완성

[가주어를 사용할 것]

01 그 집을 짓는 데 많은 돈이 들었다. (a lot of money, build)

_____ the house.

02 기차역에 가는 데 얼마나 걸리나요? (get to)

How long _____ the train station?

03 그들이 벽에 그림을 그리는 데 3주가 걸렸다. (three weeks, paint the wall)

_____ .

내신 기출 ◀ 문장 전환

다음 문장을 괄호 안에 주어진 단어를 의미상 주어로 활용하여 바꿔 쓰시오.

01 It will take a lot of effort to lose weight. (her)

→ _____

02 It took the whole morning to clean the house. (him)

→ _____

03 It will take a lot of money to travel to Brazil. (us)

→ _____

Step 1   기본 다지기

[1~9] 우리말과 일치하도록 괄호 안에 주어진 말을 바르게 배열하시오.

01 그는 농부가 되고 싶어 한다.
(a farmer / wants / become / he / to)

→ _____

02 다른 문화를 경험하는 것은 중요하다.
(important / other cultures / to / is / experience / it)

→ _____

03 그녀가 그 문제를 해결하는 것은 쉽지 않았다.
(the problem / not easy / for / solve / was / her / it / to)

→ _____
_____

04 그는 스마트폰 없이 사는 것은 따분하다고 생각한다.
(live / it / boring / thinks / without / he / a smartphone / to)

→ _____
_____

05 나는 우리 엄마가 내 방으로 들어오는 것을 봤다.
(come / saw / my room / I / into / my mom)

→ _____

06 음악에 대한 흥미가 나를 그 동아리에 가입하게 했다.
(join / made / the club / my interest / me / in music)

→ _____
_____

07 우리는 어떻게 에너지를 절약할지 논의했다.
(discussed / energy / to / we / save / how)

→ _____

08 Jason은 예술가가 될 만큼 충분히 재능이 있다.
(be / talented / enough / to / an artist / Jason / is)

→ _____
_____

09 나는 힘을 전혀 들이지 않고 숙제를 끝낼 수 있다.
(finish / no effort / takes / my homework / it / me / to)

→ _____
_____

[10~18] 우리말과 일치하도록 괄호 안에 주어진 말을 활용하여 문장을 완성하시오.

10 그 사진대회는 나에게 내 인생에 대해 생각할 기회를 주었다.
(chance)

→ The photo contest gave me a _____
_____ _____ about my life.

11 우리가 환경을 보호할 방법을 찾는 것은 중요하다. (find)

→ It is important _____ _____
_____ _____ ways to protect the
environment.

12 나는 학생들이 운동장에서 축구팀을 응원하는 것을 들었다.
(cheer)

→ I _____ _____ _____ for the
soccer team on the playground.

13 우리 엄마는 내가 개를 산책시키게 했다. (walk)

→ My mom got _____ _____
_____ the dog.

14 어디에서 택시를 잡아야 하는지 알려주시겠어요? (catch)

→ Could you tell me _____ _____
_____ a taxi?

15 제가 음악을 배우기에는 너무 늦었나요? (learn)

→ Is it _____ _____ _____

_____ _____ _____ music?

16 그녀는 자신의 이웃들을 도와줄 만큼 충분히 친절하다. (kind)

→ She is _____ _____ _____

_____ her neighbors.

17 그는 그들과 함께 일하게 되어 행복해 보인다. (seem)

→ He _____ _____ _____

_____ to work with them.

18 내가 이 책을 읽는 데 다섯 달이 걸렸다. (take)

→ It _____ _____ _____

_____ _____ _____ this

book.

[19~30] 우리말을 영어로 옮긴 문장의 어법이나 의미가 <u>틀린</u>
부분을 찾아 바르게 고치시오.

19
(나는 그를 배웅하기 위해 공항에 갔다.)

I went to the airport see him off.

_____ → _____

20
(다른 사람들과 조화를 이루며 사는 것은 중요하다.)

This is important to live in harmony with others.

_____ → _____

21
(젊은이들을 무시하다니 그들은 경솔하다.)

It is careless for them to ignore the young.

_____ → _____

22
(그녀는 하루에 2리터의 물을 마시는 것을 원칙으로 삼고 있다.)

She makes it a rule drink two liters of water a day.

_____ → _____

23
(나는 그가 빗속에서 걷는 것을 보았다.)

I saw him to walk in the rain.

_____ → _____

24
(아빠는 일요일마다 세차를 하신다.)

My dad has his car wash every Sunday.

_____ → _____

25
(그녀는 내가 팝 음악을 듣게 했다.)

She got me listen to pop music.

_____ → _____

26
(나는 그녀에게 그 제품을 어떻게 사야 하는지 물었다.)

I asked her to buy how the product.

_____ → _____

27
(털부츠를 신기에는 너무 이르다.)

It is early too to wear fur boots.

_____ → _____

28
(그녀는 장학금을 받을 만큼 충분히 열심히 공부했다.)

She studied enough hard to earn a scholarship.

_____ → _____

29

(그들은 절대 쉬지 않는 것 같다.)

They never seem resting.

_____ → _____

30

(그가 그녀의 문자 메시지에 답하는 데 이틀이 걸렸다.)

It took him two days text her back.

_____ → _____

Step 2 응용하기

[31~41] 우리말과 일치하도록 괄호 안에 주어진 말을 활용하여 문장을 완성하시오.

31 Nobel은 세상을 더 좋은 곳으로 만들기로 결심했다.
(decide, make)

→ Nobel _____ the world a better place.

32 모두를 기쁘게 하는 것은 불가능하다. (please)

→ _____ is impossible _____ everyone.

33 나는 그에게 다시 말하는 것이 소용없다고 생각했다.
(useless, speak)

→ I thought _____ to him again.

34 그는 학생들이 스마트폰으로 사진을 찍는 것을 봤다.
(see, take pictures)

→ He _____ the students _____ _____ with their smartphones.

35 엄마는 우리가 많은 책을 읽게 하신다. (make, read)

→ Mom _____ lots of books.

36 그녀는 네가 영어 공부하는 것을 도와줄 것이다. (help, study)

→ She will _____ English.

37 점심으로 뭘 먹을지 결정하자. (eat)

→ Let's decide _____ for lunch.

38 너무 추워서 우리는 외출할 수 없었다. (cold, go out)

→ It was _____ for us _____.

39 이 가방은 책 10권을 넣을 만큼 충분히 크다. (big, carry)

→ This bag is _____ ten books.

40 Tim은 요즘 바빠 보인다. (seem, busy)

→ Tim _____ these days.

41 네가 그곳에 도착하는 데 2주가 걸릴 것이다. (get)

→ It will _____ two weeks _____ there.

[42~46] 다음 문장을 괄호 안의 지시대로 바꿔 쓰시오.

42 It is important to manage time effectively.
[의미상 주어 you를 넣어서]

→ _____

_____

43 I don't know how I should ride a bike.
[「의문사+to부정사」 구문으로, 의미가 같도록]

→ _____

44 He was so tired that he couldn't walk any more.
[「too … to ~」 구문으로, 의미가 같도록]

→ _____

45 She is so wise that she can make a good decision.
[「… enough to ~」 구문으로, 의미가 같도록]

→ _____

_____

46 It seems that the tennis match is very exciting.
[「seem to ~」 구문으로, 의미가 같도록]

→ _____

_____

[47~52] 다음 괄호 안에 주어진 말을 활용하여 대화를 완성하시오.

47
A: What do you want to be?
B: My dream is _____ _____ a food photographer. (become)

48
A: Did you read this book?
B: Yes. I found _____ _____ _____ _____ the book. (difficult, understand)

49
A: I saw Tommy _____ in the gym. (dance)
B: He must have practiced for the dancing contest.
A: I heard him _____ to his friend about the contest. (talk)

50
A: You must not _____ your child _____ without an adult. (let, swim)
B: Oh, you're right.

51
A: If you like to go to the movies, download this application. It can _____ you _____ cheaper movie tickets. (help, get)
B: Thank you for telling me.

52
A: Is there a bookstore around here?
B: Yes, there is one next to the library. It'll _____ ten minutes _____ _____ there. (take, walk)

53 다음 우리말과 일치하도록 주어진 〈조건〉에 맞게 문장을 완성하시오.

〈조건〉
1. (1)은 to부정사를, (2)는 that을 사용할 것
2. short, reach, the top shelf를 사용할 것
3. 두 문장 모두 같은 의미를 나타낼 것

(그는 너무 작아서 맨 위 선반에 닿을 수 없다.)
(1) He is _____.
(2) He is _____
_____.

54 다음은 Olivia가 Judy에게 보낸 문자이다. 밑줄 친 우리말을 괄호 안의 표현을 활용하여 영어로 옮기시오.

Hi, Judy. I want to thank you for your help. When I lost my bike in the park, you looked for it with me. (1) 나를 돕다니 너는 정말 친절했어. (2) 너 같은 친구가 있어서 나는 매우 행복해.

(1) It was very _____.
(kind, help)
(2) I am so _____ like you.
(happy, have)

55 다음 대화를 읽고, 우리말과 일치하도록 괄호 안의 표현을 활용하여 문장을 완성하시오.

A: (1) Ron은 역사에 대해 많이 알고 있는 것 같아.
B: Why do you think so?
A: We took a test in history class yesterday. (2) 그가 모든 문제를 푸는 데 겨우 10분이 걸렸어.

(1) Ron _____ about history. (know, a lot)
(2) It _____ all the questions. (just ten minutes, solve)

He apologized for not coming early.

동명사는 「동사원형+-ing」의 형태로 '～하기, ～하는 것'이라는 의미를 나타낸다.
동명사는 문장에서 명사처럼 쓰여 주어나 목적어 또는 보어 역할을 한다. 형태상으로는 현재분사와 동일하지만 동명사는 명사 역할을 하고, 현재분사는 형용사 역할을 한다는 점에서 차이가 있다. 동명사의 부정형은 보통 동명사 바로 앞에 not이나 never(전혀, 절대)를 붙여서 「not[never]+동사원형+-ing」 형태로 쓴다.

• 동명사의 부정

not[never]	+동사원형+-ing	(전혀, 절대) ～하지 않기, ～하지 않는 것

A
배열 영작

01 네 문제는 제시간에 수업에 오지 않는 것이다. (on time / coming / is / your problem / not / to class)

_____

02 그녀는 치과에 가지 않는 것을 상상했다. (imagined / to the dentist / she / going / not)

_____

03 그들은 쉴 시간이 없는 것에 대해 불평했다. (not / time to rest / they / complained of / having)

_____

B
문장 완성

[동명사를 사용할 것]

01 저를 잊지 않아 주셔서 감사해요. (forget)

Thank you for _____ .

02 우리의 계획은 비닐봉투를 사용하지 않는 것이다. (use, plastic bags)

Our plan is _____ .

03 너의 꿈을 포기하지 않는 것이 중요하다. (give up, dreams, important)

_____

내신 기출 ▶ 오류 수정

다음 문장에서 어법상 틀린 부분을 찾아 바르게 고쳐 쓰시오.

01 I'm sorry for replying not to your message.

_____ → _____

02 Don't drink soda is good for your health.

_____ → _____

03 She is considering not move to China.

_____ → _____

☞ 감점 피하기!

Q Never playing computer games are important for me.

_____
→ _____

★ 동명사 주어의 단수 취급

동명사가 주어로 쓰이면 바로 앞에 복수명사가 있어도 단수 취급하여 단수형 동사를 써야 해요. 복수형 동사를 쓰지 않도록 주의하세요.

I don't like your talking during class.

문장의 주어와 동명사의 동작이나 상태를 행하는 행위자가 다를 경우에는 동명사 앞에 실제 행위자를 써 주는데, 이를 '동명사의 의미상 주어'라고 부른다. 의미상 주어는 보통 소유격으로 나타내지만, 구어체에 서는 목적격의 형태로도 많이 쓰며, 「주어+동사+의미상 주어(소유격/목적격)+동명사」 형태로 나타낸다. 단, 실제 행위자가 불특정 다수나 일반인일 때는 의미상 주어를 생략할 수 있다.

> ※ **동명사의 의미상 주어**
> • **She** doesn't like **my[me]** *dancing*.
>   주어 ≠ 의미상 주어
>   (동작을 행하는 주체)

A 배열 영작

01 나는 그녀가 시험에 통과할 거라고 확신한다. (passing / sure of / her / the exam / I'm)

_____

02 언니는 내가 그녀의 옷을 입는 것을 싫어한다. (her clothes / my / hates / my sister / wearing)

_____

03 우리는 그가 그 동아리에 가입하는 것을 반대했다. (objected to / the club / we / joining / his)

_____

B 문장 완성

[동명사를 사용할 것]

01 Wilson 선생님은 그들이 함께 공부할 것을 주장했다. (study together)

Mr. Wilson insisted on _____ .

02 부모님은 우리가 자원봉사하는 것을 자랑스러워하신다. (be proud of, volunteer)

My parents _____ .

03 선생님은 그가 다른 아이들을 괴롭히는 것을 걱정한다. (be worried about, bully, others)

_____ .

내신 기출 ▶ 문장 전환

다음 문장을 동명사를 활용하여 같은 뜻의 문장으로 바꿔 쓰시오.

01 She felt ashamed that her son was rude.

→ She felt ashamed of _____ .

02 He was concerned that she didn't call him back.

→ He was concerned about _____ .

03 We were angry that the woman lied to us.

→ We were angry at _____ .

He forgot going to the bank.

동사에 따라 목적어를 동명사나 to부정사 중 하나만 쓰기도 하고 둘 다 쓰기도 한다. 후자의 경우 목적어의 형태에 따라 의미가 달라지기도 하는데, 여기서는 그러한 경우를 집중적으로 다룬다. 이때, 대체로 목적어로 to부정사가 오면 '미래'에 할 행동(~할 것을[~하려고] …하다)을 의미하고, 동명사가 오면 '과거'의 행동(~한 것을 …하다)을 의미하는 특징이 있다.

• 동명사/to부정사를 목적어로 쓰는 동사

동사	「동사+동명사」 의미(과거)	「동사+to부정사」 의미(미래)
remember	~한 것을 기억하다	~할 것을 기억하다
forget	~한 것을 잊다	~할 것을 잊다
try	(시험 삼아) ~해보다	~하려고 노력하다
regret	~한 것을 후회하다	~하게 되어 유감이다
stop	~하는 것을 그만두다	~하기 위해 멈추다(목적)

A 배열 영작

01 나갈 때 문 잠그는 것을 기억해라. (when / lock / you / remember / the door / to / leave)

_____

02 네 숙제를 가져오는 것을 잊지 마라. (your homework / don't / bring / forget / to)

_____

03 그녀는 건강을 위해 커피를 마시는 것을 끊었다. (stopped / coffee / she / drinking / for her health)

_____

B 문장 완성

01 Amy는 인터넷 기사에 악성 댓글을 단 것을 후회한다. (post, mean comments)

_____ on the internet article.

02 그들은 사진을 찍기 위해 길 한가운데에서 멈췄다. (take pictures)

_____ in the middle of the path.

03 그는 집에 휴대전화를 두고 온 것을 잊었다. (leave his cellphone, home)

_____.

내신 기출 ▶ 대화 완성

다음 괄호 안에 주어진 표현을 활용하여 대화를 완성하시오.

A: Jake, how many books do you read in a month?

B: I ① _____ three books in a month. (try, read)

A: Oh, you're reading Jenny Brown's new novel. I'd love to read it. She is my favorite writer.

B: Do you ② _____ to her book signing last year? (remember, go)

A: Sure. I ③ _____ her autograph then. (regret, not, get)

⑨ 감점 피하기!

Q
A: Look at her over there! What is she doing?

B: She _____ _____ some fruit. (stop, buy)

★ stop+to부정사
동사 stop 뒤에 목적어로 to부정사가 오면 '~하기 위해'라는 뜻의 부사적 쓰임(목적)을 나타내요.

Worker ants rest by taking short naps.

「by+동명사」 구문은 '~함으로써'라는 뜻으로 이때 동명사는 전치사 by의 목적어로 방법이나 수단을 나타낸다. 「without+동명사」 구문은 '~을 하지 않고[~않은 채]'라는 뜻으로 이때 동명사는 마찬가지로 전치사 without의 목적어이다. 전치사 뒤에 동명사 대신 동사원형이나 to부정사를 쓰지 않도록 유의한다.

A
배열 영작

01 소리를 내지 말고 수프를 먹어라. (noise / have / making / your soup / without)

_____

02 그는 패스트푸드를 먹는 것을 포기함으로써 살을 뺐다.
(fast food / eating / by / lost / he / giving up / weight)

_____

B
문장 완성

[by/without을 사용할 것]

01 내 친구들은 약속을 어김으로써 나에게 스트레스를 준다. (break one's promises)

My friends give me stress _____ .

02 너는 네 눈을 깜빡이지 않고 이것을 읽을 수 있니? (blink)

Can you read this _____ ?

03 그녀는 말 한마디 하지 않고 떠났다. (leave, say a word)

_____ .

내신 기출 〉 조건 영작

다음 우리말과 일치하도록 괄호 안에 주어진 표현과 by나 without을 활용하여 문장을 완성하시오.

01 자막 없이 영화를 봄으로써 그는 영어를 배웠다. (watch movies)

_____ without subtitles, he learned English.

02 그녀는 어떤 것도 사지 않고 가게를 그저 둘러보았다. (buy anything)

She just looked around the shop _____ .

03 나는 클래식 음악을 들음으로써 침착함을 유지하려고 노력한다. (listen to classical music)

I try to stay calm _____ .

I'm looking forward to riding a horse.

동사나 전치사 뒤에 동명사를 쓰는 다양한 표현들이 있다. 이 표현들은 숙어처럼 사용되는 경향이 있으므로 꼭 외워두는 것이 좋다. 특히 look forward to의 to를 to부정사로 혼동하여 동사원형을 쓰지 않도록 주의하고, 「Would[Do] you mind+동명사 ~?」에 대해 부탁을 승낙할 때는 반대로 부정어를 포함해 'Of course not[No, I don't mind/No problem].'으로, 거절할 때는 'Sorry, but I do[Yes, I do].'로 대답하는 것에 주의한다.

• 동명사를 포함하는 주요 표현 1			
be worth+동명사	~할 가치가 있다	look forward to +동명사	~하기를 고대하다
feel like+동명사	~하고 싶다	Would[Do] you mind+동명사 ~?	~해 주시겠어요 [~해도 될까요?]

A
배열 영작

01 그 새 박물관은 방문할 가치가 있다. (is / visiting / the new museum / worth)

_____

02 나는 오늘 집에 있고 싶다. (like / today / I / staying in / feel)

_____

03 제게 여행일정표를 보내주시겠어요? (would / the itinerary / mind / you / sending / me)

_____

B
문장 완성

[주요 동명사 표현을 사용할 것]

01 당신의 와이파이를 저와 공유해 주시겠어요? (share)

_____ your Wi-Fi with me?

02 나는 퍼레이드 보는 것을 고대하고 있어. (see)

_____ the parade.

03 나는 오늘 밤에 외식하고 싶어. (eat out)

_____ .

내신 기출 대화 완성

다음 괄호 안에 주어진 표현과 주요 동명사 표현을 활용하여 ①~③을 영어로 옮기시오.

A: ① 나는 영화를 보고 싶어. Are there any good movies to see?
B: How about *Frozen*? ② 그것은 볼만한 가치가 있어.
A: Oh, sounds interesting. ③ 나를 위해 표를 예매해 주겠니?
B: No problem.

① _____ . (watch a movie)
② _____ . (watch)
③ _____ a ticket for me? (book)

Mom kept me from using my smartphone.

전치사 뒤에 동명사를 목적어로 쓰는 다양한 표현이 있다. 전치사의 목적어로 동사가 올 때는 반드시 동명사의 형태로 쓰는 것에 주의한다.

• 동명사를 포함하는 주요 표현 2

think of+동명사	~할 생각이다	thank+목적어+for+동명사	~한 것에 대해 목적어에게 감사하다
worry[be worried] about+동명사	~하는 것을 걱정하다	stop/keep/prevent +목적어+from+동명사	목적어가 ~하는 것을 막다 [~하지 않도록 하다]

A
배열 영작

01 나는 수영 강습을 받을 생각이야. (of / swimming lessons / I'm / taking / thinking)

_____

02 나를 도와줘서 고마워. (me / for / thank / helping / you)

_____

03 스트레스는 우리가 잠들지 못하게 할 수 있다. (falling asleep / us / stress / can stop / from)

_____

B
문장 완성

[주요 동명사 표현을 사용할 것]

01 그는 이번 여름에 해외에 가려고 생각 중이다. (go abroad)

_____ this summer.

02 손을 씻는 것이 감기가 퍼지는 것을 막을 수 있다. (prevent, colds, spread)

Washing your hands can _____.

03 실수하는 것에 대해 걱정하지 마라. (make mistakes)

_____.

내신 기출 ◀ 대화 완성

다음 괄호 안에 주어진 표현과 주요 동명사 표현을 활용하여 ①~②를 영어로 옮기시오.

A: ① 나는 과학 캠프에 참가하려고 생각 중이야.
B: Good idea!
A: ② 하지만 나는 캠프에서 친구들을 사귀는 것이 걱정이야.
B: Don't worry. You'll be all right.

① _____ a science camp. (take part in)
② But I'm _____ at the camp. (make friends)

[1~7] 우리말과 일치하도록 괄호 안에 주어진 말을 바르게 배열하시오.

01 그는 그 정답을 모르는 것을 부끄러워한다.
(not / the answer / ashamed of / he / knowing / is)

→ _____

02 Lisa는 내가 수업에 빠진 것에 대해 이야기했다.
(talked about / classes / Lisa / missing / my)

→ _____

03 그녀는 항상 긍정적이 되려고 노력한다.
(positive / always / to / she / be / tries)

→ _____

04 그들은 많은 자료를 수집함으로써 데이터베이스를 구축했다.
(by / built / a lot of data / they / collecting / a database)

→ _____

_____

05 이 책은 여러 번 읽을 가치가 있다.
(worth / several times / this book / reading / is)

→ _____

_____

06 테러는 우리가 그 도시를 방문하지 못하게 했다.
(us / the city / terrorism / visiting / kept / from)

→ _____

_____

07 그녀는 길에서 꽃향기를 맡으려고 멈췄다.
(the flowers / stopped / on the street / she / smell / to)

→ _____

_____

[8~15] 우리말과 일치하도록 괄호 안에 주어진 말을 활용하여 문장을 완성하시오.

08 다른 사람들의 말을 듣지 않는 것이 너의 문제이다. (listen to)

→ _____ _____ _____

_____ is your problem.

09 그녀는 도시에서 살지 않는 것을 상상도 할 수 없다. (live)

→ She can't imagine _____ _____ in

a city.

10 우리는 그가 시간을 낭비하는 것을 걱정한다. (waste)

→ We are worried about _____ _____

his time.

11 나는 가방에서 내 스마트폰을 꺼냈던 것을 기억한다. (take)

→ I _____ _____ my smartphone out

of my bag.

12 뽀빠이는 시금치를 먹음으로써 강력한 힘을 얻는다. (eat)

→ Popeye gets his super power _____

_____ spinach.

13 Lucy는 멈추지 않고 계속 운전했다. (stop)

→ Lucy kept driving _____ _____.

14 학생증을 보여주시겠어요? (show)

→ Would you _____ _____ your

student ID card?

15 너는 우주로 여행할 생각을 하고 있니? (think of)

→ Are you _____ _____ _____

to space?

[16~21] 우리말을 영어로 옮긴 문장의 어법이나 의미가 틀린 부분을 찾아 바르게 고치시오.

16
(우리 삼촌은 직업을 구하지 못할까 봐 두려워한다.)
My uncle is afraid of getting not a job.

_____ → _____

17

(그가 선거에서 승리할 가능성은 적다.)

There is a little chance of he winning the election.

_____ → _____

18

(나는 놀이공원에서 즐거운 시간을 보낸 것을 절대 잊지 않을 것이다.)

I'll never forget to have a great time at the amusement park.

_____ → _____

19

(이 규칙들을 따름으로써 너는 돈을 더 잘 관리할 수 있다.)

By follow these rules, you can manage your money better.

_____ → _____

20

(우리는 너를 곧 보기를 고대하고 있다.)

We're looking forward to see you soon.

_____ → _____

21

(토마토는 벌레가 당신 근처에 오는 것을 막을 수 있다.)

Tomatoes can keep insects from come near you.

_____ → _____

Step 2 ▶ 응용하기

[22~26] 우리말과 일치하도록 괄호 안에 주어진 말을 활용하여 문장을 완성하시오.

22 그는 졸업식에 가지 않는 것을 고려했다. (go)

→ He considered _____ to his graduation.

23 그녀는 우리가 나쁜 말을 하는 것을 싫어한다. (like, say)

→ She _____ bad words.

24 그녀는 자신의 개가 나를 물지 못하게 했다. (stop, bite)

→ She _____ me.

25 나는 오늘 외출하고 싶지 않다. (feel like, go out)

→ I _____ today.

26 그는 더 일찍 일어나지 않은 것을 후회한다. (regret, get up)

→ He _____ earlier.

[27~31] 다음 문장을 괄호 안의 지시대로 바꿔 쓰시오.

27 We are concerned that wild animals lose their homes.
[동명사를 사용해서, 같은 뜻의 한 문장으로]

→ We are concerned about _____

_____.

28 He hit the target. He didn't make a mistake.
['without+동명사'를 사용해서, 한 문장으로]

→ _____

29 I'm sure of completing the mission.
[의미상 주어 his를 넣어서, 의미가 같도록]

→ _____

30 Please remember that you should write your history report. [to부정사나 동명사를 사용해서, 같은 뜻의 한 문장으로]

→ _____

_____

31 They look forward to <u>studying</u> on their vacation.
[밑줄 친 부분을 부정형으로]

→ _____

_____

32

A: Did you read my message?

B: Oh, I'm sorry for _____ _____ to you. (reply)

33

A: Do you share your clothes with your sister?

B: No, I hate _____ _____ my clothes!
(she, wear)

34

A: Did Mark pay you back?

B: No, I _____ _____ him my money.
(regret, lend)

35

A: I heard that many sea animals die after eating plastic waste.

B: Right. We can reduce plastic waste _____ _____ plastic products. (recycle)

36

A: I feel cold in this room. Would you _____ _____ the window? (mind, shut)

B: _____, I don't mind.

37

A: Anne and Jason are staying with you, aren't they?

B: No. They left last night.

A: Oh, really?

B: Yes, I couldn't _____ _____ _____ _____. (stop, leave)

38 다음 표를 보고, 두 사람이 한 일과 할 일을 쓰시오.

	Mina	Suho
한 일	watch the movie	watch the movie
할 일	buy some milk	return the book

(1) Mina forgot _____ some milk.

(2) Mina and Suho remember _____.

(3) Suho should remember _____ the book.

39 다음 우리말과 일치하도록 주어진 〈조건〉에 맞게 문장을 완성하시오.

〈조건〉
1. watch, TV, too much를 사용할 것
2. 문맥에 맞게 동사의 형태를 바꿀 것
3. 모두 6단어로 쓸 것

(1) (TV를 너무 많이 보지 않는 것이 네 눈에 좋다.)

_____

good for your eyes.

〈조건〉
1. be proud of, become을 사용할 것
2. 축약형을 사용할 것
3. 모두 5단어로 쓸 것

(2) (나는 그녀가 챔피언이 된 것이 자랑스러워.)

_____

a champion.

40 다음 밑줄 친 ⓐ~ⓓ에서 어법상 틀린 것을 찾아 기호를 쓰고, 바르게 고치시오.

My brother always uses my computer without ⓐsaying anything. I don't like ⓑhis using my stuff. But I can't stop him from ⓒenter my room, so we fight a lot. Mom is angry at ⓓmy fighting with my brother.

(_____) → _____

Draw a picture **showing** your family.

분사는 동사에서 파생된 말로 현재분사(-ing)와 과거분사(p.p.)가 있는데, 현재분사는 동사원형 뒤에 -ing를 붙여 만들고, 과거분사는 -ed를 붙여 만든다. 이때 현재분사는 능동(~하는)이나 진행(~하는 중인)의 의미를 나타낸다. 현재분사가 단독으로 쓰이면 명사를 앞에서 수식하고, 수식어구를 동반할 때는 명사를 뒤에서 수식한다. 한편, 현재분사는 형태상 동명사와 동일하므로 혼동하지 않도록 유의한다.

현재분사	동사원형	+-ing	능동(~하는), 진행(~하는 중인)
과거분사		+-ed	수동(~되어진), 완료(~된)

A
배열 영작

01 버스정류장에서 기다리고 있는 그 여자아이는 Julia이다. (at the bus stop / the girl / is / waiting / Julia)

_____

02 저것은 두 도시를 연결하는 다리이다. (the two cities / the bridge / connecting / that's)

_____

03 Andy는 두꺼운 안경을 낀 남자아이이다. (is / thick glasses / the boy / Andy / wearing)

_____

[현재분사를 사용할 것]

B
문장 완성

01 Johnson은 그를 지켜보는 사람들 앞에서 노래를 불렀다. (watch)

Johnson sang in front of the _____.

02 바다 위로 떠오르는 해를 보아라. (look at, rise)

_____ over the sea.

03 너의 미소 짓는 얼굴이 나를 행복하게 만든다. (smile, make)

_____.

내신 기출 ▷ 문장 완성

다음 우리말과 일치하도록 괄호 안에 주어진 단어와 현재분사를 활용하여 문장을 완성하시오.

01 헤드폰을 끼고 있는 그 학생은 내 친구이다. (wear, headphones)

_____ is my friend.

02 거리에서 춤을 추고 있는 그 남자는 여자아이들 사이에서 인기가 있다. (dance, street)

_____ is popular with girls.

03 많은 채소를 포함하는 식단은 우리의 몸을 건강하게 유지시킨다. (a diet, contain, lots of vegetables)

_____ keeps our bodies healthy.

There are **hidden** presents in this room.

과거분사(p.p.)는 대부분의 동사에 -ed를 붙여 만든 것으로 수동(~되어진)이나 완료(~된)의 의미를 나타낸다. 과거분사가 단독으로 쓰이면 명사를 앞에서 수식하고, 수식어구를 동반할 때는 「명사+분사구」의 형태로 명사를 뒤에서 수식한다.

A
배열 영작

01 그들은 플라스틱으로 만들어진 악기를 연주했다. (played / out of plastic / made / they / instruments)

_____

02 Van Gogh에 의해 그려진 그림을 보아라. (the picture / Van Gogh / look at / by / painted)

_____

03 몇몇 아이들이 떨어진 나뭇잎을 줍고 있다. (are / the / leaves / some children / picking up / fallen)

_____

[과거분사를 사용할 것]

B
문장 완성

01 그녀는 간식으로 말린 과일을 먹었다. (eat, dry)

_____ for a snack.

02 그는 게시판에 쓰인 점수를 지우고 있다. (erase, the scores, write)

_____ on the board.

03 Peter는 한국에서 만들어진 휴대전화를 샀다. (a cellphone, make)

_____ .

내신 기출 ▷ 문장 완성

다음 우리말과 일치하도록 괄호 안에 주어진 단어를 활용하여 문장을 완성하시오.

01 그녀는 그 깨진 거울 앞에 서 있었다. (break, the mirror)

She stood in front of _____ .

02 Amy는 자신의 여동생의 이름을 딴 강아지를 기른다. (a puppy, name after)

Amy has _____ .

03 나는 필리핀에서 재배된 바나나를 먹고 있다. (eat, a banana, grow)

_____ in the Philippines.

I saw a fish jumping out of the water.

「주어+지각동사+목적어+목적격 보어」 구문은 목적격 보어로 동사원형이나 분사를 쓴다. 목적어와 목적격 보어가 능동의 관계(~가 …하는)일 때는 동사원형을 쓰고, 동작의 진행 상태(~가 …하고 있는)를 강조할 때는 현재분사를 쓴다. 단, 목적어와 목적격 보어가 수동의 관계(~가 …된[해진])일 때는 목적격 보어로 과거분사를 쓰는 점에 유의한다.

see, watch, hear, smell, feel, notice 등	+목적어	+동사원형	목적어가 ~하는 것을 …하다 (능동)
		+현재분사	목적어가 ~하고 있는 것을 …하다 (진행)
		+과거분사	목적어가 ~된[해진] 것을 …하다 (수동)

A
배열 영작

01 그녀는 현관문이 열리는 것을 들었다. (heard / open / she / the front door)

_____

02 Jack은 부엌에서 그것이 타는 냄새를 맡았다. (in the kitchen / Jack / it / burn / smelled)

_____

03 Sophia는 무언가 그녀의 팔을 기어오르고 있는 것을 느꼈다.
(her arm / felt / Sophia / crawling up / something)

_____

B
문장 완성

01 그녀는 공원에서 비둘기들이 빵을 먹는 모습을 지켜보고 있다. (watch, pigeons, eat)

_____ bread in the park.

02 그는 상점에서 어떤 사람이 전화기를 훔치는 것을 목격했다. (catch, steal)

_____ a phone at the store.

03 Thomas는 뒤에서 자신의 이름이 불리는 것을 들었다. (hear, call, from behind)

_____ .

내신 기출 〉 오류 수정

다음 문장에서 어법상 **틀린** 부분을 찾아 바르게 고쳐 쓰시오.

01 I saw the firefighters rushed out to put out a forest fire.

_____ → _____

02 He watched his car repair by the mechanic.

_____ → _____

03 She noticed Smith to nod off in class.

_____ → _____

She had her hair dyed.

「주어+사역동사+목적어+목적격 보어」 구문에서 사역동사 make 와 have가 쓰이면 '주어가 목적어에게 ~을 …하게 시키다'라는 뜻 이다. 이때 목적격 보어로는 동사원형이나 과거분사를 쓴다. 목적어 와 목적격 보어가 능동의 관계일 때는 동사원형을, 수동의 관계일 때 는 과거분사를 쓴다. 단, let은 목적격 보어로 과거분사를 쓸 수 없다는 점에 유의한다.

make, have	+목적어	+동사원형	목적어가 ~하게 하다[강제로 시키다] (능동)
		+과거분사	목적어가 ~되게 하다 (수동)
let		+동사원형	목적어가 ~하게 하다[허용하다]

A
배열 영작

01 그녀는 자신의 방을 분홍색으로 칠했다. (her room / had / painted / she / pink)

_____

02 그의 불량한 태도가 우리를 실망하게 했다. (made / his poor attitude / disappointed / us)

_____

03 그는 일 년에 두 번 자동차를 점검받는다. (his car / twice a year / he / checked / has)

_____

B
문장 완성

01 네가 내 펜을 사용하도록 해줄게! (let, use)

I'll _____ !

02 그는 자신의 목소리를 내고 있다. (make one's voice, hear)

He is _____ .

03 Mike는 오늘 오후에 이를 하나 뽑았다. (have, pull out)

_____ .

내신 기출 오류 수정

다음 문장에서 어법상 틀린 부분을 찾아 바르게 고쳐 쓰시오.

01 The short naps make students refresh.

_____ → _____

02 Mr. Cole had the roof to repair this morning.

_____ → _____

03 He had his driver picked up his son at the airport.

_____ → _____

He gets the tires changed every year.

「주어+get+목적어+목적격 보어」 구문은 '주어는 목적어가 ~하게[~되게] 하다'라는 뜻으로 목적격 보어로는 to부정사와 과거분사를 쓴다. 목적어와 목적격 보어가 능동의 관계일 때는 to부정사를, 수동의 관계일 때는 과거분사를 쓴다.

| get | +목적어 | +to부정사 | 목적어가 ~하게 하다 (능동) |
| | | +과거분사 | 목적어가 ~되게 하다 (수동) |

A
배열 영작

01 등산객들은 그들의 가방이 옮겨지도록 했다. (got / carried / the climbers / their bags)

_____

02 엄마는 오늘 카펫이 청소되도록 하셨다. (cleaned / mom / today / the carpet / got)

_____

03 나는 그 제품이 환불되게 해야 한다. (the product / should / refunded / I / get)

_____

B
문장 완성

01 그는 호텔 방으로 자신의 아침 식사가 배달되도록 했다. (get, deliver)

_____ to his hotel room.

02 흥정은 가격을 낮아지게 할 수 있다. (get, the price, lower)

Bargaining _____ .

03 너는 그가 진실을 반드시 말하게 해야 한다. (must, get, tell)

_____ .

내신 기출 ▶ 조건 영작

다음 우리말과 일치하도록 괄호 안에 주어진 단어와 get을 활용하여 문장을 완성하시오.

01 Ken은 자신의 흰 셔츠가 세탁되도록 했다. 이제 그는 그것이 다려지도록 하고 있다.

Ken _____ . (clean)

Now _____ . (iron)

02 Steven은 축구 경기 중에 발목이 삐었다. 그는 그것이 치료되도록 했다.

_____ during the soccer match. (ankle, sprain)

_____ . (treat)

Listening to music, he cleaned his room.

분사구문이란 분사(구)를 이용해 문장의 길이를 줄이거나 설명을 덧붙인 것이다. 분사구문을 만들려면 먼저 「접속사+주어+동사 ~」로 된 부사절에서 접속사를 생략하고, 부사절과 주절의 주어가 같으면 부사절의 주어를 생략한 다음, 부사절의 동사를 「동사원형+-ing」의 형태로 바꾼다. 분사구문에서는 생략된 접속사의 의미를 파악하는 것이 중요한데, 대체로 시간과 이유, 동시 동작을 나타내는 분사구문이 가장 많이 쓰인다. 또한, 분사구문의 부정형은 분사 앞에 Not[Never]를 붙여 나타낸다.

> ※ 분사구문
> ~~When you~~ open the box, **you**'ll find the ring.
> → Opening the box, you'll find the ring.

A
배열 영작

01 그 기사를 읽었을 때 그는 놀라서 컵을 떨어뜨렸다.
(his cup / the article / he / in surprise / reading / dropped)

_____

02 도서관에 들렀다가 나는 내 친구를 우연히 마주쳤다. (ran into / I / the library / my friend / by / stopping)

_____

03 다이어트 중이어서 그녀는 저녁을 거른다. (on a diet / she / being / dinner / skips)

_____

[분사구문을 사용할 것]

B
문장 완성

01 길을 따라 걸으면서 나는 계속 문자를 했다. (walk along, the street)

_____, I kept texting.

02 긍정적인 리뷰들을 보지 못했기 때문에 나는 그 자전거 헬멧을 사지 않기로 했다. (see, positive reviews)

_____, I decided not to buy the bike helmet.

03 택시에서 내리면서 그는 우산을 폈다. (get out of, the taxi)

He opened his umbrella, _____.

내신 기출 문장 전환

다음 문장을 분사구문을 활용하여 같은 뜻의 문장으로 바꿔 쓰시오. (단, 분사구문을 문두에 쓸 것)

01 Because they wanted to win the game, they practiced hard.

→ _____

02 Because I had nothing to eat, I just went to bed.

→ _____

03 While they traveled across Italy, they noticed the beauty of the architecture.

→ _____

🌀 감점 피하기!

Q Because volcanoes are very powerful, they can destroy entire cities.

→ _____

_____

_____

★ be동사의 분사구문
be동사가 쓰인 부사절을 분사구문으로 만들 때는 being을 써서 나타내요.

He fell asleep with the TV turned on.

「with+명사+분사」 구문은 '~한 채로, ~하면서'라는 뜻으로 동시에 일어나는 두 가지 동작이나 상황을 나타낸다. 이때 명사와 분사의 관계가 능동이면 현재분사를 쓰고, 수동이면 과거분사를 쓴다.

with	+명사	+현재분사(-ing)	~가 …한 채로, …하면서 (능동)
		+과거분사(-ed)	~가 …된 채로, …되면서 (수동)

A
배열 영작

01 Kate는 눈을 감은 채 마음을 진정시켰다. (her eyes / calmed / closed / Kate / her mind / with)

_____

02 그녀는 다리를 꼰 채 의자에 앉아 있다. (sitting / her legs / crossed / with / she's / on a chair)

_____

03 그는 보디가드들을 거느린 채 거리를 걸어 다녔다.
(with / following / down / he / his bodyguards / the street / walked)

_____

B
문장 완성

[「with+명사+분사」 구문을 사용할 것]

01 Chris는 우리에게 자신의 시선이 고정된 채로 계속해서 말했다. (one's eyes, fix)

Chris kept talking _____ on us.

02 나는 사진을 위해 팔짱을 낀 채 미소 지었다. (one's arms, fold)

I smiled for the pictures _____.

03 그녀는 음악을 튼 채 요리를 하는 것을 좋아한다. (cooking, play)

_____

내신 기출 ▷ 조건 영작

다음 우리말과 일치하도록 괄호 안에 주어진 표현과 「with+명사+분사」 구문을 활용하여 문장을 완성하시오.

01 슈퍼맨이 자신의 망토를 휘날리며 하늘을 날고 있다. (cape, wave)
Superman is flying in the sky _____.

02 다른 사람들을 뒤에 남겨 둔 채 그녀는 가장 빨리 달렸다. (leave behind)
She ran the fastest _____.

03 Lucy는 자신의 개가 그녀를 앞장서게 한 채 산책했다. (lead)
Lucy took a walk _____.

Step 1 기본 다지기

[1~7] 우리말과 일치하도록 괄호 안에 주어진 말을 바르게 배열하시오.

01 나무에서 노래하고 있는 새는 무척 시끄럽다.
(very loud / singing / on the tree / the bird / is)

→ _____

02 도난당한 차가 경찰에 의해 발견되었다.
(was / by the police / the / car / found / stolen)

→ _____

→ _____

03 나는 종종 학생들이 수업 중에 휴대전화를 사용하는 것을 본다.
(often / using / see / students / I / their / phones / in class)

→ _____

→ _____

04 이 선생님은 교실로 피자 몇 판을 배달시켰다.
(delivered / Mr. Lee / some pizza / had / to his classroom)

→ _____

→ _____

05 Sandra는 지난주에 시력 검사를 받았다.
(got / last week / Sandra / tested / her eyes)

→ _____

06 샌드위치를 먹으면서 그녀는 기차를 기다렸다.
(she / the train / eating / waited for / a sandwich)

→ _____

→ _____

07 그는 자신의 눈을 감은 채로 피아노를 연주하고 있다.
(with / closed / playing / his eyes / he / the piano / is)

→ _____

→ _____

[8~14] 우리말과 일치하도록 괄호 안에 주어진 말을 활용하여 문장을 완성하시오.

08 마스크를 쓰고 있는 그 여자아이는 내 여동생이다. (wear)

→ The girl _____ _____ _____
is my sister.

09 Robert라는 이름을 가진 남자가 당신을 보고 싶어 했다. (name)

→ A man _____ _____ wanted to see
you.

10 우리는 한 아이가 소방관에게 구조되는 것을 보았다. (see)

→ We _____ a child _____ by a
firefighter.

11 전구를 갈아 주시겠어요? (get)

→ Could you _____ the light bulb
_____ ?

12 나는 다음 주에 머리를 염색할 것이다. (have, dye)

→ I'll _____ my hair _____ next week.

13 숨겨진 동기에 대해 생각하면서 범인을 찾으려 해보자. (think)

→ _____ _____ the hidden motives,
let's try to find the criminal.

14 그 남자는 우산이 접혀진 채 빗속에 있었다. (fold)

→ The man was in the rain _____ his
_____ _____ .

[15~21] 우리말을 영어로 옮긴 문장의 어법이나 의미가 틀린 부분을 찾아 바르게 고치시오.

15

(도서관에 공부하고 있는 많은 학생들이 있다.)

There are many students study in the library.

_____ → _____

16

> (그 수의사는 상처 입은 동물들을 잘 돌봐준다.)
>
> The vet takes good care of injuring animals.

_____ → _____

17

> (나는 사람들이 우리에게 손을 흔들고 있는 것을 보았다.)
>
> I watched people to wave their hands at us.

_____ → _____

18

> (형편없는 성적은 그녀를 실망시켰다.)
>
> The poor grades made her disappointing.

_____ → _____

19

> (그녀는 Peter가 꽃에 물을 주도록 했다.)
>
> She got Peter watered the flowers.

_____ → _____

20

> (마음을 비우고 싶었기 때문에 그는 혼자 여행을 하기로 결정했다.)
>
> Want to clear his mind, he decided to take a trip by himself.

_____ → _____

21

> (그녀는 냄비에 물을 끓인 채 잠들었다.)
>
> She fell asleep with the pot boiled.

_____ → _____

Step 2 응용하기

[22~28] 우리말과 일치하도록 괄호 안에 주어진 말을 활용하여 문장을 완성하시오.

22 그들은 바다 위로 떠오르는 태양을 바라보았다. (rise)

→ They looked at _____ over the sea.

23 그는 중고차를 한 대 살 계획이다. (use)

→ He's planning to _____.

24 나는 어젯밤에 땅이 흔들리는 것을 느꼈다.
(the ground, shake)

→ _____ last night.

25 Joe는 지난 주말에 자신의 차고를 개조했다.
(have, garage, remodel)

→ _____ last weekend.

26 그는 자신의 집을 수리 받을 필요가 있다. (get, house, repair)

→ He needs to _____.

27 옥수수밭에서 일하고 있을 때 농부들은 무언가 놀라운 것을 발견했다. (work in, a cornfield)

→ _____, the farmers found something surprising.

28 Kevin은 자신의 팔짱을 낀 채 생각하고 있었다. (arm, fold)

→ Kevin was thinking _____.

[29~33] 다음 문장을 괄호 안의 지시대로 바꿔 쓰시오.

29 He likes to read plays. The plays were written by William Shakespeare. [분사를 사용해서, 한 문장으로]

→ He likes to read _____
_____.

30 The woman is holding a book. She is my aunt.
[분사를 사용해서, 한 문장으로]

→ _____ my aunt.

31 We saw a man. The man was stealing food at the market. [분사를 사용해서, 한 문장으로]

→ We saw _____.

32 When I walked along the street, I saw a man with five dogs. [분사구문을 사용해서, 같은 뜻의 한 문장으로]

→ _____

_____

33 Because she felt nervous, Jisu took a deep breath.
[분사구문을 사용해서, 같은 뜻의 한 문장으로]

→ _____

[34~37] 다음 괄호 안에 주어진 말을 활용하여 대화를 완성하시오.

34

A: Do you know _____ _____

_____ at the door? (the boy, wait)

B: Yes, he is my cousin.

35

A: Did you see Emily today?

B: Yes. I _____ _____ _____ in

the park this morning. (see, run)

36

A: My mom _____ _____

_____ _____ my dog. (get, wash)

B: Does your dog like to _____ his

_____ _____? (have, hair,

shampoo)

A: No, he doesn't enjoy it.

37

A: How about going shopping today?

B: Sorry, but I have to see the dentist to

_____ a _____ _____

_____. (have, tooth, pull out)

Step 3 고난도 도전하기

38 다음 우리말과 일치하도록 괄호 안에 주어진 말과 분사구문을 활용하여 문장을 완성하시오.

나는 나의 손을 흔들면서 내 친구들에게 작별 인사를 했다.
(wave, hands, say goodbye)

_____

_____

39 다음 우리말과 일치하도록 주어진 〈조건〉에 맞게 문장을 완성하시오.

〈조건〉
1. attend, good at, sports를 사용할 것
2. 분사를 포함하고 7단어로 쓸 것

(이 학교에 다니는 학생들은 운동을 잘한다.)
The students _____

_____.

40 다음 대화를 읽고, 주어진 〈조건〉에 맞게 질문에 대한 대답을 완성하시오.

〈조건〉
1. 지각동사 hear와 분사를 사용할 것
2. 5단어로 쓸 것

A: Angela, you look tired. What's up?

B: I didn't get enough sleep last night.

A: Why?

B: A dog barked loudly all night.

Q: Why didn't Angela get enough sleep last night?

A: Because she _____.

The man **who** lives next door is Mike.

관계대명사는 두 문장을 연결하는 접속사의 역할을 하는 동시에 앞에 나온 명사(선행사)를 대신하는 대명사의 역할을 한다. 그 중 주격 관계대명사는 선행사의 종류에 따라 who(사람), which(사물), that(사람/사물/동물)을 쓴다. 이들은 관계사절 안에서 주어 역할을 하기 때문에 바로 뒤에 동사가 오는 것이 특징이다.

격 선행사	주격	목적격	소유격
사람	who	who(m)	whose
사물/동물	which	which	whose/of which
사람/사물/동물	that	that	–

A
배열 영작

01 Loki는 다른 이들에게 장난을 치는 신이다. (a god / others / plays tricks on / Loki / who / is)

_____

02 마들렌은 조개껍데기처럼 생긴 작은 케이크이다.
(are / look like / which / sea shells / madeleines / small cakes)

_____

03 나는 시카고 출신인 그 여자를 안다. (comes / who / the woman / know / from Chicago / I)

_____

B
문장 완성

01 브라질은 그곳에서 매년 열리는 축제들로 유명하다. (the carnivals, hold)

Brazil is famous for _____ there every year.

02 그곳에 사는 여자는 유명한 화가이다. (live, there)

_____ is a famous painter.

03 그는 자연을 사랑하는 시인이다. (a poet, love)

_____.

내신 기출 문장 전환

다음 두 문장을 who나 which를 활용하여 한 문장으로 바꿔 쓰시오.

01 We donated to a charity. + The charity protects wild animals.
→ We donated to _____.

02 The man held the door for me. + He was handsome.
→ _____ was handsome.

03 Venice is a romantic city. + It is known as "The Bride of the Sea."
→ Venice is _____
_____

감점 피하기!

Q I have a friend. + He loves books.

→ _____
_____

★ **선행사의 인칭과 수에 일치**
주격 관계대명사 뒤의 동사는 선행사의 인칭과 수에 일치시켜 쓰는 것에 주의하세요.
I have a friend who **love** books. (×)

I have the same problem **that** you have.

목적격 관계대명사에는 who(m), which, that이 있는데 이들은 관계사절 안에서 목적어 역할을 한다. 선행사가 사람이면 who나 whom, 사물이나 동물이면 which를 쓰며, that은 선행사의 종류와 상관없이 어디에든 쓸 수 있다. 이때, 목적격 관계대명사는 생략 가능하며, 뒤에 바로 주어와 동사가 오는 것이 특징이다. 관계대명사가 전치사의 목적어일 때 전치사는 관계사절 바로 앞에 오거나 관계사절 끝에 올 수 있다. 단, 관계대명사를 생략할 경우 전치사를 반드시 관계사절 끝에 써야 한다. 「전치사+who[that]」 형태는 쓸 수 없으므로, 관계대명사 who나 that이 쓰이면 전치사는 관계사절 끝에 와야 한다.

A
배열 영작

01 나는 네가 말했던 여자를 만났다. (you / the woman / whom / talked about / I / met)

_____

02 그녀가 인터뷰한 남자는 유명한 축구 선수이다.
(interviewed / the man / a famous soccer player / who / she / is)

_____

03 나는 Mark가 Fred에게 준 재킷이 마음에 든다. (that / Mark / like / the jacket / I / gave / to Fred)

_____

B
문장 완성

01 내가 만나고 싶었던 사람은 나타나지 않았다. (the person, want, meet)

_____ didn't show up.

02 이것이 네가 찾고 있었던 사진이다. (the picture, look for)

_____.

03 저 사람이 내가 도서관에서 본 남자아이다. (see)

_____.

내신 기출 〉 **문장 전환**

다음 두 문장을 whom이나 which를 활용하여 한 문장으로 바꿔 쓰시오.

01 Stanley found the shiny object in the dirt. + The shiny object was real gold.
→ _____ in the dirt was real gold.

02 I had dinner with an old friend. + I hadn't seen him for a long time.
→ I had dinner with _____ for a long time.

03 A news anchor is the job. + He wanted to get the job.
→ A news anchor _____.

I have a friend whose father is a pilot.

소유격 관계대명사 whose는 두 문장을 연결하면서 소유격 대명사의 역할을 한다. whose는 선행사의 종류에 상관없이 선행사가 사람, 사물, 동물인 경우에 모두 쓸 수 있으며, 뒤에 반드시 명사가 오는 점에 유의한다.

A
배열 영작

01 Jake는 바퀴가 고장 난 의자를 고쳤다. (wheels / fixed / were broken / Jake / whose / the chair)

_____

02 나는 내 이름과 같은 이름을 가진 여자아이를 만났다.
(the same as / name / met / whose / mine / I / a girl / was)

_____

03 Bill은 억양이 독특한 남자를 만났다. (met / whose / was / a man / Bill / accent / unique)

_____

B
문장 완성

[whose를 사용할 것]

01 이름이 A로 시작하는 학생이 결석했다. (the student, name, start with)

_____ is absent.

02 그는 목이 아주 좁은 두 개의 꽃병을 가지고 돌아왔다. (vases, necks, really narrow)

He came back with _____.

03 나는 형이 유명한 가수인 남자아이를 안다. (a boy, famous)

_____.

내신 기출 ◀ 문장 전환

다음 두 문장을 whose를 활용하여 한 문장으로 바꿔 쓰시오.

01 I read the story about the god. + His name is Neptune.

→ I read _____

02 Do you know the city? + The name of the city means "Holy Faith."

→ Do you know _____

03 The music teacher is kind. + I'm taking her course.

→ The music teacher _____

Is there anyone **that** can help me?

관계대명사 that은 선행사가 무엇을 가리키든 상관없이 who, whom, which를 대신할 수 있어서 가장 많이 쓰인다. 특히, 선행사가 '-thing'으로 끝나는 대명사이거나 선행사에 최상급, 서수, all, some, the only 등이 포함된 경우, 또는 선행사가 '사람+동물[사물]'일 때는 that을 주로 쓴다. 또한 that은 주격과 목적격으로 쓰일 수 있으며, 목적격으로 쓰인 경우에는 생략할 수 있다.

A
배열 영작

01 그는 이미 내가 알고 있는 사람이다. (already / is / that / know / he / someone / I)

_____

02 피자는 나를 기분 좋게 만드는 음식이다. (makes / feel good / that / is / pizza / me / the food)

_____

03 그는 종종 비밀인 것들을 사람들에게 말한다. (things / secrets / often / people / that / he / tells / are)

_____

B
문장 완성

[that을 사용할 것]

01 오늘은 내가 아는 가장 더운 날들 중 하루이다. (the hottest days, know)

Today is one of _____.

02 어떤 개미들은 자신들 무게의 50배인 것들을 옮길 수 있다. (things, 50 times one's body weight)

Some ants can carry _____.

03 나는 네가 하는 모든 것을 지지할 것이다. (support, everything, do)

_____.

내신 기출 조건 영작

다음 우리말과 일치하도록 주어진 〈조건〉에 맞게 괄호 안의 표현을 활용하여 문장을 완성하시오.

조건 1. 관계대명사 that을 이용할 것 2. that을 생략할 수 있으면 생략할 것

01 네가 써도 되는 약간의 치즈가 냉장고에 있다.

There's _____ in the refrigerator. (some cheese, use)

02 오늘 아침에 일어난 자동차 사고는 끔찍했다.

_____ was horrible. (the car accident, happen)

03 함께 놀고 있는 남자아이와 개를 좀 봐!

Look at the _____! (play together)

I can't understand what you mean.

관계대명사 what은 '~하는 것'이라는 뜻으로, the thing(s) which[that]로 바꿔 쓸 수 있다. 다른 관계사와 달리 선행사(the thing(s))를 포함하고 있으므로 앞에 선행사를 따로 쓰지 않는 것이 특징이다. what이 이끄는 절은 명사처럼 쓰여 주어, 목적어, 또는 보어 역할을 한다.
단, what이 이끄는 절이 주어로 쓰일 때는 뒤에 반드시 단수형의 동사가 오는 점에 유의한다.

A
배열 영작

01 너에게 계속 동기를 부여하는 것을 찾아라. (keeps / motivated / find / what / you)

_____

02 가격은 네가 상품에 대해 지불하는 것이다. (pay / for a product / what / you / is / the price)

_____

03 나에게 깊은 인상을 준 것은 그의 현명한 결정이었다. (impressed / his good decision / what / me / was)

_____

B
문장 완성

[what을 사용할 것]

01 너는 네가 원하는 것을 항상 얻을 수는 없다. (get, want)

You can't always _____ .

02 그녀는 Joe가 생일선물로 자신에게 준 것을 무척 좋아했다. (love, give)

_____ her as a birthday present.

03 그는 항상 내가 생각하는 것을 안다. (know, think)

_____ .

내신 기출 ▶ 오류 수정

다음 문장에서 어법상 틀린 부분을 찾아 바르게 고쳐 쓰시오.

01 What Edward wants to have tonight are pizza and pasta.

_____ → _____

02 Many teenagers like to follow that celebrities do.

_____ → _____

03 There are many English words what come from Italian.

_____ → _____

⊙ 감점 피하기!

Q The people what help the children are volunteers.

_____

→ _____

★ 관계대명사 what

what은 선행사(the thing(s) which[that])을 이미 포함하고 있으므로 앞에 선행사를 따로 쓰지 않는 것에 주의하세요.

He sent me a card, which made me happy.

관계대명사의 계속적 용법은 관계대명사 앞에 콤마(,)를 붙여 「선행사+콤마(,)+관계사절」의
형태로 써서 선행사에 대한 추가적인 정보를 뒤에서 보충 설명하는 역할을 한다. 단, 관계대
명사 that은 계속적 용법으로 쓸 수 없으며, 계속적 용법으로 쓰인 관계사는 생략할 수 없는
것에 주의한다. 계속적 용법으로 쓰인 관계사는 「접속사+대명사」로 바꿔 쓸 수 있으며 앞 문
장의 일부나 전체를 선행사로 삼는 것이 특징으로 문장의 앞에서부터 해석하되 콤마 뒤에 적
절한 접속사의 의미를 더해 이해하도록 한다.

> ※ **관계대명사의 계속적 용법**
> • Kate went to *the library*, **which** opens at 8 a.m.
>   선행사(문장 일부) (= and it ~)
>
> • *He didn't return my call*, **which** was annoying.
>   선행사(문장 전체)   (= and it ~)

A 배열 영작

01 그는 아무 말도 하지 않았는데, 그것이 그녀를 화나게 했다.
(which / her / said / he / nothing / made / angry)

_____

02 그녀는 오빠가 있는데, 그는 고등학생이다. (has / who / a brother / she / a high school student / is)

_____

03 우리는 박물관에 갔지만, 그곳은 닫혀 있었다. (was closed / went to / which / we / the museum)

_____

B 문장 완성

01 제주도는 화산섬이라서, 농사에 적합하지 않다. (a volcanic island)

Jeju Island, _____, is not suitable for farming.

02 나는 내 언니와 방을 같이 쓰는데, 그녀는 나보다 두 살 더 많다. (old)

I share a room with _____ than me.

03 나의 가장 친한 친구는 Peter인데, 그는 운동을 잘한다. (best friend, be good at, sports)

_____

내신 기출 ▶ 문장 전환

다음 두 문장을 관계대명사를 활용하여 한 문장으로 바꿔 쓰시오. (단, 계속적 용법으로 쓸 것)

01 I learned to play baseball from my dad. + He was a baseball player.

→ I _____.

02 I'll move to a new team. + It has produced many excellent players.

→ I'll _____.

03 Eggs contain a lot of vitamin D. + Vitamin D keeps our bones healthy.

→ Eggs _____.

Pizza is the food (that) I like most.

목적격 관계대명사 who(m), which, that은 생략할 수 있는데 이때 남아 있는 '주어+동사'가 선행사를 수식한다. 또 「주격 관계대명사+be동사+분사구」에서 '주격 관계대명사+be동사'도 생략할 수 있는데 이때는 남아 있는 분사가 선행사를 수식한다. 단, 주격 관계대명사와 be동사가 붙어 있는 경우에만 '관계대명사+be동사'를 함께 생략할 수 있으므로 유의한다. **ex** This is _the boy_ **(who is)** studying English.

A
배열 영작

01 Benjamin Franklin은 내가 존경하는 인물이다. (the person / respect / Benjamin Franklin / I / is)

_____

02 이곳은 내가 태어난 병원이다. (I / this / born in / was / the hospital / is)

_____

03 너는 모차르트에 의해 작곡된 음악을 좋아하니? (like / Mozart / music / you / composed by / do)

_____

B
문장 완성

01 저기서 간식을 먹고 있는 여자아이는 내 여동생이다. (eat, snacks)

_____ there is my sister.

02 시금치는 내가 싫어하는 채소이다. (the vegetable, hate)

Spinach is _____.

03 Judy는 자신이 찍은 사진들을 내게 보여주었다. (show, the picture, take)

_____ to me.

내신 기출 ◣ 선택 영작

다음 중 밑줄 친 부분을 생략할 수 있는 문장을 두 개 골라 번호를 쓰고, 밑줄 친 부분을 생략해서 문장 전체를 다시 쓰시오.

① I know the girl <u>who is</u> picking up trash over there.
② Sophia loves the man <u>that</u> can play the electric guitar.
③ The vegetables <u>that</u> I bought yesterday went bad.
④ The woman <u>who</u> just walked past is a famous actress!

01 _____ , _____

02 _____ , _____

I remember the day when you came here.

관계부사는 두 문장을 연결하는 접속사와 앞에 나온 선행사를 대신하는 부사 역할을 겸하며 선행사의 종류에 따라 when(시간), where(장소), why(이유) 등을 쓴다. 이 중, 관계부사 when은 선행사가 the time, the day, the year처럼 시간이나 때를 나타낼 때 쓰며 「전치사+관계대명사」 형태인 [in, at, on] which로 바꿔 쓸 수 있다. 또한, 관계부사절이 수식하는 선행사가 일반적인 시간(the time, the day 등)을 가리킬 때는 선행사나 관계부사 둘 중 하나를 생략할 수 있다.

시간 (the time 등)	when	장소 (the place 등)	where
이유 (the reason)	why	방법 (the way)	how

A
배열 영작

01 나는 우리가 처음 만난 날을 기억한다. (the day / we / remember / first met / I / when)

_____

02 가을은 사과가 익는 시기이다. (when / ripe / is / autumn / the time / apples / are)

_____

03 올해는 올림픽이 열리는 해이다. (the Olympics / this year / is / are held / when)

_____

B
문장 완성

[when을 사용할 것]

01 5월 5일은 내가 가족과 함께 하이킹을 하러 가는 날이다. (go hiking)

May 5 is _____ with my family.

02 너는 비행기가 이륙하는 시간을 아니? (the plane, take off)

Do you know _____ ?

03 나는 내 여동생이 태어난 날을 절대 잊지 못할 것이다. (forget, be born)

_____ .

내신 기출 ▷ **문장 전환**

다음 두 문장을 when을 활용하여 한 문장으로 바꿔 쓰시오.

01 Do you remember the day? + We visited the city in Texas on the day.

→ _____

02 2025 is the year. + I'll graduate from middle school in 2025.

→ _____

03 Winter is the time. + We make snowmen in winter.

→ _____

🎯 **감점 피하기!**

Q That was the time. + We had a big fight.

→ _____

_____

★ **관계부사 vs 관계대명사**

관계대명사 뒤에는 주어, 목적어 등이 생략된 불완전한 구조가 오는 반면 관계부사 뒤에는 완전한 구조가 와요.

Turkey is a country where East meets West.

관계부사 where는 선행사가 the place, the house처럼 장소를 나타낼 때 쓰며 「전치사+관계대명사」 형태인 [in, at, on] which로 바꿔 쓸 수 있다. 단, 관계부사절이 수식하는 선행사가 일반적인 장소(the place 등)를 가리키면 선행사나 관계부사 둘 중 하나를 생략할 수 있다.

A
배열 영작

01 나는 Brian이 사는 집을 알고 있다. (Brian / I / lives / where / the house / know)

_____

02 파리는 Monet가 태어난 도시이다. (where / Monet / Paris / the city / was born / is)

_____

03 이곳은 〈모나리자〉가 전시된 박물관이다. (the museum / this / where / the *Mona Lisa* / is / hangs)

_____

B
문장 완성

[where을 사용할 것]

01 언니와 나는 우리 엄마가 일하는 사무실에 갔다. (the office, work)

My sister and I went to _____ .

02 내가 일요일마다 수영하는 수영장은 우리 집 근처에 있다. (the pool, swim)

_____ every Sunday is near my house.

03 너는 지난주에 우리가 저녁을 먹은 식당을 기억하니? (the restaurant, have)

_____ ?

내신 기출 **문장 전환**

다음 두 문장을 where를 활용하여 한 문장으로 바꿔 쓰시오.

01 The hotel is located on the Upper West Side. + I stayed there.

→ _____ on the Upper West Side.

02 Markets are places. + You can taste local food there.

→ Markets are _____ .

03 Alicia misses the beach. + She used to go swimming there with her family.

→ Alicia misses _____ .

That's the reason **why** we're best friends.

관계부사 why는 선행사가 the reason처럼 이유를 나타낼 때 쓰며 「전치사+관계대명사」 형태인 for which로 바꿔 쓸 수 있다. 단, 관계부사절이 수식하는 선행사가 일반적인 이유(the reason)를 가리키면 선행사나 관계부사 둘 중 하나를 생략할 수 있으며, 이때 the reason을 생략하는 경우가 많다.

A
배열 영작

01 이것이 그가 요리사가 된 이유이다. (is / why / he / the reason / a chef / this / became)

_____

02 그녀가 너에게 전화한 이유를 짐작할 수 있니? (called / you / she / can / guess / why / you)

_____

03 나는 그들이 싸운 이유를 이해할 수 없었다. (why / fought / couldn't understand / they / I)

_____

B
문장 완성

[why를 사용할 것]

01 경찰이 Stanley에게 그가 뛰고 있었던 이유를 물었다. (run)

The police asked Stanley _____.

02 그녀가 그 수업에 참석하지 않았던 이유는 확실하지 않다. (attend)

_____ is not clear.

03 그는 네가 왜 이름을 바꾸었는지 알고 싶어 한다. (want, change)

_____.

내신 기출 ◀ 문장 전환

다음 두 문장을 why를 활용하여 한 문장으로 바꿔 쓰시오.

01 Jacob wants to know the reason. + Dinosaurs became extinct for the reason.

→ _____

02 That's the reason. + He hasn't finished his work yet for the reason.

→ _____

03 Dave doesn't know the reason. + He needs to read books for the reason.

→ _____

Tell me how you relieve stress.

관계부사 how는 선행사가 the way처럼 방법을 나타낼 때 쓰며 「전치사+관계대명사」 형태인 in which로 바꿔 쓸 수 있다. 단, 다른 관계부사와 달리 선행사 the way와 how는 같이 쓸 수 없고 반드시 둘 중 하나를 생략해야 하는 점에 유의한다.

A
배열 영작

01 이것이 내가 돈을 모은 방법이다. (the way / saved / I / this / money / is)

_____

02 나는 그녀가 어떻게 성공했는지 모른다. (she / don't know / succeeded / I / how)

_____

03 네가 어떻게 프로젝트를 완수했는지 내게 말해줘. (how / you / the project / tell / completed / me)

_____

B
문장 완성

[how 또는 the way를 사용할 것]

01 Dylan은 Ava가 그를 대하는 방식이 마음에 들지 않는다. (treat)

Dylan doesn't like _____.

02 할머니는 자신이 어떻게 배구선수가 되었는지 내게 말해주셨다. (become, a volleyball player)

My grandma told me _____.

03 나는 그가 어떻게 그 경기에서 이겼는지 물었다. (ask, win, the game)

_____.

내신 기출 ▶ 문장 전환

다음 두 문장을 how를 활용하여 한 문장으로 바꿔 쓰시오.

01 He didn't remember the way. + He used this machine in the way.

→ _____

02 Stella told me the way. + She found the hidden files in the way.

→ _____

03 People don't know the way. + The accident happened again.

→ _____

◎ 감점 피하기!

Q This is the way. + He became famous in the way.

→ _____

_____

★ **the way how로 쓰지 않기**

the way와 how 중에서 반드시 하나만 쓰는 것에 주의하세요.
This is **the way how** he became famous. (×)

Step **1** 기본 다지기

[1~10] 우리말과 일치하도록 괄호 안에 주어진 말을 바르게 배열하시오.

01 Benjamin은 고양이를 싫어하는 친구가 있다.
(has / who / hates / Benjamin / a friend / cats)

→ _____

02 이것이 네가 런던에서 찍은 사진이니?
(the picture / you / this / in London / which / is / took)

→ _____

03 Adam은 디자인이 독특한 자동차를 운전한다.
(drives / whose / is / a car / Adam / unique / design)

→ _____

04 하와이는 내가 정말 가고 싶은 곳이다.
(that / the place / Hawaii / want / really / is / I / to visit)

→ _____

05 이 다이아몬드 반지가 내가 원하는 것이다.
(I / this / want / diamond ring / what / is)

→ _____

06 나는 Laura와 여행할 예정인데, 그녀는 나의 가장 친한 친구이다.
(who / my best friend / I'll travel / is / with Laura)

→ _____

07 Joe는 그가 이전에 골랐던 재킷을 샀다.
(bought / he / before / the jacket / had chosen / Joe)

→ _____

08 우리는 Anderson 씨가 자란 도시에 갔다.
(Mr. Anderson / where / we / was raised / the city / went to)

→ _____

→ _____

09 나는 그가 왜 일찍 떠났는지 이해할 수 없었다.
(why / couldn't understand / he / I / left early)

→ _____

10 네가 그 문제를 어떻게 해결했는지 말해줘.
(you / the problem / how / tell / solved / me)

→ _____

[11~20] 우리말과 일치하도록 문장을 완성하시오.

11 이것은 내가 보고 싶어 했던 영화이다.
→ This is the _____ _____
  _____ to see.

12 나는 형이 서울에서 일하는 친구가 있다.
→ I have a _____ _____ _____
  _____ in Seoul.

13 LA로 가는 첫 비행기가 이륙하고 있다.
→ The _____ _____ _____
  _____ to L.A. is taking off.

14 나는 내가 주문한 것을 아직 받지 못했다.
→ I haven't received _____ _____
  _____ yet.

15 이 선물은 Cindy를 위한 것인데, 그녀는 친한 친구이다.
→ This present is for _____, _____
  _____ a close friend.

16 점원에게 말을 걸고 있는 그 남자가 Eddie이다.
→ _____ _____ _____ to the
  clerk is Eddie.

17 너는 그 경기가 시작되는 시간을 기억하니?

→ Do you remember _____ _____

_____ _____ _____

_____?

18 이곳은 그가 한때 살았던 집이다.

→ This is the _____ _____ _____

once _____.

19 나는 네가 왜 나에게 거짓말을 했는지 알고 싶어.

→ I want to know _____ _____ _____

_____ _____ _____ to me.

20 나는 그가 어떻게 문을 열었는지 모르겠다.

→ I don't know _____ _____ _____

_____ the door.

[21~30] 우리말을 영어로 옮긴 문장의 어법이나 의미가 <u>틀린</u> 부분을 찾아 바르게 고치시오.

21
> (눈이 없는 개미들은 그들의 안테나를 사용하여 의사소통을 한다.)
> Ants which doesn't have eyes communicate by using their antennae.

_____ → _____

22
> (우리는 야경이 멋진 도시를 방문했다.)
> We visited a city which night view is beautiful.

_____ → _____

23
> (함께 놀고 있는 여자아이와 개를 봐.)
> Look at the girl and her dog that is playing together.

_____ → _____

24
> (어떤 사람들은 그들이 가지고 있는 것에 가치를 두지 않는다.)
> Some people just don't value that they have.

_____ → _____

25
> (이것은 내 새 전화기인데 그것은 엄마가 내 생일에 내게 사 주신 것이다.)
> This is my new phone, that my mom bought for me on my birthday.

_____ → _____

26
> (그는 영국에서 만들어진 정장을 입어보는 중이다.)
> He is trying on a suit was made in England.

_____ → _____

27
> (우리는 폭풍우가 온 날에 집에 머물렀다.)
> We stayed home the day that the storm came.

_____ → _____

28
> (그가 10년간 살았던 마을이 여기서 가깝다.)
> The town which he lived for 10 years is near here.

_____ → _____

29
> (너는 내가 왜 수영을 싫어하는지 아니?)
> Do you know the reason which I hate swimming?

_____ → _____

30
> (나는 Tucker가 사람들을 대하는 방식이 마음에 든다.)
> I like the way how Tucker treats people.

_____ → _____

[31~41] 우리말과 일치하도록 괄호 안에 주어진 말과 관계사를 활용하여 문장을 완성하시오.

31 Nobel은 세상을 더 좋게 만든 사람으로 기억되기를 원했다. (a person, make)

→ Nobel wanted to be remembered as _____

_____ the world better.

32 누나가 여배우인 그 소년은 친구가 많다. (an actress)

→ The boy _____

has many friends.

33 저것이 네가 나에게 말했던 그 TV 쇼야? (tell)

→ Is that the TV show _____

about?

34 이것은 달걀처럼 생긴 유일한 건물이다. (look like, an egg)

→ This is the only building _____

_____.

35 그가 원하는 것은 긴 방학이다. (want)

→ _____ a long vacation.

36 Ben은 아프리카로 여행을 떠났는데, 그것은 그의 평생의 꿈이었다. (lifelong dream)

→ Ben went on a trip to Africa, _____

_____.

37 그가 찍은 사진들은 진짜 끔찍하다. (pictures, take)

→ The _____ are really awful.

38 이것이 우리가 친구들을 만드는 방법이다. (make)

→ This is _____.

39 이곳은 내가 민지와 어울려 다니곤 했던 동네이다. (hang out)

→ This is the neighborhood _____

_____ with Minji.

40 나는 그가 주문을 취소한 이유를 몰랐다. (cancel)

→ I didn't know _____

_____ his order.

41 2015년은 내 여동생이 태어난 해였다. (be born)

→ 2015 was _____.

[42~47] 다음 두 문장을 관계사를 활용하여 한 문장으로 바꿔 쓰시오.

42 She gave Antonio a box. The box was filled with jewels.

→ _____

_____

43 Are they the people? Andy interviewed the people.

→ _____

_____

44 Mary has a boyfriend. His name is Oliver.

→ _____

45 Valentine's Day is the day. Couples show their love to each other on the day.

→ _____

_____

46 Do you remember the place? We first met in the place.

→ _____

_____

47 Do you know the reason? He was in a hurry for the reason.

→ _____

_____

[48~52] 다음 괄호 안에 주어진 말을 활용하여 대화를 완성하시오.

48
A: Do you know the man _____ _____
the piano at the ceremony? (play)
B: Yes. He is my music teacher.

49
A: Do you have any sisters or brothers?
B: Yes. I have a sister, _____ _____
_____ in Seoul since 2018. (live)

50
A: I want to know _____ _____
_____ the puzzle together so quickly.
(put)
B: That's simple. You can just follow the manual
_____ _____ _____. (find)

51
A: It's so hard for me to learn French.
B: I have a friend _____ _____
_____ Paris. (hometown) He can help you.
A: Oh, thanks a lot.

52
A: What do you want to do for your birthday?
B: _____ _____ _____
_____ _____ on my birthday is to
go on a camping trip. (want, do)
A: Oh, really? Let's go to the mountain _____
_____ _____ camping
last summer. (go)

53 다음 그림을 보고, 괄호 안에 주어진 말을 활용하여 문장을 완성하시오. (단, 현재진행형으로 쓸 것)

(1) There is a _____
a girl's hand. (boy, hold)
(2) There are a girl and a _____
along the beach. (dog, walk)

54 다음 우리말과 일치하도록 주어진 〈조건〉에 맞게 문장을
완성하시오.

〈조건〉
1. 관계대명사 또는 관계부사를 사용할 것
2. 괄호 안에 주어진 표현을 활용할 것

(Hercules는 Zeus의 아들이었는데 그의 많은 모험들로 유명하다.)
Hercules, _____,
is famous for his many adventures. (the son of Zeus)

55 다음 대화의 밑줄 친 우리말과 의미가 같도록 괄호 안에 주
어진 말을 활용하여 문장을 완성하시오.

A: (1) 다른 언어에서 온 많은 영어 단어들이 있어.
B: For example?
A: Shampoo, which originally meant "to massage,"
is actually a Hindi word.
B: Oh, really? (2) 그건 내가 예상했던 것이 아니야.

(1) There are many _____
_____ other languages. (words, be from)
(2) That is not _____. (expect)

Your attitude is being judged by others.

현재진행형 수동태는 '~되고 있는 중이다'라는 뜻으로 be동사와 p.p. 사이에 being을 넣어 「be동사+being+p.p.」의 형태로 쓴다. 부정문은 be동사 뒤에 not 을 붙여 「be동사+not+being+p.p.」의 형태로 쓴다.

현재진행형 수동태 긍정문	주어+be동사+being+p.p. ~
현재진행형 수동태 부정문	주어+be동사+not+being+p.p. ~

A
배열 영작

01 네가 제일 좋아하는 노래가 라디오에서 나오고 있다.
(on the radio / is / your favorite song / played / being)

_____

02 바다 동물들이 자원봉사자들에 의해 구조되고 있다.
(are / by / the sea animals / saved / volunteers / being)

_____

B
문장 완성

01 집 전체가 우리 언니에 의해 청소되고 있다. (clean)

The whole house _____.

02 그 휴대전화는 더 이상 핀란드에서 제조되지 않고 있다. (manufacture)

The cellphones _____ in Finland any more.

03 역사는 매일 만들어지고 있다. (history, make)

_____

내신 기출 〉 문장 전환

다음 문장을 수동태를 활용하여 같은 뜻의 문장으로 바꿔 쓰시오.

01 The FBI are investigating the terrorists.

→ The terrorists _____.

02 They are not building a tall building in downtown.

→ A tall building _____.

03 They are testing the cosmetics on rabbits.

→ The cosmetics _____.

The world has been changed by the internet.

현재완료형 수동태는 '~되었다'라는 뜻으로 have[has]와 p.p. 사이에 been을 넣어 「have[has]+been+p.p.」의 형태로 쓴다. 이때, 부정문은 have[has] 뒤에 not을 붙여, 「have[has]+not+been+p.p.」의 형태로 쓴다.

현재완료형 수동태 긍정문	주어+have[has]+been+p.p. ~
현재완료형 수동태 부정문	주어+have[has]+not+been+p.p. ~

A
배열 영작

01 그 아이들은 독감에 노출되었다. (been / exposed / the children / have / the flu / to)

_____

02 많은 건축가들은 자연에 영감을 받아왔다. (inspired / nature / many architects / by / been / have)

_____

03 스트레스는 우울증과 관련이 있다. (to / stress / been / linked / has / depression)

_____

B
문장 완성

01 많은 수의 행성이 과학자들에 의해 발견되었다. (discover)

A large number of planets _____ by scientists.

02 그 질병의 원인은 아직 밝혀지지 않았다. (reveal)

The cause of the disease _____ yet.

03 이어폰이 승객들에게 제공되었다. (earphones, provide, the passenger)

_____ .

내신 기출 ◀ 문장 전환

다음 문장을 수동태를 활용하여 같은 뜻의 문장으로 바꿔 쓰시오.

01 The thieves have stolen the painting.

→ _____

02 A high school student has not designed the drone.

→ _____

03 Global warming has brought extreme weather.

→ _____

Bananas should not be stored in the refrigerator.

조동사가 들어 있는 문장의 수동태는 「조동사+be+p.p.」의 형태로 쓴다. 이때 부정문은 조동사 다음에 not을 붙여 「조동사+not+be+p.p.」의 형태로 쓴다.

A
배열 영작

01 파티는 저녁 7시에 열릴 것이다. (be / at 7 p.m. / the party / held / will)

_____

02 그 경고 표지판은 없어지지 않을지도 모른다. (removed / may / be / the warning signs / not)

_____

03 그 조사는 전문가들에 의해 분석되어야 한다. (experts / must / the survey / analyzed / by / be)

_____

B
문장 완성

01 그 노래는 다음 콘서트에서 연주되지 않을지도 모른다. (may, play)

The song _____ in the next concert.

02 그 기사는 여러 가지로 해석될 수 있다. (can, interpret)

The article _____ in many ways.

03 인류는 화성에 보내질 것이다. (humans, will, send, Mars)

_____ .

내신 기출 ▸ 조건 영작

다음 우리말과 일치하도록 〈보기〉에서 알맞은 조동사를 골라 주어진 단어를 활용하여 문장을 완성하시오.

보기 ▸   will   should   can

01 K-pop 팬들은 전 세계에서 찾아볼 수 있다.

K-pop fans _____ all over the world. (find)

02 그 작가는 영원히 기억될 것이다.

The writer _____ forever. (remember)

03 그 배역은 그에 의해 연기되어야 한다.

The role _____ him. (play)

We are given honey by bees.

4형식 문장은 목적어가 두 개이므로 간접목적어와 직접목적어 중 어떤 목적어가 주어로 오느냐에 따라 수동태도 두 가지로 만들 수 있다. 단, 직접목적어를 주어로 수동태를 만들 때는 간접목적어 앞에 전치사가 필요하다. 이때, 동사의 종류에 따라 알맞은 전치사를 써야 한다.

능동태	수동태
Education gives **us** power.	**We are given** power by education.
	Power is given **to us** by education.

A
배열 영작

01 새 로고가 내일 여러분께 선보여질 것입니다. (will / shown / you / the new logo / to / tomorrow / be)

_____

02 우리는 민호에게서 질문을 받았다. (a question / Minho / we / asked / by / were)

_____

03 그의 아빠는 Harry에게서 문자메시지를 받았다. (sent / his dad / was / a text message / Harry / by)

_____

B
문장 완성

01 Joy는 Paula에게 믿을 수 없는 이야기를 들었다. (tell, the unbelievable story)

Joy _____ by Paula.

02 그가 Amy에게 새 손목시계를 사주었다. (buy)

A new watch _____.

03 저 학생들은 나에 의해 역사를 배웠다. (teach, history)

_____.

내신 기출 문장 전환

다음 문장을 각각 간접목적어와 직접목적어를 주어로 하는 문장으로 바꿔 쓰시오.

01 Kate sent Ava too many gifts.

(1) [간접목적어를 주어로] _____

(2) [직접목적어를 주어로] _____

02 The doctor gave the woman a prescription.

(1) [간접목적어를 주어로] _____

(2) [직접목적어를 주어로] _____

⊙ 감점 피하기!

Q I asked her a question.
[직접목적어를 주어로]

_____

_____

★ 4형식 동사의 수동태

직접목적어를 주어로 할 때 동사 give, tell, send, show 등은 전치사 to, 동사 ask, require 등은 전치사 of를 간접목적어 앞에 써야 해요.

The soup was made for me by my grandma.

buy, make, read, sell, cook, write, pass 등의 동사가 들어있는 4형식 문장은 간접목적어인 사람을 주어로 수동태 문장을 만들면 의미가 어색해지므로 직접목적어를 주어로 수동태를 만든다는 점에 유의한다.

능동태	수동태
My aunt bought **me** a sweater.	A sweater was bought **for me** by my aunt. (○)
	I was bought a sweater by my aunt. (×)

A
배열 영작

01 부모님이 나에게 자동차를 사주셨다. (bought / my parents / a car / was / me / by / for)

_____

02 Mia가 그를 위해 샌드위치를 만들었다. (was / Mia / the sandwich / by / him / for / made)

_____

03 그녀는 아이들에게 동화책을 읽어주었다. (read / the children / her / fairy tales / by / were / to)

_____

B
문장 완성

01 이곳에서 전통적인 선물용품들이 관광객들에게 팔린다. (sell, tourists)

Traditional gift items _____ here.

02 그 편지는 Smith 씨에게 쓰였다. (write)

_____ Mr. Smith.

03 티켓은 온라인에서 여러분에게 판매될 것이다. (tickets, will sell, online)

_____ .

내신 기출 선택 영작

다음 중 간접목적어를 주어로 수동태를 만들 수 <u>없는</u> 문장을 두 개 골라 번호를 쓰고, 수동태로 바꿔 문장 전체를 다시 쓰시오.

① The woman cooked us pad thai.
② Eating spinach will not give us super powers.
③ Her sister bought Amy the green blouse.
④ Jessy asked him some private questions.

01 _____ , _____

02 _____ , _____

This sport is called archery.

5형식 문장의 수동태는 능동태 문장의 목적어를 주어로 해서 「주어+be동사 +p.p.+목적격 보어」의 형태로 쓴다. 이때, 목적격 보어로 쓰인 명사, 형용사, to부정사, 분사는 동사 뒤에 그대로 쓴다. 5형식 문장에서는 능동태 문장의 목적격 보어를 주어로 수동태 문장을 만들지 않는 점에 유의한다.

능동태	수동태
My parents named **my sister** Ann.	**My sister** was named Ann by my parents. (○)
	Ann was named **my sister** by my parents. (×)

A
배열 영작

01 그는 새로운 교황으로 선출되었다. (the new pope / elected / he / was)

_____

02 토마토는 1800년대까지 독성이 있다고 여겨졌다.
(poisonous / were / the 1800s / tomatoes / considered / until)

_____

03 그 남자는 골동품상으로 불렸다. (called / was / an antique furniture dealer / the man)

_____

B
문장 완성

01 그는 의사에게 담배를 끊으라는 권고를 받았다. (advise, quit)

_____ smoking by the doctor.

02 내 친구들은 교무실로 오라는 요청을 받았다. (ask, come)

_____ to the teachers' room.

03 그는 음식 공급 튜브에 의해 살아있도록 유지되었다. (keep, alive, a feeding tube)

_____ .

내신 기출 조건 영작

다음 우리말과 일치하도록 A와 B에서 알맞은 말을 골라 적절히 활용하여 문장을 완성하시오.

A	order	find	name	B	empty	cross	a World Heritage Site

01 그 집은 도둑에 의해 빈집으로 발견되었다.

The house _____ by the thief.

02 석굴암은 1995년에 세계문화유산으로 지정되었다.

Seokguram _____ in 1995.

03 사람들은 경찰관들에게 경찰 저지선을 넘지 말라는 지시를 받았다.

People _____ the police line by police officers.

The soccer player **was seen to use** his hands.

지각동사나 사역동사, 또는 동사 **help**의 목적격 보어로 동사원형이 쓰인 문장을 수동태로 바꿀 때는 반드시 동사원형 앞에 **to**를 붙인다.
단, 지각동사의 목적격 보어가 현재분사인 경우에는 그대로 써도 된다.

능동태	수동태	
My mom made **me** wash the dishes.	I was made to wash the dishes. (○)	I was made wash the dishes. (×)
I heard **him** coming downstairs.	He was heard to come downstairs by me. (○)	He was heard come downstairs by me. (×)
	He was heard coming downstairs by me. (○)	

A

배열 영작

01 Mike가 그녀와 춤추는 것이 보였다. (dance / with her / was / Mike / to / seen)

_____

02 우리는 휴대전화에 의해 의사소통에 도움을 받는다.

(helped / by / we / communicate / are / to / cellphones)

_____

03 나는 아빠에 의해 창문을 닦게 되었다. (the windows / my dad / was / to / I / clean / made / by)

_____

B

문장 완성

01 그가 수업에 대해 불평하는 것이 다른 사람들에게 들렸다. (hear, complain)

_____ about the class by others.

02 그들은 Jordan 박사에 의해 회복하는 데 도움을 받았다. (help, get better)

_____ by Dr. Jordan.

03 Daniel은 웃는 모습을 전혀 보이지 않았다. (see, never, laugh)

_____ .

내신 기출 ▷ 오류 수정

다음 문장에서 어법상 **틀린** 부분을 찾아 바르게 고쳐 쓰시오.

01 Gary was heard play the violin.

_____ → _____

02 The old woman was helped crossed the street by a boy.

_____ → _____

03 They are made feel good by their parents.

_____ → _____

He was put in charge of the kitchen.

동사구는 「동사+부사/전치사」 혹은 「동사+부사+전치사」의 형태로 타동사 역할을 한다. 동사구가 들어 있는 문장을 수동태로 바꿀 때는 동사구를 한 단어로 취급하여 끝에 붙은 전치사를 빠뜨리지 않도록 유의한다.

• 주요 구동사 표현

bring up	~을 키우다, 기르다	look up to	~을 존경하다
put off	~을 미루다	speak ill of	~을 나쁘게 말하다
deal with	~을 다루다, 처리하다	turn down	~을 거절하다
run over	(사람·동물을) 치다	make fun of	~을 놀리다
take away	~을 치우다, 제거하다	take care of	~을 돌보다

A 배열 영작

01 나는 우리 할머니 밑에서 자랐다. (brought / my grandmother / up / was / I / by)

_____

02 그 행사는 이번 주 금요일까지 연기되었다. (the event / put / until / was / this Friday / off)

_____

03 당신의 불평 사항은 저희에 의해 처리될 것입니다. (by / will / your complaints / dealt / us / with / be)

_____

B 문장 완성

01 개 한 마리가 검은색 승용차에 치였다. (run over)

_____ by the black car.

02 Smith 선생님은 많은 학생들에게 존경을 받는다. (look up to)

Mr. Smith _____ many students.

03 그는 자신의 이웃들에게 평판이 좋지 않았다. (speak ill of, neighbors)

_____ .

내신 기출 ▷ 문장 전환

다음 문장을 수동태를 활용하여 같은 뜻의 문장으로 바꿔 쓰시오.

01 Someone took away my tablet last night.

→ _____

02 Olivia will turn down Peter's invitation.

→ _____

03 A young artist made fun of the painting.

→ _____

🎯 감점 피하기!

Q I took care of his dog.

→ _____

★ by 앞에 부사나 전치사 쓰기

동사구의 부사나 전치사를 빠뜨리지 않고 쓰는 것에 주의하세요.

His dog **was taken care by** me. (×)

Paris is known for its great museums.

수동태 문장이라고 해서 언제나 행위자를 「by+행위자 (목적격)」의 형태로 나타내지는 않는다. by 이외에도 다양한 전치사가 올 수 있으며, 하나의 동사에 다양한 전치사가 올 경우 전치사에 따라 의미가 달라지니 유의한다.

• 전치사에 따라 의미가 다른 수동태 표현

be known for	~로 유명하다	be made of	~로 만들어지다 (재료의 성질 변화 없음)
be known as	~로 알려져 있다	be made from	~로 만들어지다 (재료의 성질 변화 있음)
be known to	~에게 알려져 있다	be made into	~로 만들어지다

A
배열 영작

01 그의 소설은 실화를 바탕으로 한다. (is / a true story / on / based / his novel)

_____

02 암석은 세 가지 유형으로 나뉜다. (divided / three types / into / are / rocks)

_____

03 부엌은 달콤한 냄새로 가득하다. (with / is / a sweet smell / the kitchen / filled)

_____

B
문장 완성

01 Leonardo da Vinci는 가장 위대한 화가들 중의 한 명으로 알려져 있다. (know, as)

Leonardo da Vinci _____ one of the greatest painters.

02 그 만화는 영화로 만들어질 것이다. (make, into, a movie)

The cartoon _____.

03 너는 네 학교 급식에 만족하니? (satisfy, with, school lunch)

_____?

내신 기출 ▶ 조건 영작

다음 우리말과 일치하도록 〈보기〉에서 알맞은 말을 골라 적절한 전치사를 활용하여 문장을 완성하시오.

보기 ▶	make	know	satisfy

01 그 패션 디자이너는 독특한 디자인으로 유명하다.

The fashion designer _____ her unique designs.

02 그 젊은 남자는 그들의 고객 서비스에 만족했다.

The young man _____ their customer service.

03 케이크는 밀가루, 우유, 달걀로 만들어진다.

Cake _____ flour, milk and eggs.

Step **1**　기본 다지기

[1~8] 우리말과 일치하도록 괄호 안에 주어진 말을 바르게 배열하시오.

01 그 기사는 Carter 씨에 의해 작성되고 있다.
(being / by / the article / Ms. Carter / written / is)

→ _____

02 이 신발은 베트남에서 만들어졌다.
(have / made / Vietnam / these shoes / been / in)

→ _____

03 멸종 위기에 처한 종들은 보호받아야 한다.
(must / species / protected / endangered / be)

→ _____

04 그녀는 그에게서 깜짝 선물을 받았다.
(by / given / a surprise present / she / him / was)

→ _____
_____

05 그 노트북은 나를 위해 아빠가 사주신 것이다.
(my dad / bought / me / by / for / was / the laptop)

→ _____
_____

06 우리 단체는 One More Generation이라고 이름 지어졌다.
(named / One More Generation / our organization / was)

→ _____
_____

07 그들은 선생님에 의해 그 책을 읽게 되었다.
(read / were / the book / to / they / made / teacher / by / their)

→ _____

08 그의 생각은 친구들에게 비웃음을 받았다.
(by / at / was / his idea / his friends / laughed)

→ _____
_____

[9~16] 우리말과 일치하도록 괄호 안에 주어진 말을 활용하여 문장을 완성하시오.

09 그 제품은 지금 사람들에 의해 널리 사용되고 있다. (use)
→ The product _____ _____ widely
_____ by people now.

10 그 행사는 Julia에 의해 준비되었다. (have, prepare)
→ The event _____ _____ _____
by Julia.

11 그와 같은 사람이 리더라고 불릴 수 있다. (call)
→ A person like him _____ _____
_____ a leader.

12 여러 음식이 그 요리사에 의해 관광객들에게 요리되었다. (cook)
→ A lot of food _____ _____
_____ the tourists by the chef.

13 우리는 경험에 의해 현명하게 될 수 있다. (make, wise)
→ We can _____ _____ _____
by experience.

14 그 두 남자가 나간 것이 보였다. (see)
→ The two men _____ _____
_____ _____ out.

15 그 과제는 선생님에 의해 연기되었다. (put off)
→ The assignment _____ _____
_____ _____ the teacher.

16 과일은 스무디로 만들어질 수 있다. (make)

→ Fruit can ＿＿＿＿＿ ＿＿＿＿＿ ＿＿＿＿＿

a smoothie.

[17~24] 우리말을 영어로 옮긴 문장의 어법이나 의미가 틀린 부분을 찾아 바르게 고치시오.

17

(새 도서관이 지금 건설되고 있다.)

The new library is be constructed now.

＿＿＿＿＿＿＿＿＿ → ＿＿＿＿＿＿＿＿＿

18

(그의 의견은 조원들에 의해 받아들여졌다.)

His opinion has been accept by his group

members.

＿＿＿＿＿＿＿＿＿ → ＿＿＿＿＿＿＿＿＿

19

(몇 가지 질문들이 반 친구들에 의해 나에게 질문되었다.)

Some questions were asked me by the classmates.

＿＿＿＿＿＿＿＿＿ → ＿＿＿＿＿＿＿＿＿

20

(그 피아노는 나를 위해 할머니께서 사주신 것이다.)

The piano was bought to me by my grandma.

＿＿＿＿＿＿＿＿＿ → ＿＿＿＿＿＿＿＿＿

21

(나는 내 친구들과 캠핑 가는 것을 부모님께 허락받았다.)

I was allowed go camping with my friends by my

parents.

＿＿＿＿＿＿＿＿＿ → ＿＿＿＿＿＿＿＿＿

22

(폭죽이 터지는 소리가 우리에게 들렸다.)

Firecrackers were heard go off by us.

＿＿＿＿＿＿＿＿＿ → ＿＿＿＿＿＿＿＿＿

23

(그 유기견은 Judy에 의해 보살핌을 받았다.)

The abandoned dog was taken care by Judy.

＿＿＿＿＿＿＿＿＿ → ＿＿＿＿＿＿＿＿＿

24

(그 그림은 예수의 최후의 만찬에 바탕을 두고 있다.)

The painting is based by the last supper of Jesus.

＿＿＿＿＿＿＿＿＿ → ＿＿＿＿＿＿＿＿＿

Step 2 응용하기

[25~33] 우리말과 일치하도록 괄호 안에 주어진 말을 활용하여 문장을 완성하시오.

25 그 프로그램이 제거되고 있는 동안 아무것도 만지지 마라.
(remove)

→ Don't touch anything while the program ＿＿＿＿＿

＿＿＿＿＿＿＿＿＿＿＿＿.

26 Paul은 그 일자리를 몇 차례 제안받았다. (offer)

→ Paul ＿＿＿＿＿＿＿＿＿＿＿＿＿＿＿ the job

several times.

27 독감의 확산은 예측될 수 있다. (predict)

→ The spread of the flu ＿＿＿＿＿＿＿＿＿＿＿.

28 그 책은 그녀에 의해 그녀의 아들에게 읽혀졌다. (read)

→ The book ＿＿＿＿＿＿＿＿＿＿ her son by her.

29 그 요리들은 우리를 위해 일류 요리사에 의해 만들어졌다. (cook)

→ The dishes ＿＿＿＿＿＿＿＿＿＿＿＿＿ by

the top chef.

30 Brad는 그의 친구들에 의해 천재로 여겨진다.
(consider, a genius)

→ Brad _____ by his

friends.

31 나는 아빠에 의해 매일 운동하게 된다. (make, exercise)

→ I _____ every day

by my dad.

32 Albert Schweitzer는 모든 사람들의 존경을 받는다.
(look up to)

→ Albert Schweitzer _____

everyone.

33 시카고는 '바람의 도시'로 알려져 있다. (know)

→ Chicago _____ the "Windy City."

[34~40] 주어진 문장을 수동태 문장으로 바꿔 쓰시오.

34 They are renovating the children's hospital.

→ _____

_____

35 The musician has written many songs.

→ _____

_____

36 Computers can deal with a lot of things.

→ _____

_____

37 Mr. Baker taught them German.

→ _____

38 Max told us the result of the match.

→ _____

_____

39 We saw her leave the house at 9 o'clock.

→ _____

_____

40 The manager turned down his suggestion.

→ _____

_____

[41~47] 다음 괄호 안에 주어진 말을 활용하여 대화를 완성하시오.

41
A: Look at that. The classroom floor _____

_____ _____ by a robot. (clean)

B: Wow, amazing!

42
A: Your idea _____ _____ _____

me by Harris. (tell) Did he accept your idea?

B: No. My proposal _____ _____

_____. (reject)

A: I'm sorry to hear that.

43
A: My favorite soccer player is Son. He _____

_____ a great player by many people.

(call)

B: I like him, too. He _____ _____

_____ _____ the best ever Korean

player. (see)

44
A: You look sad. What's up?

B: I didn't get a prize in the English speech

contest. I _____ _____ _____

myself. (disappoint, in)

A: Cheer up! You'll do better next time.

45

A: The flu is going around. But it _____

_____ _____ by washing hands.

(can, prevent)

B: Okay. I'll wash my hands often.

46

A: Did you hear the news? Patrick _____

_____ _____ _____ a car

last night. (run over)

B: That's terrible. Was he hurt badly?

A: His left leg was broken. He has to _____

_____ _____ _____ at the

hospital for two months. (take care of)

47

A: This wine _____ _____ _____

sweet grapes. (make) Try some.

B: Oh, it's delicious.

Step 3　고난도 도전하기

48 다음 우리말과 일치하도록 주어진 〈조건〉에 맞게 문장을 완성하시오.

〈조건〉 hear, play를 활용하여 5단어로 쓸 것

(1) (Dave는 우리에 의해 피아노가 연주되고 있는 것이 들렸다.)

Dave _____ by us.

〈조건〉 love, many people을 활용하여 6단어로 쓸 것

(2) (미키마우스는 전 세계 많은 사람들에게 사랑받아 왔다.)

Micky Mouse _____

_____ all over the world.

〈조건〉 make, set the table을 활용하여 7단어로 쓸 것

(3) (Scott은 엄마에 의해 식탁을 차리게 되었다.)

Scott _____

his mom.

49 다음 대화를 읽고, 내용과 일치하도록 주어진 〈조건〉에 맞게 문장을 완성하시오.

〈조건〉
1. the TV를 주어로 시작할 것
2. by를 포함하여 7단어로 쓸 것

A: I fell asleep watching TV last night. Jake, did you
turn it off?

B: Yes, I did.

_____

last night.

50 다음 〈보기〉에서 알맞은 말을 골라 괄호 안의 전치사를 활용하여 문장을 완성하시오.

〈보기〉 crowded　　satisfied　　known

I went to Busan last summer with my family.
Busan is (1) _____ its beautiful
beaches. (for) We visited Haeundae beach. It was
(2) _____ many people. (with)
We also enjoyed delicious seafood there. I was
very (3) _____ our visit. (with)

My dog greets me as I come home.

접속사 as는 '~할 때, ~하면서, ~함에 따라'라는 뜻으로 시간 부사절을 이끌거나, '~여서, ~이니까, ~ 때문에'라는 뜻으로 이유나 원인 부사절을 이끈다. 이때 시간 부사절에서는 현재시제가 미래시제를 대신하는 점에 유의한다.

as(접속사)	+시간 부사절	~할 때, ~하면서, ~함에 따라
	+이유/원인 부사절	~여서, ~이니까, ~ 때문에

A
배열 영작

01 그녀는 나이가 들면서 더 현명해졌다. (she / older / got / as / got / she / wiser)

_____

02 내가 집에 도착했을 때 네가 전화했다. (as / home / you / I / called / arrived / me)

_____

03 눈이 오고 있어서 도로가 미끄럽다. (is snowing / the road / slippery / as / it / is)

_____

B
문장 완성

[as를 사용할 것]

01 그녀는 일어났을 때 어지러움을 느꼈다. (stand up)

_____, she felt dizzy.

02 내가 사진을 찍고 있었을 때 한 가지 아이디어가 머릿속에 떠올랐다. (take pictures)

_____, I came up with an idea.

03 비가 많이 와서 우리는 집에 머물렀다. (rain heavily, stay)

_____

내신 기출 ▶ 조건 영작

다음 우리말과 일치하도록 〈보기〉에서 알맞은 말을 골라 as를 활용하여 문장을 완성하시오.

보기	go by	get off	lie

01 내가 버스에서 내렸을 때 Josh를 보았다.

_____, I saw Josh.

02 Eva가 나에게 항상 거짓말을 하기 때문에 나는 그녀를 좋아하지 않는다.

_____, I don't like her.

03 시간이 지남에 따라 우리는 친한 친구가 되었다.

_____, we became close friends.

🎯 감점 피하기!

Q 그가 내일 도착하면 내가 그에게 네가 말한 것을 얘기할 거야.

_____,
I'll tell him what you said. (arrive)

★ 시간 부사절에서의 시제
접속사 as[when] 등을 이용한 시간 부사절에서는 현재시제가 미래시제를 대신해요.

It couldn't be real gold since it was too light.

접속사 since는 '~부터, ~ 이후로'라는 뜻으로 사건이나 상태의 지속을 나타내거나, '~ 때문에, ~여서'라는 뜻으로 이유나 원인을 나타내므로 문장을 해석할 때 정확한 의미를 파악하는 것이 중요하다. 주로 현재완료 시제와 함께 쓸 때 '~ 이후로'라는 뜻을 나타내는데, 이때 since가 이끄는 부사절은 주로 과거형으로 쓴다.

A
배열 영작

01 나는 10살 이후로 Paul을 알아 왔다. (Paul / was / I / have known / 10 / since / I)

_____

02 그는 피곤했기 때문에 일찍 잠자리에 들었다. (tired / went to bed / he / early / since / was / he)

_____

03 눈이 많이 와서 역이 폐쇄되었다. (the station / snowed / since / was / a lot / closed / it)

_____

B
문장 완성

[since를 사용할 것]

01 그녀는 18살 이후로 여행 블로그를 써오고 있다. (eighteen)

She has been writing a travel blog _____.

02 내가 너를 마지막으로 본 이후로 너는 많이 변했다. (see, last)

You have changed a lot _____.

03 Jake는 뉴욕에 있었기 때문에 이곳에 올 수 없었다. (come, New York)

_____.

내신 기출 ▶ 조건 영작

다음 우리말과 일치하도록 〈보기〉에서 알맞은 말을 골라 since를 활용하여 문장을 완성하시오.

| 보기 ▶ | finish | catch | lie |

01 인도네시아는 불의 고리 위에 놓여 있기 때문에 120개가 넘는 활화산이 있다.

Indonesia has over 120 active volcanoes _____ the Ring of Fire.

02 그는 고등학교를 마친 이후로 의상을 디자인해 왔다.

He has designed clothes _____.

03 Ricky가 감기에 걸려서 그의 어머니가 그를 병원으로 데리고 갔다.

_____, his mother took him to a hospital.

Although we started small, we are making a big difference.

접속사 although와 even though는 '(비록) ~라도'라는 뜻으로 although와 even though가 이끄는 부사절에는 주절과 반대되는 내용이 온다. 접속사 though, even if와 바꿔 쓸 수 있는데 실제 구어체에서는 though를 더 많이 쓰는 편이다.

A
배열 영작

01 그들은 실수하더라도 계속 시도했다. (they / mistakes / kept / made / trying / they / although)

_____

02 그것은 좋긴 하지만 나에게는 필요가 없다. (is / it / need / even though / I / it / good / don't)

_____

03 그는 어리지만 경험이 많다. (experience / young / he's / although / he / has / lots of)

_____

B
문장 완성

[although/even though를 사용할 것]

01 나는 피곤했음에도 쉽게 잠들 수 없었다. (tired)

I couldn't sleep easily _____.

02 우리는 공기를 볼 수 없지만 그것을 느낄 수 있다. (see, air)

_____, we can feel it.

03 나는 아팠지만 학교에 갔다. (sick, go to)

_____.

내신 기출 문장 전환

다음 문장과 의미가 같도록 although나 even though를 활용하여 한 문장으로 바꿔 쓰시오. (단, 접속사를 문두에 쓸 것)

01 These shoes are old, but they still look good.

→ _____

02 We had a big lunch, but I am still hungry.

→ _____

03 His family was poor, but he succeeded as a violinist.

→ _____

I'll give you the recipe so that you can make gimbap.

「so that+주어+동사」 구문은 '주어가 ~하기 위해서[~하려고] …하다'라는 뜻으로 '목적'을 나타낸다. that 뒤에는 주로 조동사 can[could]이 오는 경우가 많으며, 목적을 표현하기 때문에 to부정사의 부사적 용법이 들어간 문장으로도 바꿔 쓸 수 있다.

so that+주어+can[could]+동사원형 = 주어+동사+(in order) to ~	주어가 ~하기 위해서 [~하려고] 하다

A
배열 영작

01 Amy는 잠을 잘 자기 위해 따뜻한 우유를 마신다.
(drinks / so / can sleep / Amy / warm milk / well / that / she)

_____

02 그는 모두가 그를 들을 수 있도록 크게 말했다.
(so / could hear / loudly / he / him / everyone / that / spoke)

_____

B
문장 완성

[「so that ~」 구문을 사용할 것]

01 우리는 신선한 음식을 먹기 위해서 채소를 기른다. (can, eat, fresh)

We grow vegetables _____.

02 우리 아빠는 내가 병이 나을 수 있도록 수프 한 그릇을 만들어주셨다. (could, get well)

My father made me a bowl of soup _____.

03 Mark는 시험에 통과할 수 있도록 열심히 공부하고 있다. (can, pass the test)

_____.

내신 기출 ▷ 조건 영작

다음 〈보기〉에서 문맥상 가장 알맞은 말을 골라 괄호 안에 주어진 말과 「so that ~」 구문을 활용하여 문장을 완성하시오.

보기 ▷	protect your skin	be late for school
	avoid large crowds	see the Eiffel Tower

01 Jessy and her friends visited Paris _____. (could)

02 Mia is walking fast _____. (will)

03 They left the house early in the morning _____
_____. (could)

04 It's better to wear a hat _____ from the sun. (can)

Unit 07-05 ▷ so … that ～ ◀ 접속사 천(이) 3 | 능(양) 7 | 금 5

It was **so** cold **that** I put on my coat.

「so+형용사/부사+that+주어+동사」 구문은 '너무[아주] …해서 주어가 ~하다'라는 뜻으로 '결과'를 나타낸다. that 앞에는 원인을, 뒤에는 결과를 쓰는데 이때, 「so that+주어+동사」 구문과 혼동하지 않도록 유의한다.

so that+주어+can[could]+동사원형	주어가 ~하기 위해서[~하려고] …하다
so+형용사/부사+that+주어+동사원형	너무[아주] …해서 주어가 ~하다

A 배열 영작

01 비가 너무 세차게 내리고 있어서 그는 지금 운전할 수 없다.
(hard / so / he / drive / that / raining / it's / can't / now)

_____

02 땅이 너무 미끄러워서 그녀는 여러 번 넘어졌다.
(that / fell / the ground / many times / was / slippery / so / she)

_____

B 문장 완성

[「so … that ~」 구문을 사용할 것]

01 그 장난감은 인기가 매우 많아서 하루 만에 다 팔렸다. (popular, sell out)
The toy was _____ in one day.

02 나는 너무 배가 고파서 라면 두 그릇을 먹고 싶다. (hungry, want, eat)
I am _____ two bowls of ramyeon.

03 너무 어두워서 나는 어떤 것도 볼 수 없었다. (dark, see)

_____ .

내신 기출 ◀ 오류 수정

다음 문장에서 어법이나 의미가 **틀린** 부분을 찾아 바르게 고치시오.

01 She is so tired that she can stay awake.
_____ → _____

02 He was angry so that he couldn't talk.
_____ → _____

03 Olivia was so nervously that she could not concentrate on anything.
_____ → _____

◉ 감점 피하기!

Q They were so sadly that they didn't do anything.

_____
→ _____

★ 「so+형용사/부사
+that+주어+동사」
「so+형용사/부사+that+주어
+동사」 구문에서는 so와 that
사이에 형용사나 부사을 써야
해요.

The point is **that** you should do your best.

접속사 that을 사용하여 「The problem/point/truth/fact/trouble」+is that+주어+동사」 형태로 써서 '문제[요점, 사실, 곤란한 점]는 주어가 ~하다는 것이다'라는 뜻을 나타낸다. 이때, 접속사 that이 이끄는 명사절이 문장의 보어 역할을 한다.

A
배열 영작

01 사실은 네가 큰 실수를 저질렀다는 것이다. (that / a big mistake / the truth / you / is / made)

_____

02 곤란한 점은 내가 돈이 하나도 없다는 것이다. (I / the trouble / that / is / don't have / any money)

_____

03 문제는 그녀가 너무 정직하다는 것이다. (too honest / is / that / the problem / she / is)

_____

B
문장 완성

01 사실은 토마토가 건강에 좋다는 것이다. (truth, tomatoes, good)

_____ for our health.

02 문제는 플라스틱 쓰레기가 해양 동물들에게 위험하다는 것이다. (problem, plastic waste, dangerous)

_____ to sea animals.

03 사실은 Sandra가 호주로 갔다는 것이다. (fact, go)

_____ .

내신 기출 ◀ 문장 전환

다음 두 문장을 접속사 that을 활용하여 한 문장으로 바꿔 쓰시오.

01 Two heads are better than one. + It is the truth.

→ The truth _____ .

02 Natural disasters like storms can be very dangerous. + It is the point.

→ The point _____

_____ .

03 My parents and friends will not understand me. + It is the problem.

→ The problem _____ .

I wonder if spiders are insects.

접속사 if와 whether는 '~인지 (아닌지)'라는 뜻으로 that과 마찬가지로
명사절을 이끈다. if는 목적어 역할을 하는 명사절만 이끌 수 있지만,
whether는 주어, 보어, 목적어 역할을 하는 명사절을 모두 이끌 수 있다.
if나 whether와 함께 쓰는 or not은 주로 문장의 맨 끝에 오지만,
whether는 'whether or not'의 형태로도 자주 쓴다.

| 주어+동사+if+주어+동사 (or not) | 주어가 ~인지 (아닌지) …하다 |
| = 주어+동사+whether (or not)+주어+동사 | |

A
배열 영작

01 그는 그녀에게 괜찮은지 물었다. (if / her / asked / all right / she / he / was)

_____

02 문제는 우리가 멈추느냐 계속 가느냐이다. (the question / or / stop / whether / we / is / keep / going)

_____

03 그녀는 그가 바쁜지 확신할 수 없었다. (sure / wasn't / busy / he / was / whether / she)

_____

B
문장 완성

01 나는 네가 나에게 화가 났는지 몰랐어. (know, if, angry)

_____ with me.

02 엄마는 내가 최선을 다하고 있는지 아닌지 의심한다. (doubt, whether, try)

My mom _____ my best.

03 그는 그녀가 꽃을 좋아하는지 알고 싶어 한다. (know, if, flowers)

_____.

내신 기출 ◀ 문장 전환

다음 두 문장을 if나 whether를 활용하여 한 문장으로 바꿔 쓰시오.

01 I wasn't sure. + Was my SNS account hacked?

→ I wasn't sure _____ or not.

02 Sheila wants to know. + Do aliens really exist?

→ Sheila wants to know _____ or not.

03 She will ask him. + Can he help her?

→ She will ask him _____ or not.

🔊 **감점 피하기!**

Q I'm not sure. + Will Chris come to class?

→ I'm not sure if _____

_____

_____.

★ if ~ or not

if와 or not을 함께 쓸 경우
or not은 문장의 맨 끝에 써야
하는 것에 주의하세요.
if or not (X)

[1~7] 우리말과 일치하도록 괄호 안에 주어진 말을 바르게 배열하시오.

01 나는 나이가 들면서 책 읽기를 즐긴다.
(enjoy / I / reading books / as / grow / I / older)

→ _____

_____

02 그는 아파서 출근할 수 없었다.
(he / couldn't / was / he / since / go to / sick / work)

→ _____

_____

03 우리는 다른 언어를 말하지만 모두 친구이다.
(different languages / we / all friends / are / speak / we / although)

→ _____

_____

04 Julie는 쉽게 일어나기 위해 일찍 잠자리에 들었다.
(get up / early / that / Julie / went to bed / so / she / easily / could)

→ _____

_____

05 Mark는 아주 잘생겨서 모든 여자아이들이 좋아한다.
(that / likes / so / is / him / every girl / Mark / handsome)

→ _____

_____

06 요점은 모두가 그 규칙을 따라야 한다는 것이다.
(everyone / the rule / should obey / that / the point / is)

→ _____

_____

07 나는 그가 진실을 말하고 있는지 확신할 수 없었다.
(he / the truth / wasn't sure / if / was telling / I)

→ _____

_____

[8~14] 우리말과 일치하도록 괄호 안에 주어진 말을 활용하여 문장을 완성하시오.

08 Susan은 한국에서 살고 있을 때 민호를 만났다. (live)

→ Susan met Minho _____ _____

_____ _____ in Korea.

09 나는 늦게 일어나서 학교에 뛰어가야 했다. (get up)

→ _____ _____ _____ _____

_____, I had to run to school.

10 그녀는 배가 고팠지만 아무것도 먹지 않았다. (be)

→ _____ _____ _____

_____ _____, she didn't eat

anything.

11 그는 시간을 절약할 수 있도록 자세한 계획을 세웠다. (save)

→ He made a detailed plan _____

_____ _____ _____

_____ _____.

12 이 지역은 매우 아름다워서 모든 사람들이 방문하고 싶어 한다. (beautiful)

→ The area is _____ _____

_____ everyone wants to visit it.

13 문제는 그가 나와 연락을 하지 않는다는 것이다. (problem)

→ _____ _____ _____

_____ he doesn't keep in touch with me.

14 나는 그가 바이올린을 잘 연주할 수 있는지 없는지 궁금하다.
(play)

→ I'm curious _____ or not _____

_____ _____ the violin well.

[15~21] 우리말을 영어로 옮긴 문장의 어법이나 의미가 <u>틀린</u> 부분을 찾아 바르게 고치시오.

15
> (Emily가 도착하면 우리는 출발할 것이다.)
>
> We will leave as Emily will arrive.

_____ → _____

16
> 그는 7살 이후로 태권도를 배우고 있다.
>
> He has been learning Taekwondo since he is 7.

_____ → _____

17
> (나는 피곤했지만 친구들과 축구를 했다.)
>
> Because I was tired, I played soccer with my friends.

_____ → _____

18
> (Ali는 여행을 가려고 돈을 모으고 있다.)
>
> Ali is saving money that so she can go on a trip.

_____ → _____

19
> (그녀는 너무 긴장해서 그를 쳐다보지 못했다.)
>
> She was so that nervous she couldn't look at him.

_____ → _____

20
> (곤란한 점은 그가 자신의 룸메이트와 같이 살고 싶어 하지 않는다는 것이다.)
>
> The trouble is if he doesn't want to live with his roommate.

_____ → _____

21
> (나는 그가 자신의 일에 정말 만족하는지 궁금하다.)
>
> I wonder that he is really satisfied with his job.

_____ → _____

Step 2 응용하기

[22~28] 우리말과 일치하도록 괄호 안에 주어진 말을 활용하여 문장을 완성하시오.

22 Eddie는 돈이 많지만 슬퍼 보인다. (although, have)

→ _____ lots of money, he seems to be sad.

23 나는 그가 지금 집에 있는지 궁금하다. (be)

→ I wonder _____ now.

24 어두워짐에 따라 우리는 더 많은 별들을 볼 수 있었다.
(get, darker)

→ _____, we could see more stars.

25 나는 길고양이들이 도움을 필요로 하기 때문에 그들을 돌본다.
(need, help)

→ I take care of street cats _____

_____.

26 여행가이드는 모든 사람이 그를 따라올 수 있도록 천천히 걸었다.
(everybody, follow)

→ The tour guide walked slowly _____

_____ him.

27 사실은 그가 음악에 관심이 없다는 것이다. (be interested in)

→ The fact is _____

_____ .

28 Noah는 아주 귀여워서 나는 그를 사랑하지 않을 수 없다. (cute)

→ _____ I can't stop loving him.

[29~33] 다음 문장을 괄호 안의 지시대로 바꿔 쓰시오.

29 I stood in line in order to order a snack.
[so that을 넣어 같은 뜻의 문장으로]

→ _____

30 I don't know. Are his training methods right?
[if를 넣어 한 문장으로]

→ _____

31 She is very stressed. So she can't sleep.
[so ~ that 구문을 활용하여 한 문장으로]

→ _____

32 He has worked for a bank. He started to work for a
bank when he was 25. [since를 넣어 한 문장으로]

→ _____

33 He often makes mistakes. But he is a good person.
[although를 넣어 한 문장으로]

→ _____

**[34~37] 다음 괄호 안에 주어진 말과 접속사를 활용하여 대화
를 완성하시오.**

34
A: I called you last night.

B: I'm sorry. I couldn't answer the phone

_____ _____ ___ _____

_____ _____ . (take a shower)

35
A: Did you get a concert ticket?

B: No. The concert was _____ _____

_____ _____ _____

_____ in ten minutes. (popular, sold out)

36
A: Were you late for school?

B: No. I took a taxi _____ _____

_____ _____ _____ being

late. (so, avoid)

37
A: Did you finish the art project?

B: Not yet. The problem is _____ _____

_____ _____ enough time. (have)

A: How about asking for help from Mia?

B: I'm not sure _____ _____

_____ _____ me. (can, help)

Step 3 고난도 도전하기

38 다음 문장을 주어진 〈조건〉에 맞게 한 문장으로 바꿔 쓰시오.

〈조건〉
1. so, could를 포함할 것
2. 주어진 문장과 의미가 같도록 쓸 것

He practiced tennis hard to be a champion.

→ _____

_____

39 다음 〈보기〉에서 알맞은 말을 골라 두 문장의 의미가 같도록 문장을 완성하시오.

> 〈보기〉 although   as   since

(1) I am studying Chinese. I started to study Chinese when I started middle school.

→ I have studied Chinese _____

_____.

(2) They are very young, but they have actually made a difference in the world.

→ _____,

they have actually made a difference in the world.

40 다음 대화의 내용과 일치하도록 괄호 안에 주어진 말을 활용하여 문장을 완성하시오.

> Clara: Is Jason from Canada?
> Tom: Yes, he is.

→ Clara asks Tom _____

_____. (if)

If you were here, I would be happy.

가정법 과거는 '주어가 ~라면, …할 텐데[것이다]'라는 뜻으로 현재 상황과 다르거나 절대 또는 거의 일어날 수 없는 일을 가정할 때 쓴다. 「(조건절)If+주어+과거동사, (주절)주어+조동사(would, could, might)+동사원형」의 형태로 쓰는데, 이때 조건절과 주절의 위치는 바꿀 수 있다. 또한, 과거가 아닌 '현재' 상황을 가정한다는 점과, if절의 동사가 be동사일 때 주어에 관계없이 were를 쓰는 점에 유의한다.

If	+주어	+과거동사,	주어+	would / could / might	+동사원형	주어가 ~라면, …할 텐데 [것이다]

A 배열 영작

01 내게 날개가 있다면 날 수 있을 텐데. (had / fly / I / could / wings / if / I)

_____

02 Sally가 여기 있다면 그녀는 나를 도울 텐데. (she / me / Sally / if / help / were / would / here)

_____

03 그가 내 주소를 안다면 나에게 편지를 보낼지도 모를 텐데.
(my address / he / a letter / he / if / knew / send / might / me)

_____

_____

B 문장 완성

01 산타가 우리 집에 온다면, 나는 그를 보내주지 않을 텐데. (come, will, let)

If Santa _____ to my house, I _____ him go.

02 타임머신이 있다면 나는 미래로 갈 텐데. (have, will, go)

If I _____ a time machine, I _____ to the future.

03 전기가 없다면, 우리는 아무것도 할 수 없을 것이다. (there, no electricity, can, do nothing)

_____.

내신 기출 ◀ 오류 수정

다음 문장에서 어법상 틀린 부분을 찾아 바르게 고쳐 쓰시오.

01 Emma would help her family if she has a million dollars.

_____ → _____

02 If air existed in space, we can visit other planets easily!

_____ → _____

03 If today is Friday, I would go to Busan to see the sea.

_____ → _____

감점 피하기!

Q If I was you, I would not give up.

_____

→ _____

★ 가정법 과거 if절의 be동사

가정법 과거 if절의 be동사는 주어의 인칭과 수에 관계없이 were를 써요.

If I had known his phone number, I would have called him.

가정법 과거완료는 '주어가 ~했다면, …했을 텐데[것이다]'라는 뜻으로 과거에 일어나지 않은 일을 가정할 때 쓴다.
「(조건절)If+주어+had+p.p., (주절)주어+조동사(would, could, might)+have+p.p.」의 형태로 쓴다.

If	+주어	+had+p.p.,	주어+	would / could / might	+have+p.p.	주어가 ~했다면, …했을 텐데 [것이다]

A
배열 영작

01 내가 그렇게 게으르지 않았다면, 나는 기차를 놓치지 않았을 수도 있을 텐데.
(had / I / not / so lazy / been / if / might / the bus / not / missed / have / I)

_____

02 Kevin이 너를 만났다면, 그가 너를 좋아했을 텐데.
(you / he / have / if / would / liked / met / had / Kevin / you)

_____

03 네가 SNS 계정을 만들지 않았더라면, 나는 너를 찾을 수 없었을 것이다.
(hadn't / an SNS account / couldn't / found / made / you / have / I / if / you)

_____

B
문장 완성

01 Colin이 그녀를 사랑했다면, 그는 그녀를 떠나지 않았을 것이다. (will, leave)
If Colin _____ her, he _____ her.

02 네가 이것의 가치를 알았더라면, 너는 돈을 좀 벌 수 있었을 텐데. (know, can, make)
If you _____ the value of this, you _____ some money.

03 비가 오지 않았더라면, 우리는 그 공원에 갔을 텐데. (rain, will, go)

_____.

내신 기출 ◀ 문장 전환

다음 문장을 괄호 안에 주어진 조동사를 활용하여 가정법 문장으로 바꿔 쓰시오.

01 I didn't tell Chris the truth, so he was hurt.
→ If _____. (will)

02 As we didn't have enough time, we couldn't finish the project.
→ If _____. (can)

03 Our team didn't win the game, because Tom hurt his leg.
→ If _____. (might)

Unit 08-03 ▶ I wish+가정법 과거 ◀ 가정법 Y(박) 9 | 금 3 | 다 9

I wish I had more free time.

「I wish+가정법」 구문은 '~라면[~했다면] 좋을 텐데'라는 뜻으로 현재나 과거에 이루기 힘든 소망이나 아쉬움을 나타낼 때 쓰며, 여기에서는 「I wish+가정법 과거」만을 다룬다. 「I wish+주어+과거동사[조동사의 과거형+동사원형]」의 형태로 쓰며 이때, be동사를 쓸 경우 주어의 수와 인칭에 관계없이 were를 쓰는 것이 특징이다.

• I wish 가정법 과거

I wish	+주어	+과거동사 [조동사의 과거형+동사원형]	~라면 좋을 텐데 (현재 이루기 힘든 소망이나 아쉬움)

A
배열 영작

01 피카소처럼 그림을 그릴 수 있으면 좋을 텐데. (could / like / wish / I / Picasso / draw / I)

_____

02 숙제가 없으면 좋을 텐데. (no / wish / I / homework / I / had)

_____

03 네가 나와 함께 여기 있으면 좋을 텐데. (with / you / wish / here / me / I / were)

_____

B
문장 완성

[「I wish+가정법」 구문을 사용할 것]

01 네가 우리 동네에 살면 좋을 텐데. (live)

_____ in my neighborhood.

02 매일이 크리스마스면 좋을 텐데. (can, be)

_____ Christmas.

03 우리 언니가 내게 새 운동화를 사주면 좋을 텐데. (will, buy, new sneakers, for)

_____.

내신 기출 　문장 전환

다음 문장을 「I wish+가정법」 구문을 활용하여 바꿔 쓰시오.

01 I want to have a big brother, but I don't.

→ _____

02 I want to talk with my dog, but I can't.

→ _____

03 I'm sorry that this beautiful dress isn't mine.

→ _____

Ryan acts **as if** he **were** a grown-up.

「as if+가정법」 구문은 '주어가 마치 ~인 것처럼 …하다[했다]'라는 뜻으로 현재 또는 과거의 사실과 다른 상황을 가정할 때 쓴다. 여기에서도 「I wish+가정법」 구문과 마찬가지로 「as if+가정법 과거」 구문만을 다루며, 「as if+주어+과거동사」 형태로 쓴다.

• **as if 가정법 과거**

as if+주어+과거동사	현재의 사실과 다른 상황을 가정	마치 ~인 것처럼

A
배열 영작

01 Jamie는 자신이 마치 부자인 것처럼 말한다. (talks / Jamie / as / were / rich / if / he)

_____

02 Angela는 마치 패션모델인 것처럼 걷는다. (if / a fashion model / walks / as / were / Angela / she)

_____

03 Peter는 모든 것을 다 아는 것처럼 말한다. (everything / talks / he / as / knew / Peter / if)

_____

B
문장 완성

[「as if+가정법」 구문을 사용할 것]

01 그는 그녀의 말을 이해하는 것처럼 고개를 끄덕인다. (understand)

He nods his head _____ her words.

02 그는 학생이지만 자신이 마치 선생님인 것처럼 말한다. (be)

He is a student, but he speaks _____ .

03 그녀는 마치 항상 바쁜 것처럼 행동한다. (act, all the time)

_____

내신 기출 ◀ 문장 전환

다음 문장을 「as if+가정법」 구문을 활용하여 바꿔 쓰시오.

01 Harry looks sick, but he is not.

→ Harry looks _____ .

02 Julie talks like she lives in New York, but she doesn't live there.

→ Julie talks _____ .

03 My mom thinks that I am still a little kid, but I'm not a little kid.

→ My mom always treats me _____ .

🎯 **감점 피하기!**

Q He acts like he is an actor, but he isn't.

→ He acts _____

_____

★ **as if+주어+were**

as 절의 be동사는 주어의 인칭/수에 관계없이 were를 써요.

It's time **we said** goodbye.

「It's time＋(that)＋주어＋과거동사」 구문은 '주어가 ～을 해야 할 때다[때가 됐다]'라는 뜻으로, 가정법 과거를 활용해 현재 해야 할 일이나 아직 하지 않은 것에 대한 유감이나 재촉을 나타낼 때 주로 쓴다. time 앞에 about (이제)을 붙여 의미를 강조할 수 있다.

It's (about) time＋(that) ＋주어＋과거동사	주어가 (이제) ～을 해야 할 때다[때가 됐다]

A 배열 영작

01 우리가 점심을 먹을 때다. (had / time / we / that / it's / lunch)

_____

02 네가 새로운 무언가를 시도할 때다! (tried / you / new / time / something / it's)

_____

03 그는 이제 직업을 가져야 할 때다. (about / he / a job / it's / got / time)

_____

B 문장 완성

[「It's time (that) ~」 구문을 사용할 것]

01 그녀는 글쓰기를 끝내야 할 때다. (finish)

_____ her writing.

02 네가 그에게 관심을 가져야 할 때다. (pay attention to)

_____ .

03 Nora가 결정을 내려야 할 때다. (make a decision)

_____ .

내신 기출 ▸ 도표·그림

다음 그림을 보고, 괄호 안에 주어진 표현을 활용하여 유감이나 재촉을 표현하는 문장을 완성하시오.

01
(1) It's time Keira _____ .
(put on one's makeup)

(2) It's time she _____ .
(get ready for, the big date)

02
(1) It's time Jack _____ .
(study, harder)

(2) It's time he _____ in his class.
(become, a top student)

What would you do if you had superpowers?

「What would you do if you+과거동사 ~?」 구문은 '만약 ~라면 너는 어떻게 하겠니?'라는 뜻으로 가정법 과거를 활용해 상대에게 어떤 일을 가정해 물을 때 쓴다. 이때, 대답은 '~할 거야.'라는 뜻의 「I would 동사원형 ~.」 등으로 한다.

질문	What would you do if you+과거동사 ~?	만약 ~하면 너는 어떻게 하겠니?
대답	I would 동사원형 ~.	나는 ~할 거야.

A
배열 영작

01 만약 내 입장이라면 너는 어떻게 하겠니? (if / in my place / you / what / do / were / would / you)

_____

02 만약 시간이 멈춘다면 너는 어떻게 하겠니? (stopped / would / time / if / do / what / you)

_____

03 만약 해가 사라진다면 너는 어떻게 하겠니? (the sun / what / do / you / if / disappeared / would)

_____

B
문장 완성

01 만약 네가 하루 동안 어른이 된다면 넌 어떻게 하겠니? (be, do)

_____ an adult for a day, what _____?

02 만약 복권에 당첨되면 넌 어떻게 하겠니? (win)

_____ the lottery?

03 만약 화성에 살면 너는 어떻게 하겠니? (live on, Mars)

_____?

내신 기출 대화 완성

다음 B의 대답을 읽고, 괄호 안에 주어진 단어를 활용하여 가정법 질문을 완성하시오.

01 A: What would you do _____? (be, president)
B: I would make my country safer.

02 A: What would you do _____? (become, a celebrity)
B: I'd fly around the world in first class.

03 A: What would you do _____? (can, see, the future)
B: I'd try to change it.

Step 1 기본 다지기

[1~6] 우리말과 일치하도록 괄호 안에 주어진 말을 바르게 배열하시오.

01 내가 너라면 나는 그에게 꽃을 줄 텐데.
(were / him / give / would / I / you / if / flowers / I)

→ _____

_____

02 내가 잠을 자지 않았더라면, 그 경기를 보았을 텐데.
(I / the match / hadn't / would / watched / fallen asleep / have / if / I)

→ _____

_____

03 나에게 너처럼 상냥한 누나가 있으면 좋을 텐데.
(like / wish / I / a kind sister / you / I / had)

→ _____

04 그는 나의 형인 것처럼 굴고 있다.
(as / my brother / acting / he / if / he's / were)

→ _____

05 네가 쉬어야 할 때다.
(time / had / you / a rest / it's)

→ _____

06 만약 내일 세상이 끝난다면 넌 어떻게 하겠니?
(the world / tomorrow / would / do / if / was going to / end / what / you)

→ _____

_____

[7~12] 우리말과 일치하도록 괄호 안에 주어진 말을 활용하여 문장을 완성하시오.

07 그는 백만 달러가 있다면 경비행기를 살 텐데. (buy)

→ _____ _____ _____ a million

dollars, he _____ _____ a light plane.

08 그녀가 그의 조언을 받아들였다면 그녀는 성공했을 텐데. (take)

→ If she _____ _____ his advice, she

_____ _____ _____.

09 내가 지호처럼 노래를 부를 수 있으면 좋을 텐데. (sing)

→ _____ _____ I _____

_____ like Jiho.

10 그는 그 사고에 대해 아는 것처럼 말한다. (know)

→ He talks _____ _____ _____

_____ about the accident.

11 네가 너의 삶에 변화를 만들 때가 됐다. (make)

→ _____ _____ you _____

changes in your life.

12 네가 작년으로 돌아갈 수 있다면 어떻게 하겠니? (go)

→ What _____ _____ _____ if

you _____ _____ back to last year?

[13~18] 우리말을 영어로 옮긴 문장의 어법이나 의미가 틀린 부분을 찾아 바르게 고치시오.

13

(내 키가 좀 더 크다면, 나는 농구 선수가 될 텐데.)

If I were taller, I will become a basketball player.

_____ → _____

14

(그녀가 미리 준비했더라면, 그녀는 자신의 계획을 망치지 않았을 텐데.)

If she prepared in advance, she wouldn't have spoiled her plan.

_____ → _____

15

(그가 다른 모든 사람들과 함께 어울리면 좋을 텐데.)

I wish he will join in with everyone else.

_____ → _____

16

(James는 항상 마치 자기 집인 것처럼 우리 집에 걸어 들어온다.)

James always walks into my house as if he will own it.

_____ → _____

17

(엄마가 바쁘지 않다면 우리는 영화를 보러 갈 수 있을 텐데.)

If my mom is not busy, we could go to the movies.

_____ → _____

18

(네가 가장 좋아하는 가수를 만난다면 어떻게 하겠니?)

What would you do if you meet your favorite singer?

_____ → _____

Step 2 응용하기

[19~24] 우리말과 일치하도록 괄호 안에 주어진 말을 활용하여 문장을 완성하시오.

19 만약 네가 아이라면 어떻게 하겠니? (do)

→ What _____ if you were a child?

20 그녀는 마치 내가 그녀의 여동생인 것처럼 대한다. (be)

→ She treats me _____ her sister.

21 그가 거짓말하지 않는다면, 우리는 그를 좋아할 텐데. (tell, will)

→ _____ lies, we _____ him.

22 내가 지금 하와이에 있으면 좋을 텐데. (be)

→ _____ in Hawaii now.

23 네가 가까이에 산다면 우리는 자주 만날지 모를 텐데. (live, might, meet)

→ _____ nearby, we _____ _____ often.

24 그가 열심히 공부했다면 그는 시험을 통과할 수 있었을 텐데. (can, pass, study)

→ He _____ the test if he _____ hard.

[25~28] 다음 문장을 가정법 문장으로 바꿔 쓰시오.

25 As I don't know the answer, I can't tell you.

→ If _____.

26 I could solve the problem because you helped me.

→ If _____ _____.

27 I want to have my own room, but I don't have one.

→ I wish _____.

28 In fact, Emily is not my close friend.

→ Emily acts as if _____.

[29~33] 다음 괄호 안에 주어진 말을 활용하여 대화를 완성하시오.

29

A: What would you do if _____ _____
a police officer? (be)

B: I _____ _____ people in trouble.
(will, help)

30

A: Do you know Brad?

B: Sure. He is very popular among his friends
because he is funny.

A: I wish _____ _____ _____
funny jokes like him. (can, tell)

31

A: Oh, no. I forgot to do the science homework.

B: If I _____ you, I _____ _____
the science homework during the breaks.
(will, do)

32

A: Did you have cotton candy at the amusement
park?

B: No, I was too full. If I _____ _____
_____ full, I _____ _____
_____ some. (be, have)

33

A: It's already eleven o'clock. It's time that you
_____ _____ _____.
(go to bed)

B: Okay, Mom.

34 다음 글의 내용과 일치하도록 문장을 완성하시오.
(단, 축약형으로 쓸 것)

Mia stayed up late watching movies and she was
late for school.

If Mia _____
movies until late at night, she _____
_____ late for school.

35 다음 우리말과 일치하도록 주어진 〈조건〉에 맞게 문장을
완성하시오.

〈조건〉
1. as if 가정법을 사용할 것
2. talk, be interested in, classical music을 사용할 것
3. 필요한 경우 형태를 바꿀 것

(그는 고전 음악에 관심이 있는 것처럼 말한다.)

_____

_____

36 다음 Mason이 쓴 편지를 읽고, (1)~(3)에 해당하는 고민
을 주어진 〈조건〉에 맞게 바꿔 쓰시오.

〈조건〉
1. I wish 가정법을 사용할 것
2. 한 문장에 하나의 내용을 나타낼 것

Dear Ms. White,
(1) I don't have any close friends. (2) I can't speak
French. (3) I'm not good at math.
What should I do?

(1) I wish _____.

(2) I wish _____.

(3) I wish _____.

The more you have, the less you see.

「the+비교급(+주어+동사), the+비교급(+주어+동사)」 구문은
'~하면 할수록 더 …하다'라는 뜻으로, 정도나 비율이 증가하거
나 감소하는 것을 나타낼 때 쓴다. 이때, 형용사, 부사, 명사의 어순에 유의한다.

| the | +비교급 | (+주어+동사), | the | +비교급 | (+주어+동사) | ~하면 할수록 더 …하다 |

ex The more *I am nervous*, the more water I need. (×)
　　　(→ nervous I am)

A
배열 영작

01 우리는 나이가 들수록 더 현명해진다. (the / grow / we / wiser / the / become / we / older)

_____

02 더 적게 쓸수록 더 많이 저축한다. (the / save / more / the / you / spend / less / you)

_____

03 더 열심히 일할수록 더 빨리 끝낼 것이다. (you'll / the / harder / finish / you / work / faster / the)

_____

B
문장 완성

01 우리가 일찍 출발할수록 더 빨리 도착할 것이다. (early, soon)

_____ we leave, _____ we will arrive.

02 더 많이 운동할수록 너는 더 건강해진다. (much, healthy)

_____ you exercise, _____ you get.

03 더 적게 알수록 너는 더 많이 믿는다. (little, much)

_____ .

내신 기출　조건 영작

다음 우리말과 일치하도록 A, B에서 알맞은 말을 하나씩 골라 비교급을 활용하여 문장을 완성하시오.

| A | good | far | much | B | taste | learn | go |

01 여행을 많이 할수록 너는 더 많이 배운다.

The more you travel, _____ .

02 네가 멀리 갈수록 돌아오기가 더 어려워진다.

_____ , the harder it is to return.

03 과일이 더 신선할수록 그것은 더 맛이 좋다.

The fresher the fruit is, _____ .

Jim is taller than any other student in his class.

「비교급+than any other ~」 구문은 '다른 어떤 ~보다 더 …하다'라는 뜻이다.
비교급의 형태로 '가장 ~하다'라는 최상급의 의미를 나타내는 것이 특징이며,
any other 다음에는 주로 단수명사가 온다.

비교급	+than any other ~	다른 어떤 ~보다 더 …하다

A
배열 영작

01 역사는 다른 어떤 과목보다 중요하다. (any / subject / more important / is / other / than / history)

_____

02 그녀는 다른 어떤 과학자보다 위대했다. (greater / other / was / scientist / than / any / she)

_____

B
문장 완성

[「비교급+than any other」 구문을 사용할 것]

01 바티칸 시국은 세계에서 다른 어떤 나라보다 작다. (small, country)

Vatican City is _____ in the world.

02 오늘이 올겨울 들어 다른 어떤 날보다 춥다. (cold, day)

Today is _____ this winter.

03 이곳은 마을에서 다른 어떤 식당보다 근사하다. (nice, restaurant)

This place is _____ in town.

04 그는 다른 어떤 가수보다 유명하다. (famous)

_____ .

내신 기출 ▶ 문장 전환

다음 문장을 「비교급+than any other」 구문을 활용하여 같은 뜻의 문장으로 바꿔 쓰시오.

01 Sirius is the brightest star in the sky.
→ _____

02 Jisu is the most diligent boy in my school.
→ _____

03 Being a dentist is the most attractive job for him.
→ _____

🎯 **감점 피하기!**

Q Mia is the prettiest girl in my class.

→ _____

_____

★ 「비교급 + than any other」 = 최상급

「비교급 + than any other」 구문은 비교급 형태이지만 최상급의 의미를 나타내요.

No (other) city in Korea is larger than Seoul.

「No (other) ~ 비교급+than」 구문은 '(다른) 어떤 ~도 …보다 ~하지 않다'라는 뜻으로 other는 생략할 수 있다. 비교급의 형태로 '가장 ~하다'라는 최상급의 의미를 나타내는 것이 특징이다. 최상급의 의미는 비교급을 활용하여 표현할 수도 있으므로 잘 알아두도록 한다.

| No (other) ~ 비교급+than | ~이 가장 …하다 |
| = 비교급+than any other ~ | |

A
배열 영작

01 다른 어떤 발명품도 스마트폰보다 대단하지 않다.
(greater / the smartphone / other / is / invention / no / than)

_____

02 그의 반에 있는 어떤 학생도 그보다 크지 않다. (than / in his class / student / him / taller / no / is)

_____

B
문장 완성

[「No (other)+비교급+than」 구문을 사용할 것]

01 그 그룹의 다른 어떤 멤버도 Jenny보다 인기 있지 않다. (member, popular)

_____ in the group is _____ Jenny.

02 지구상의 어떤 곳도 아타카마 사막보다 더 건조하지 않다. (place, dry)

_____ on Earth is _____ the Atacama Desert.

03 다른 어떤 사람도 Bill보다 부유하지 않다. (man, rich)

_____ .

내신 기출 ▶ 문장 전환

다음 문장을 「No (other)+비교급+than」 구문을 활용하여 같은 뜻의 문장으로 바꿔 쓰시오.

01 Mark is the funniest boy in my class.

→ _____

02 Math is the hardest subject for me.

→ _____

03 This is the most expensive painting in the museum.

→ _____

This is the greatest song I've ever heard.

「최상급+명사(+that)+주어+have[has] ever p.p.」 구문은 '이제껏 ~한 것 중 가장 …한'이라는 뜻으로, 흔히 주어와 have[has]는 축약해서 쓴다. 기본적으로 최상급은 「the+형용사[부사]의 최상급 (+명사)+in[of]」의 형태로 나타내는데, 최상급과 현재완료시제가 결합하여 '과거부터 현재까지를 통틀어 가장 …한'이라는 의미를 강조할 때 많이 쓰는 구문이다.

최상급	+명사	(+that)	+주어	+have[has] ever p.p.	이제껏 ~한 것 중 가장 …한

A 배열 영작

01 그녀는 이제껏 내게 있었던 친구 중 가장 가까운 친구이다. (the closest / is / ever / friend / she / I've / had)

_____

02 네 스파게티는 내가 이제껏 먹어본 것 중 최고이다. (ever / I've / your spaghetti / eaten / is / the best)

_____

03 리스본은 그녀가 이제껏 방문한 곳 중에서 가장 멋진 도시이다.
(city / has / visited / Lisbon / the nicest / she / ever / is)

_____

B 문장 완성

01 미시간에는 그가 이제껏 가본 곳 중에서 가장 아름다운 호수가 있다. (beautiful, lake, be)

Michigan has _____ to.

02 이 라마는 내가 이제껏 본 동물 중에서 가장 귀여운 동물이다. (cute, animal, see)

This llama is _____.

03 이것은 내가 이제껏 봤던 것 중에서 가장 지루한 영화이다. (boring, movie, watch)

_____.

내신 기출 ▶ 조건 영작

다음 우리말과 일치하도록 A, B에서 알맞은 말을 하나씩 골라 최상급 표현을 활용하여 문장을 완성하시오.

A	busy	good	difficult	B	learn	meet	hear

01 그것은 우리가 이제껏 들은 것 중 최고의 노래였다.

It was _____.

02 중국어는 그가 이제껏 배운 것 중에서 가장 어려운 언어이다.

Chinese is _____.

03 Dylan은 그녀가 이제껏 만났던 사람 중에서 가장 바쁜 남자이다.

Dylan is _____.

Carrots do contain a lot of vitamin A.

일반동사 앞에 조동사 do[does, did]를 넣으면 '정말로, 확실히 ~하다'라는 뜻으로 동사의 의미를 강조할 수 있다. 이때, do는 주어의 인칭이나 수, 시제에 맞게 does나 did로 바꿔 쓴다.

원 문장	강조 문장 (do/does/did)
Be careful.	→ **Do** *be* careful.
He *likes* to play baseball.	→ He **does** *like* to play baseball.
I *finished* the homework yesterday.	→ I **did** *finish* the homework yesterday.

A 배열 영작

01 그는 그녀를 만나서 정말로 행복해 보였다. (her / look / to see / happy / did / he)

_____

02 Peter는 모바일 게임하는 것을 정말로 좋아한다. (mobile games / does / Peter / playing / like)

_____

03 나는 아무것도 안 하는 것을 정말로 좋아한다. (love / nothing / I / doing / do)

_____

B 문장 완성

[do를 사용할 것]

01 요즘 많은 사람들이 지구온난화를 정말로 걱정한다. (worry about)

Many people _____ global warming these days.

02 우리는 방콕에서 휴가를 정말로 즐겁게 보냈다. (enjoy one's vacation)

_____ in Bangkok.

03 나는 어제 너에게 확실히 전화했다. (call)

_____ .

내신 기출 | 조건 영작

다음 우리말과 일치하도록 〈보기〉에서 알맞은 말을 골라 do를 활용하여 동사를 강조하는 문장을 완성하시오.

보기	do	have	hope	hate

01 우리는 네가 곧 회복되길 정말로 바란다.

_____ you'll get well soon.

02 그 가수는 어젯밤에 관객들과 정말로 좋은 시간을 보냈다.

_____ a great time with the audience last night.

03 내 여동생은 토마토를 정말로 싫어한다.

_____ .

⊙ 감점 피하기!

Q 그는 시험에 정말로 최선을 다했다.

He _____

his best in tests.

★ **do 동사의 쓰임 구분하기**

'~하다'라는 뜻의 일반동사 do와 '정말로, 확실히'라는 뜻의 강조의 do를 혼동하지 않도록 주의하세요.

It was literature that he loved most.

「It ··· that」 강조구문은 '~한 것은 (바로) ···이다'라는 뜻으로 문장에서 동사를 제외한 특정 부분(주어, 목적어, 부사(구))을 강조할 때 쓴다. It과 that 사이에 강조할 단어나 구, 절을 넣고, 나머지 부분을 that 뒤로 보낸다. 강조하는 대상이 사람이면 that 대신 who(m)을, 사물이면 which로 대체할 수 있다.

	Amy met Jonas in the lobby. (원문장)
주어 강조	It was Amy that[who] met Jonas in the lobby.
목적어 강조	It was Jonas that[who(m)] Amy met in the lobby.
부사(구) 강조	It was in the lobby that Amy met Jonas.

A
배열 영작

01 수영장에서 수영했던 사람은 바로 Leo였다. (that / was / in the pool / it / swam / Leo)

_____

02 내가 태어난 곳은 바로 서울에서였다. (was / it / was born / I / that / in Seoul)

_____

03 그가 찾고 있는 것은 바로 이어폰이다. (the earphone / he's / is / which / it / looking for)

_____

B
문장 완성

[「It ··· that」 강조 구문을 사용할 것]

01 그녀가 우울할 때 먹는 것은 바로 초콜릿이다. (chocolate, eat)

It _____ when she feels blue.

02 나를 행복하게 만드는 것은 바로 당신의 미소입니다. (smile, make)

It _____ me happy.

03 James가 그녀를 만난 곳은 바로 버스 정류장이었다. (at the bus stop, meet)

_____ .

내신 기출 **문장 전환**

「It ··· that」 강조구문을 활용하여 다음 문장의 밑줄 친 부분을 강조하는 문장으로 바꿔 쓰시오.

01 <u>Judy</u> lost her wallet on the bus.

→ _____

02 I've been waiting for <u>my little brother</u>.

→ _____

03 I learned how to ride a bike <u>at the age of five</u>.

→ _____

Never have I seen him again since then.

도치란 문장의 특정 부분을 강조하기 위해 어순을 바꾸는 것으로, 주로 부정어구나 부사(구)가 문장의 맨 앞으로 보내진 것을 말한다. 여기서는 부정어구의 도치만 다루는데, 문장에 조동사가 있으면 「부정어+조동사+주어+동사」의 어순으로 바뀌는 점에 유의한다. 단, 문장에 조동사가 없고 일반동사만 있다면 주어 앞에 조동사 do[does, did]를 쓴다. 한편, 부정어 no sooner는 「No sooner had+주어+p.p.+than+주어+동사의 과거형」의 형태로 써서 '~하자마자 …했다'의 의미를 나타낸다.

조동사가 있는 경우	부정어구(never, no, not,	+조동사	+주어	+동사
조동사가 없는 경우	hardly[rarely, seldom], little)	+do[does, did]		

A
배열 영작

01 민주는 안경을 쓴 적이 전혀 없다. (worn / never / Minju / glasses / has)

_____

02 사막에는 좀처럼 비가 오지 않는다. (does / in the desert / rarely / rain / it)

_____

03 그는 좀처럼 최선을 다하지 않았다. (he / try / hardly / did / his best)

_____

B
문장 완성

[부정어구를 강조할 것]

01 그녀는 Jake가 자신을 사랑한다는 것을 좀처럼 믿을 수 없었다. (hardly, can, believe)

_____ that Jake loved her.

02 내가 도착하자마자 열차가 왔다. (no sooner, arrive)

_____ than the train came.

03 그는 절대 집에 다시 돌아오지 않을 것이다. (never, will, come back)

_____ .

내신 기출 문장 전환

다음 문장을 부정어구를 강조하는 문장으로 바꿔 쓰시오.

01 Julia rarely eats fast food.

→ _____

02 Dave has never seen such a beautiful lake.

→ _____

03 She was seldom as happy as that moment.

→ _____

Not every boy likes to play soccer.

전체부정은 문장 전체를 부정하는 것이고, 부분부정은 문장 일부를 부정하는 것이다.
전체부정은 '아무도[아무것도] ~하지[이지] 않다'라는 뜻이고, 부분부정은 '모두 ~인[한] 것은 아니다'라는 뜻으로 해석에 유의해야 한다.

전체부정	no, none(셋 이상), neither(둘 이상) … (+of), no one ((~중에) 아무도[아무것도] …않다)
부분부정	not ~ all[every] (모두 ~인 것은 아니다)
	not ~ always (항상 ~인 것은 아니다)
	not ~ both (둘 다 ~인 것은 아니다)
	not ~ each (각각 ~인 것은 아니다)

A
배열 영작

01 나는 항상 아침 식사를 하는 건 아니다. (have / don't / breakfast / always / I)

_____

02 그들 중 누구도 완벽하지 않다. (neither / them / of / perfect / is)

_____

03 누구나 다 예술가가 될 수 있는 것은 아니다. (can / an artist / every person / be / not)

_____

B
문장 완성

01 도서관에 있는 모든 학생들이 공부하고 싶어 하지는 않는다. (not, all)

_____ in the library _____ to study.

02 어떤 사람들은 정치에 대해 아무것도 모른다. (know, anything)

Some people _____ about politics.

03 그들 중 누구도 나에게 주의를 기울이지 않았다. (none, pay attention to)

_____.

내신 기출 ◀ 문장 전환

다음 두 문장의 의미가 같도록 괄호 안에 주어진 말을 활용하여 한 문장으로 바꿔 쓰시오.

01 Many countries have a president. + But some countries don't.

→ _____ a president. (not)

02 This book isn't worth reading. + That book isn't worth reading, either.

→ _____ worth reading. (neither)

03 Honesty is the best policy. + But sometimes it is not.

→ Honesty is _____. (always)

🎯 감점 피하기!

Q You can't use this room. + And you can't use that room.

You _____

_____

_____. (neither)

★ either[neither]의 쓰임

either[neither] 뒤에는 단수 명사가 와요. 단, 뒤에 「of+the +수식어구」 형태가 오면 복수 명사로 써야 해요.

Step 1 기본 다지기

[1~8] 우리말과 일치하도록 괄호 안에 주어진 말을 바르게 배열하시오.

01 부유해질수록 더 많이 원하게 된다.
(get / you / more / the / want / you / richer / the)

→ _____

02 Dave는 다른 어떤 학생보다 더 긍정적이다.
(other / more positive / student / Dave / any / is / than)

→ _____

_____

03 그녀의 반에 있는 어떤 여자아이도 그녀보다 작지 않다.
(girl / in her class / than / no / shorter / her / other / is)

→ _____

_____

04 이것은 내가 이제껏 들은 것 중에서 가장 우스운 농담이다.
(the funniest / joke / heard / is / I've / this / ever)

→ _____

05 시금치에는 정말로 많은 영양소가 있다.
(a lot of / have / spinach / nutrients / does)

→ _____

06 우리가 원했던 것은 바로 더 나은 미래였다.
(that / wanted / was / a better future / we / it)

→ _____

07 그녀는 자신이 의사가 되리라고는 전혀 꿈꾸지 않았다.
(she / a doctor / dream of / never / becoming / did)

→ _____

_____

08 모든 사람이 그 규칙에 동의하는 것은 아니다.
(with / not / agrees / everybody / the rules)

→ _____

[9~17] 우리말과 일치하도록 문장을 완성하시오.

09 그는 스트레스를 많이 받을수록 더 많이 먹었다.

→ _____ _____ stressed he got,

_____ _____ he ate.

10 이것은 그 가게에서 다른 어떤 품목보다 더 싸다.

→ This is _____ _____ _____

_____ item in the shop.

11 태양계에서 다른 어떤 행성도 목성보다 크지 않다.

→ _____ _____ planet in our solar

system is _____ _____ Jupiter.

12 모스크바는 내가 이제껏 방문했던 곳 중에 가장 추운 도시였다.

→ Moscow was _____ _____

_____ I _____ ever _____.

13 Olsen 씨는 오늘 밤 정말로 멋있어 보인다.

→ Mr. Olsen _____ _____ great tonight.

14 Jason은 어려운 수학 문제를 정말로 풀었다.

→ Jason _____ _____ the difficult math

problem.

15 나를 미나라고 이름 지어준 것은 바로 나의 할아버지였다.

→ _____ _____ _____

_____ _____ named me Mina.

16 나는 우리가 함께 보낸 시간을 절대 잊지 않을 것이다.

→ Never _____ _____ _____

the time we spent together.

17 그녀는 문자에 항상 답장을 하지는 않는다.

→ She _____ _____ text back.

[18~25] 우리말을 영어로 옮긴 문장의 어법이나 의미가 <u>틀린</u> 부분을 찾아 바르게 고치시오.

18
(잊으려고 더 열심히 애를 쓸수록 나는 네가 더 그리웠다.)
The hard I tried to forget, the more I missed you.

_____ → _____

19
(러시아는 세상에서 다른 어떤 나라보다 더 크다.)
Russia is biggest than any other country in the world.

_____ → _____

20
(그 팀에서 어떤 선수도 Kevin보다 빨리 달리지 않는다.)
No other player in the team runs fast than Kevin.

_____ → _____

21
(이것은 내가 이제껏 읽었던 것 중에서 가장 흥미로운 책이다.)
This is the more interesting book that I've ever read.

_____ → _____

22
(우리 둘 다 프라하에서 정말로 즐거운 시간을 보냈다.)
Both of us did had a great time in Prague.

_____ → _____

23
(Teddy가 공원에서 너를 본 것은 바로 어젯밤이었다.)
It was last night what Teddy saw you in the park.

_____ → _____

24
(그가 떠나자마자 그의 엄마가 와락 울음을 터뜨렸다.)
No sooner he had left than his mom burst into tears.

_____ → _____

25
(모든 여자아이가 피아노를 칠 수 있는 것은 아니다.)
Not every girl can't play the piano.

_____ → _____

Step 2 응용하기

[26~34] 우리말과 일치하도록 괄호 안에 주어진 말을 활용하여 문장을 완성하시오.

26 세상에서 어떤 강도 나일 강보다 길지 않다. (long)

→ No river in the world _____

the Nile.

27 David는 그의 반에서 다른 어떤 학생보다 더 많은 야망을 가졌다. (ambitious, student)

→ David is _____

_____ in his class.

28 우리가 상품을 더 적게 살수록 더 많은 자원을 절약할 것이다. (few, many)

→ _____ products we buy, _____

resources we'll save.

29 이것은 내가 이제껏 들었던 것 중에서 가장 충격적인 소식이다. (shocking, hear)

→ This is _____ news

_____.

30 그들 중 누구도 그 파티에 가지 않을 것이다. (none, will, go)

→ _____ to the party.

31 너에게 그 선물을 보낸 것은 바로 Chris였다. (send)

→ _____

you the gift.

32 나는 전에 그를 만난 적이 전혀 없다. (never, meet)

→ _____ him before.

33 집에 도착하자마자 전화벨이 울렸다. (arrive, ring)

→ No sooner _____ home than the

phone _____.

34 그녀는 자신의 고양이를 정말로 걱정한다. (worry about)

→ She _____ .

[35~41] 다음 문장을 괄호 안의 지시대로 바꿔 쓰시오.

35 The humans first landed on the moon in 1969.
[밑줄 친 부분을 강조하는 문장으로]

→ _____

_____

36 As we go up higher, the air becomes colder.
[「the+비교급, the+비교급」 구문을 활용하여 같은 뜻의 문장으로]

→ _____

_____

37 Mt. Everest is the highest mountain in the world.
[비교급을 활용하여 같은 뜻의 문장으로]

→ Mt. Everest _____

_____ .

38 This is the most expensive bag in the shop.
[비교급을 활용하여 같은 뜻의 문장으로]

→ No other _____

_____ .

39 Jim tried his best to make it better.
[밑줄 친 부분을 강조하는 문장으로]

→ _____

40 I never dreamed of seeing you again.
[밑줄 친 부분을 문장 맨 앞에 써서]

→ _____

41 Many people like drinking coffee. But some people
don't. [all을 써서 같은 뜻의 한 문장으로]

→ _____

[42~46] 다음 괄호 안에 주어진 말을 활용하여 대화를 완성하시오.

42
A: I made a mistake again.

B: _____ _____ careful you are,

_____ _____ mistakes you make.

(much, few)

43
A: Have you ever been to Hawaii?

B: Yes. Hawaii is _____ _____

_____ place that I _____

_____ _____ . (beautiful, visit)

A: I'm looking forward to visiting it soon.

44
A: Never _____ _____ _____

Mexican food. (eat)

B: Really? I think you should try nachos. They're

delicious.

45

A: This pasta tastes really good. Who made it?

B: _____ _____ Angela _____

made it.

A: Oh, she is really good at cooking.

B: Right. She _____ _____ cooking.

(do, enjoy)

46

A: I think Brian is _____ _____ any

other tennis player in the world. (good)

B: I don't think so. I think that no other _____

in the world _____ _____

_____ Daniel. (player, good)

Step 3 고난도 도전하기

47 다음 표를 보고, 괄호 안에 주어진 말과 비교급 표현을 사용하여 문장을 완성하시오.

	Mia	Judy	Amy
Height	165cm	158cm	162cm
Running Time/100m	15 seconds	17 seconds	13 seconds

(1) Judy is _____ _____

_____ girl of the three. (short)

(2) _____ _____ girl of the three can

_____ _____ _____ Amy.

(run, fast)

(3) Mia is _____ _____ girl we've

_____ _____. (tall, see)

48 다음 두 문장의 의미가 같도록 주어진 〈조건〉에 맞게 문장을 완성하시오.

〈조건〉

1. 「the+비교급, the+비교급」 구문을 사용할 것

2. 어순에 유의할 것

As it gets warmer, she wants to swim more.

→ The warmer it gets, _____

_____.

49 다음 문장을 「It … that」 강조 구문을 활용하여 괄호 안의 지시대로 바꿔 쓰시오.

Peter bought a blue cap at this store yesterday.

(1) [Peter를 강조할 것]

→ _____

_____

(2) [at this store를 강조할 것]

→ _____

_____

50 다음 대화의 밑줄 친 우리말과 의미가 같도록 주어진 말을 활용하여 문장을 완성하시오.

A: How was that?

B: (1) 그것은 내가 이제껏 타 봤던 것 중에 가장 신나는 놀이기구야. Why don't you go on it?

A: It's too scary for me. (2) 모든 사람이 무서움을 느끼는 것을 좋아하지는 않아.

B: I see. Shall we get a bite to eat?

A: Good. Let's go.

(1) It is _____ ride that

_____. (exciting, go on)

(2) _____.

(everybody, feel scared)

동사 변화형

1 Appendix

❶ A-B-B형

현재형	과거형	과거분사형(p.p.)	현재분사형(-ing)
bleed (피를 흘리다)	bled	bled	bleeding
bring (가져오다)	brought	brought	bringing
build (짓다)	built	built	building
buy (사다)	bought	bought	buying
catch (잡다) *3인칭 단수: catch**es**	caught	caught	catching
feel (느끼다)	felt	felt	feeling
fight (싸우다)	fought	fought	fighting
flee (도망치다)	fled	fled	fleeing
get (얻다)	got	got/gotten	getting
have (가지다) *3인칭 단수: has	had	had	having
hang (걸다)	hung	hung	hanging
hear (듣다)	heard	heard	hearing
hold (잡다, 쥐다)	held	held	holding
keep (유지하다)	kept	kept	keeping
kneel (무릎을 꿇다)	knelt	knelt	kneeling
lay (눕히다, 놓다)	laid	laid	laying
lead (인도하다)	led	led	leading
leave (떠나다)	left	left	leaving
lose (잃다)	lost	lost	losing
lend (빌려주다)	lent	lent	lending
make (만들다)	made	made	making
mean (의미하다)	meant	meant	meaning
meet (만나다)	met	met	meeting
pay (지불하다)	paid	paid	paying
say (말하다)	said	said	saying

현재형	과거형	과거분사형(p.p.)	현재분사형(-ing)
seek (찾다)	sought	sought	seeking
sell (팔다)	sold	sold	selling
send (보내다)	sent	sent	sending
sleep (잠자다)	slept	slept	sleeping
smell (냄새 맡다)	smelled / smelt	smelled / smelt	smelling
shine (빛나다)	shone	shone	shining
shoot (쏘다)	shot	shot	shooting
sit (앉다)	sat	sat	sitting
spend (소비하다)	spent	spent	spending
spill (엎지르다)	spilt	spilt	spilling
sweep (청소하다)	swept	swept	sweeping
teach (가르치다) *3인칭 단수: teaches	taught	taught	teaching
tell (말하다)	told	told	telling
think (생각하다)	thought	thought	thinking
win (이기다)	won	won	winning

❷ A-B-C형

현재형	과거형	과거분사형(p.p.)	현재분사형(-ing)
begin (시작하다)	began	begun	beginning
bite (물다)	bit	bitten	biting
blow (불다)	blew	blown	blowing
break (깨뜨리다)	broke	broken	breaking
choose (고르다)	chose	chosen	choosing
do (하다) *3인칭 단수: does	did	done	doing
draw (그리다)	drew	drawn	drawing
drink (마시다)	drank	drunk	drinking

drive (운전하다)	drove	driven	driving
eat (먹다)	ate	eaten	eating
fall (떨어지다)	fell	fallen	falling
fly (날다) *3인칭 단수: flies	flew	flown	flying
forget (잊다)	forgot	forgotten	forgetting
freeze (얼다)	froze	frozen	freezing
get (얻다)	got	gotten/got	getting
give (주다)	gave	given	giving
go (가다) *3인칭 단수: goes	went	gone	going
grow (자라다)	grew	grown	growing
hide (숨다)	hid	hidden	hiding
know (알다)	knew	known	knowing
lie (눕다)	lay	lain	lying
ride (타다)	rode	ridden	riding
ring (울리다)	rang	rung	ringing
rise (오르다)	rose	risen	rising
see (보다)	saw	seen	seeing
shake (흔들다)	shook	shaken	shaking
show (보여주다)	showed	shown/showed	showing
speak (말하다)	spoke	spoken	speaking
sing (노래하다)	sang	sung	singing
steal (훔치다)	stole	stolen	stealing
swell (부풀다)	swelled	swollen/swelled	swelling
swim (수영하다)	swam	swum	swimming
take (잡다)	took	taken	taking
throw (던지다)	threw	thrown	throwing
wake (잠이 깨다)	woke	woken	waking
wear (입다)	wore	worn	wearing
write (쓰다)	wrote	written	writing

❸ A-A-A형

현재형	과거형	과거분사형(p.p.)	현재분사형(-ing)
cost (비용이 들다)	cost	cost	costing
cut (베다)	cut	cut	cutting
hit (치다, 때리다)	hit	hit	hitting
hurt (다치다)	hurt	hurt	hurting
let (~하게 하다)	let	let	letting
put (놓다)	put	put	putting
set (놓다)	set	set	setting
shut (닫다)	shut	shut	shutting
read[riːd] (읽다)	read[red]	read[red]	reading

❹ A-B-A형

현재형	과거형	과거분사형(p.p.)	현재분사형(-ing)
become (되다)	became	become	becoming
come (오다)	came	come	coming
run (달리다)	ran	run	running

❺ A-A-B형

현재형	과거형	과거분사형(p.p.)	현재분사형(-ing)
beat (치다)	beat	beaten	beating

'나'에게 딱! 맞는 암기&문제모드만 골라서 학습!

5가지 암기모드

8가지 문제모드

 암기모드를 선택하면, 최적의 문제 모드를 자동 추천!

 미암기 단어는 단어장에! 외워질 때까지 반복 학습 GO!

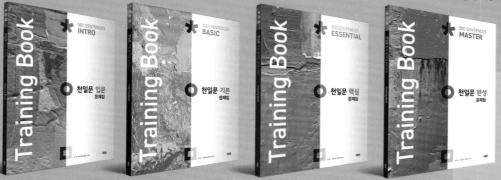

중학 서술형이
만만해지는 문장연습

중학
영어

쓰기 + 작문

쓰작

중학
영어

3

서술형
WORKBOOK

쎄듀

3

—

서술형

WORKBOOK

Contents 목차

Unit 07 | 접속사

Unit 08 | 가정법

Unit 09 | 비교, 특수 구문

학습자의 학습패턴 및 시간에 따라 학습 계획표를 조정할 수 있습니다.

권장 학습 진도		유닛명	학습일			
1주차	**Unit 01** - 01~10	시제와 조동사	1차시 :	—	월	일
			2차시 :	—	월	일
			3차시 :	—	월	일
2주차	**Unit 02** - 01~06	부정사	1차시 :	—	월	일
			2차시 :	—	월	일
			3차시 :	—	월	일
3주차	**Unit 02** - 07~12	부정사	1차시 :	—	월	일
			2차시 :	—	월	일
			3차시 :	—	월	일
4주차	**Unit 03** - 01~06	동명사	1차시 :	—	월	일
			2차시 :	—	월	일
			3차시 :	—	월	일
5주차	**Unit 04** - 01~07	분사	1차시 :	—	월	일
			2차시 :	—	월	일
			3차시 :	—	월	일
6주차	**Unit 05** - 01~11	관계사	1차시 :	—	월	일
			2차시 :	—	월	일
			3차시 :	—	월	일
7주차	**Unit 06** - 01~09	수동태	1차시 :	—	월	일
			2차시 :	—	월	일
			3차시 :	—	월	일
8주차	**Unit 07** - 01~07	접속사	1차시 :	—	월	일
			2차시 :	—	월	일
			3차시 :	—	월	일
9주차	**Unit 08** - 01~06	가정법	1차시 :	—	월	일
			2차시 :	—	월	일
			3차시 :	—	월	일
10주차	**Unit 09** - 01~08	비교, 특수 구문	1차시 :	—	월	일
			2차시 :	—	월	일
			3차시 :	—	월	일

| 방학 대비 14일 완성 |

권장 학습 진도		유닛명	학습일	
1일차	**Unit 01** - 01~05	시제와 조동사	월	일
2일차	**Unit 01** - 06~10	시제와 조동사	월	일
3일차	**Unit 02** - 01~06	부정사	월	일
4일차	**Unit 02** - 07~12	부정사	월	일
5일차	**Unit 03** - 01~06	동명사	월	일
6일차	**Unit 04** - 01~07	분사	월	일
7일차	**Unit 05** - 01~05	관계사	월	일
8일차	**Unit 05** - 06~11	관계사	월	일
9일차	**Unit 06** - 01~05	수동태	월	일
10일차	**Unit 06** - 06~09	수동태	월	일
11일차	**Unit 07** - 01~07	접속사	월	일
12일차	**Unit 08** - 01~06	가정법	월	일
13일차	**Unit 09** - 01~04	비교, 특수 구문	월	일
14일차	**Unit 09** - 05~08	비교, 특수 구문	월	일

학습 계획표 ❸ | 초단기 8일 완성 |

1일차	2일차	3일차	4일차
Unit 01 시제와 조동사	**Unit 02** 부정사	**Unit 03~04** 동명사/분사	**Unit 05** 관계사
5일차	6일차	7일차	8일차
Unit 06 수동태	**Unit 07** 접속사	**Unit 08** 가정법	**Unit 09** 비교, 특수 구문

A 배열 영작

다음 우리말과 일치하도록 괄호 안에 주어진 말을 바르게 배열하시오.

01 스마트폰은 우리의 삶을 완전히 변화시켰다. (changed / have / completely / our lives / smartphones)

_____

02 우리 삼촌이 방금 아빠가 되었다. (has / a dad / just / my uncle / become)

_____

03 그는 전에 그 고층 건물에 들어가 본 적이 있다. (the skyscraper / has / before / he / entered)

_____

04 우리는 뉴욕으로 이사 왔다. (to / have / New York / we / moved)

_____

B 문장 완성

다음 우리말과 일치하도록 괄호 안에 주어진 말을 활용하여 문장을 완성하시오. (단, 현재완료형을 사용할 것)

01 Jane은 온라인 뱅킹 비밀번호를 잊어버렸다. (forget)

_____ her online banking password.

02 David는 3년 동안 태권도 수업을 들어왔다. (take, Taekwondo classes)

_____ for three years.

03 나는 전에 스톤헨지에 가본 적이 있다. (Stonehenge)

_____.

04 그들은 어렸을 적부터 계속 서울에서 살고 있다. (live, since, little)

_____.

C 조건 영작

다음 ①~④에 주어진 표현을 활용하여, Alice를 소개하는 글을 현재완료형으로 쓰시오.

> My friend, Alice
> ① learn the guitar   ② play the guitar
> ③ make many songs   ④ just, become the leader

Alice ① _____ 7 years. She ② _____

in the school band. Also, she ③ _____ then. She

④ _____ of the band.

A
배열 영작

다음 우리말과 일치하도록 괄호 안에 주어진 말을 바르게 배열하시오.

01 너는 온라인 서점을 방문해 본 적이 있니? (visited / you / an online bookstore / have / ever)

_____

02 그 쇼핑몰은 아직 개점하지 않았다. (the shopping mall / yet / opened / has / not)

_____

03 그들이 영화 촬영을 끝냈나요? (the movie / they / finished / have / shooting)

_____

04 나는 곤란한 상황에 처해 본 적이 전혀 없다. (never / in / have / a difficult situation / I / been)

_____

B
문장 완성

다음 우리말과 일치하도록 괄호 안에 주어진 말을 활용하여 문장을 완성하시오. (단, 현재완료형을 사용할 것)

01 Lucy는 전에 수업을 빠진 적이 없다. (skip, a class)

_____ before.

02 어떤 것을 좋은 가격에 사본 적이 있니? (ever, buy, anything)

_____ at a good price?

03 나는 10일 동안 식물에 물을 주지 않았다. (water, the plants)

_____ for ten days.

04 토론이 벌써 시작됐나요? (the debate, start, already)

_____?

C
대화 완성

다음 괄호 안에 주어진 단어를 활용하여 대화를 완성하시오. (단, 현재완료형을 사용할 것)

01 A: _____ you ever _____ my friend Charlie? (meet)

B: No, but I _____ always _____ to meet him. (want)

02 A: _____ Julia _____ in Chicago for 15 years? (live)

B: Yes, she _____ _____ there since she was born. (live)

03 A: _____ the singers _____ at the TV station? (arrive)

B: No, they _____ _____ yet. (arrive)

A

배열 영작

다음 우리말과 일치하도록 괄호 안에 주어진 말을 바르게 배열하시오.

01 나는 2019년 이후로 봉사활동을 해오고 있다. (doing / since 2019 / been / volunteer work / I / have)

_____

02 Jimmy는 얼마나 오래 춤 연습을 해왔니? (been / Jimmy / practicing / has / dancing / how long)

_____

03 그들은 한 시간째 집 청소를 하고 있다. (for an hour / they / cleaning up / been / have / the house)

_____

04 그는 점심시간부터 소설책을 읽고 있다. (been / since / a novel / lunchtime / he / reading / has)

_____

B

문장 완성

다음 우리말과 일치하도록 괄호 안에 주어진 말을 활용하여 문장을 완성하시오. (단, 현재완료 진행형을 사용할 것)

01 나는 18살 이후로 여행 블로그를 쓰고 있다. (write, a travel blog)

_____ since I was 18.

02 그녀는 방학 동안 우리 집에 머무르고 있다. (stay, in my house)

_____ during her vacation.

03 Nancy는 영어를 가르친 지 얼마나 됐니? (teach, English)

How long _____?

04 지난 금요일부터 비가 오고 있다. (rain, since)

_____.

C

문장 전환

다음 두 문장을 같은 뜻이 되도록 한 문장으로 바꿔 쓰시오. (단, 현재완료 진행형을 사용할 것)

01 She started to collect stamps when she was a child. + She is still collecting stamps.

→ _____ since she was a child.

02 Mom began to look for the missing package 10 minutes ago. + She is still looking for it.

→ _____ for 10 minutes.

03 They started to work at the company in March. + They are still working there.

→ _____ since March.

A 다음 우리말과 일치하도록 괄호 안에 주어진 말을 바르게 배열하시오.

배열 영작

01   그의 부모님은 그가 큰 실수를 저질렀다고 생각했다.
(thought / a big mistake / his parents / that / made / he / had)

_____

02   그녀는 그때까지 시를 써 본 적이 전혀 없었다. (a poem / written / she / had / never / until then)

_____

03   누군가 내 자전거를 훔쳐 가서 나는 충격을 받았다.
(shocked / somebody / stolen / was / my bike / I / that / had)

_____

B 다음 우리말과 일치하도록 괄호 안에 주어진 말을 활용하여 문장을 완성하시오.

문장 완성

01   그녀는 무대에 서기 전에 노래 연습을 많이 했었다. (practice singing)

_____ a lot before she stood on the stage.

02   내가 집에 도착했을 때, 모든 사람이 잠자리에 들어 있었다. (go to bed)

When I came home, everybody _____.

03   우리는 미리 예약을 하지 않았기 때문에 좋은 자리를 얻을 수 없었다. (book, in advance)

We couldn't get a good seat because we _____.

04   그들은 최선을 다했기 때문에 결과가 좋았다. (do their best)

The result was great as _____.

C 다음 문장에서 어법상 **틀린** 부분을 찾아 바르게 고쳐 쓰시오.

오류 수정

01   The musical is already started when we arrived at the theater.

_____ → _____

02   We had not been knowing he was sick before he told us.

_____ → _____

03   She didn't want to eat more because she has already had a meal.

_____ → _____

A

배열 영작

다음 우리말과 일치하도록 괄호 안에 주어진 말을 바르게 배열하시오.

01 그가 그 문자 메시지를 삭제했을 리가 없다. (deleted / he / the text message / have / cannot)

_____

02 그 팀이 그 경기에서 이겼을 리가 없다. (won / the team / cannot / have / the match)

_____

03 그 사고가 실수였을 리가 없다. (cannot / a mistake / been / the accident / have)

_____

04 그 가수가 자신의 모든 팬을 기억했을 리가 없다. (remembered / have / the singer / all his fans / cannot)

_____

B

문장 완성

다음 우리말과 일치하도록 괄호 안에 주어진 말을 활용하여 문장을 완성하시오.
(단, cannot have p.p.를 사용할 것)

01 Mia가 내 말을 오해했을 리가 없다. (misunderstand)

Mia _____ my words.

02 그것이 너의 잃어버린 고양이였을 리가 없다. (be)

It _____ your missing cat.

03 내 여동생이 어젯밤에 공부를 했을 리가 없다. (study)

_____ .

04 Jake가 자신의 방을 치웠을 리가 없다. (clean)

_____ .

C

조건 영작

괄호 안에 주어진 표현과 조동사를 활용하여 밑줄 친 ①~②를 영어로 옮기시오.

A: I saw Mark riding his bike in the park this morning.
B: ① 네가 거기에서 Mark를 봤을 리가 없어. He left for Boston yesterday.
A: Really? ② 그가 아무 말도 없이 떠났을 리가 없어.
B: He had to leave suddenly because his mom was sick.
A: I'm really sorry to hear that.

① _____ there. (see)

② _____ without saying anything. (leave)

A

배열 영작

다음 우리말과 일치하도록 괄호 안에 주어진 말을 바르게 배열하시오.

01 그들은 키가 무척 작았을지도 모른다. (very short / may / been / they / have)

_____

02 그 영화는 아직 개봉하지 않았을지도 모른다. (released / the movie / have / yet / may / not / been)

_____

03 Brian은 지난주에 그 수업을 빠졌을지도 모른다. (last week / have / Brian / may / the class / skipped)

_____

04 Amy가 그 자료를 수집하지 않았을지도 모른다. (not / collected / the data / Amy / have / may)

_____

B

문장 완성

다음 우리말과 일치하도록 괄호 안에 주어진 말을 활용하여 문장을 완성하시오.
(단, may have p.p.를 사용할 것)

01 뜨거운 태양이 그를 짜증 나게 했을지도 모른다. (make, annoyed)

The hot sun _____.

02 Brenda가 마지막 순간에 마음을 바꿨을지도 모른다. (change one's mind)

_____ at the last minute.

03 그는 건강을 위해 체중을 줄였을지도 모른다. (lose weight)

_____ for his health.

04 그녀는 병원에 가지 않았을지도 모른다. (see a doctor)

_____

C

문장 완성

다음 우리말과 일치하도록 괄호 안에 주어진 표현과 조동사를 활용하여 문장을 완성하시오.

01 Andrew가 어젯밤에 부산에 도착했을지도 모른다. (arrive)

_____ in Busan last night.

02 내 남동생이 리모컨을 고장 냈을지도 모른다. (break)

My brother _____ the remote control.

03 그녀가 아직 숙제를 하지 않았을지도 모른다. (do one's homework, yet)

_____

A

배열 영작

다음 우리말과 일치하도록 괄호 안에 주어진 말을 바르게 배열하시오.

01 그들은 배가 고팠던 것이 틀림없다. (been / must / hungry / they / have)

_____

02 누군가가 이 우유를 마신 것이 틀림없다. (this milk / drunk / have / somebody / must)

_____

03 그녀가 온라인 수업에 참석하지 않은 것이 틀림없다. (not / attended / she / must / online classes / have)

_____

04 너의 우산은 분실된 것이 틀림없다. (have / lost / your umbrella / been / must)

_____

B

문장 완성

다음 우리말과 일치하도록 괄호 안에 주어진 말을 활용하여 문장을 완성하시오.
(단, must have p.p.를 사용할 것)

01 그들은 어제 가게 문을 일찍 닫았던 것이 틀림없다. (close)

_____ their shop early yesterday.

02 지난밤에 눈이 많이 온 것이 틀림없다. (snow)

_____ a lot last night.

03 그녀는 지난 일요일에 캐나다로 떠나지 않은 것이 틀림없다. (leave for)

_____ Canada last Sunday.

04 그는 배구선수였던 것이 틀림없다. (a volleyball player)

_____.

C

조건 영작

다음 괄호 안에 주어진 단어와 조동사를 활용하여 밑줄 친 ①~②를 영어로 옮기시오.

After having dinner, Dad went straight to bed.
① 아빠가 퇴근 후에 피곤했던 것이 틀림없다.

Jason and Julie went to an amusement park yesterday. They looked delighted this morning.
② 그들은 그곳에서 즐거운 시간을 보냈던 것이 틀림없다.

① Dad _____ after work. (tired)

② They _____ there. (have a good time)

A

배열 영작

다음 우리말과 일치하도록 괄호 안에 주어진 말을 바르게 배열하시오.

01 우리는 무언가를 먹었어야 했다. (eaten / should / something / we / have)

_____

02 그는 부모님께 거짓말을 하지 말았어야 했다. (have / to his parents / not / he / should / lied)

_____

03 너는 그 책을 끝까지 읽었어야 했다. (the book / should / read / you / to the end / have)

_____

04 우리는 그 지루한 영화를 보지 말았어야 했다. (seen / shouldn't / the boring movie / we / have)

_____

B

문장 완성

다음 우리말과 일치하도록 괄호 안에 주어진 말을 활용하여 문장을 완성하시오.
(단, should have p.p.를 사용할 것)

01 Gerald는 그 동아리에 가입했어야 했다. (join)

_____ the club.

02 너는 친구의 험담을 하지 말았어야 했다. (talk)

_____ behind your friend's back.

03 우리는 그 문제에 대해 신중했어야 했다. (cautious)

_____ about the issue.

04 나는 그 문자를 Judy에게 보내지 말았어야 했다. (send, the text message)

_____.

C

문장 완성

다음 괄호 안에 주어진 단어와 조동사를 활용하여 후회의 의미를 담은 문장을 완성하시오.

01 I had an argument with Emily. We haven't talked to each other since then.

→ _____ to her first. (apologize)

02 I had a stomachache all night.

→ _____ the ice cream. (eat)

03 This chair looks great, but it is very uncomfortable.

→ _____ this chair. (buy)

A 다음 우리말과 일치하도록 괄호 안에 주어진 말을 바르게 배열하시오.

배열 영작

01 나는 책을 보느니 차라리 산책하러 가는 게 낫겠다. (a walk / I'd / take / than / read / rather / a book)

_____

02 그들은 차라리 그의 제안을 거절하지 않는 것이 낫겠다.
(his suggestion / rather / refuse / not / would / they)

_____

03 나는 내 오래된 컴퓨터를 고치느니 차라리 새 컴퓨터를 사는 게 낫겠다.
(buy / fix / a new computer / I'd / than / rather / old one / my)

_____

04 그녀는 차라리 머리를 자르지 않는 게 낫겠다. (not / her hair / would / cut / rather / she / have)

_____

B 다음 우리말과 일치하도록 괄호 안에 주어진 말을 활용하여 문장을 완성하시오.
문장 완성 **(단, would rather A than B를 사용할 것)**

01 그녀에게 말을 거느니 차라리 조용히 있겠다. (keep, talk to)
I _____ silent than _____ her.

02 Rachel은 하이힐을 신느니 맨발로 걷는 게 낫겠다고 생각했다. (walk barefoot, wear high heels)
Rachel thought she _____ than _____.

03 그는 차라리 혼자 쇼핑을 가지 않는 게 낫겠다. (go shopping, alone)

_____

04 우리는 영화를 보러 가느니 차라리 테니스를 치는 게 낫겠다. (play tennis, go to the movies)

_____

C 다음 괄호 안에 주어진 단어와 「would rather A than B」 구문을 활용하여 대화를 완성하시오.
대화 완성

01 A: Do you want to exchange the shirt for another one?
B: No, _____ it. (get a refund, exchange)

02 A: I'm hungry. Let's cook something.
B: Well, _____ something. (order food, cook)

03 A: Emily, do you want some orange juice?
B: No, _____ than orange juice. (have, a cup of coffee)

A 다음 우리말과 일치하도록 괄호 안에 주어진 말을 바르게 배열하시오.

배열 영작

01 우리 아빠는 야구선수였다. (be / used / my dad / a baseball player / to)

_____

02 그녀는 도마뱀을 한 마리 키웠었다. (have / a lizard / used / she / to)

_____

03 그는 매일 아침 산책을 하곤 했다. (every morning / he / to / take a walk / used)

_____

04 모퉁이에 우체국이 있었다. (there / on the corner / to / a post office / used / be)

_____

B 다음 우리말과 일치하도록 괄호 안에 주어진 말을 활용하여 문장을 완성하시오.
(단, used to/would를 사용할 것)

문장 완성

01 그는 어렸을 때 부끄럼을 많이 탔었다. (very shy)

_____ when he was little.

02 나는 방과 후에 친구들과 축구를 하곤 했다. (play soccer)

_____ with my friends after school.

03 그들은 친구 사이였지만 지금은 아니다. (be friends)

_____, but not anymore.

04 우리는 강에서 수영을 하곤 했다. (swim)

_____.

C 다음 괄호 안에 주어진 표현과 조동사를 활용하여 밑줄 친 ①~③을 영어로 옮기시오.

조건 영작

When I was little, I was energetic! ① 운동장에 큰 나무 한 그루가 있었다. ② 나는 그 나무에 오르곤 했다. ③ 나는 나무 위에서 많은 시간을 보내곤 했다. Sadly, the tree has been cut down. I really miss it sometimes.

① There _____ on the playground. (a tall tree)

② I _____. (climb up)

③ I _____ a lot of time on the tree. (spend)

A   다음 우리말과 일치하도록 괄호 안에 주어진 말을 바르게 배열하시오.

배열 영작

01   돈을 현명하게 쓰는 것이 중요하다. (money / is / to / important / spend / wisely)

_____

02   나는 간식을 먹을 시간이 없다. (time / a snack / have / to / I / eat / don't)

_____

03   그의 계획은 아프리카로 여행을 가는 것이다. (is / to Africa / take a trip / his plan / to)

_____

04   그렇게 말하다니 그녀는 정직한 게 틀림없다. (must / to / she / say that / be / honest)

_____

B   다음 우리말과 일치하도록 괄호 안에 주어진 말을 활용하여 문장을 완성하시오.

문장 완성

01   그는 가구를 사기 위해 한 가게에 갔다. (buy, furniture)

He went to a shop _____.

02   나는 모든 일을 긍정적으로 생각하기로 결심했다. (decide, think positively)

_____ about everything.

03   Marie Curie는 노벨상을 2회 수상한 인물이었다. (the person, win, two Nobel Prizes)

Marie Curie was _____.

04   그들은 오디션에 합격하기 위해 열심히 연습했다. (practice, pass, the audition)

_____

C   다음 우리말과 일치하도록 괄호 안에 주어진 단어를 활용하여 문장을 완성하시오.

문장 완성

01   그녀는 깨끗한 물을 얻기 위해 먼 거리를 걸어야 했다. (get, clean water)

She had to walk a long distance _____.

02   너는 나쁜 식습관을 바꿀 필요가 있다. (need, change)

_____ your bad eating habits.

03   Grace는 같이 어울릴 누군가를 찾고 있다. (look for, someone, hang out with)

Grace is _____.

A 다음 우리말과 일치하도록 괄호 안에 주어진 말을 바르게 배열하시오.

배열 영작

01 너의 꿈을 이루는 것은 쉽지 않다. (your dreams / not easy / achieve / is / to / it)

_____

02 벽에 그림을 그리는 것은 Jason의 아이디어였다. (paint / was / to / the wall / it / Jason's idea)

_____

03 시험에서 부정행위를 하는 것은 나쁘다. (is / to / on tests / it / cheat / bad)

_____

04 지금 그 동아리에 가입하는 것이 가능한가요? (the club / possible / is / to / now / it / join)

_____

B 다음 우리말과 일치하도록 괄호 안에 주어진 말을 활용하여 문장을 완성하시오. (「It ~ to …」 구문을 사용할 것)

문장 완성

01 당신의 건강을 위해 좋은 자세를 유지하는 것은 필수적이다. (essential, maintain)

_____ good posture for your health.

02 큰 소리로 음악을 듣는 것은 위험하다. (dangerous, listen to, music)

_____ at loud volumes.

03 미래를 예측하는 것은 불가능하다. (impossible, predict, the future)

_____.

04 너의 시간을 현명하게 사용하는 것이 중요하다. (important, use, wisely)

_____.

C 다음 문장을 「It ~ to …」 구문을 활용하여 같은 뜻의 문장으로 바꿔 쓰시오.

문장 전환

01 To get perfect grades is very hard.

→ _____

02 To think twice before you make a decision is smart.

→ _____

03 To understand other people's points of view is necessary.

→ _____

A
배열 영작

다음 우리말과 일치하도록 괄호 안에 주어진 말을 바르게 배열하시오.

01 아이들이 한곳에 머물러 있기는 힘들다. (stay / for / is / in one place / it / to / hard / kids)

_____

02 여권을 잃어버리다니 그는 부주의했구나. (of / was / him / to / his passport / it / careless / lose)

_____

03 그렇게 이야기하다니 그녀는 어리석구나. (silly / her / that / say / is / of / it / to)

_____

04 Cindy는 친구들과 노는 것이 즐거웠다. (with her friends / for / to / Cindy / play / fun / was / it)

_____

B
문장 완성

다음 우리말과 일치하도록 괄호 안에 주어진 말을 활용하여 문장을 완성하시오. (단, 의미상 주어를 사용할 것)

01 노인들은 규칙적으로 운동하는 것이 중요하다. (important, seniors, exercise)

_____ regularly.

02 그녀가 엄마의 충고를 따른 것은 현명했다. (wise, follow)

_____ her mother's advice.

03 Dylan은 외식할 만한 괜찮은 장소를 고르기가 쉽지 않았다. (easy, choose)

_____ a good place to eat out.

04 나는 사람들의 이름을 기억하는 것이 어렵다. (difficult, remember, people's names)

_____.

C
문장 전환

다음 문장을 괄호 안에 주어진 단어를 의미상 주어로 활용하여 바꿔 쓰시오.

01 In Korea, it is natural to ask someone's age. (we)

→ _____

02 It is very kind to take care of stray cats. (she)

→ _____

03 It is important to bounce back from failure. (you)

→ _____

A

배열 영작

다음 우리말과 일치하도록 괄호 안에 주어진 말을 바르게 배열하시오.

01 그는 자신의 꿈을 밀고 나가는 것이 중요하다고 생각한다.
(his dream / it / pursue / he / to / thinks / important)

_____

02 그녀는 자신의 감정을 다른 사람에게 표현하는 것이 힘들다고 생각한다.
(she / her feelings / finds / to / express / hard / to others / it)

_____

03 나는 남의 말을 귀담아듣는 게 중요하다고 믿는다.
(believe / carefully / I / it / to / important / listen to others)

_____

B

문장 완성

다음 우리말과 일치하도록 괄호 안에 주어진 말을 활용하여 문장을 완성하시오. (단, 가목적어를 사용할 것)

01 우리는 춤으로 사람들을 감동시키는 것이 가능하다는 것을 알았다. (find, possible, impress)

_____ people by dancing.

02 나는 팀으로 작업하는 것이 효율적이라고 믿는다. (believe, efficient, work)

_____ as a team.

03 그녀는 새로운 뭔가를 배우는 것이 어렵다고 생각했다. (think, difficult, learn)

_____ something new.

04 그는 11시에 자는 것을 규칙으로 하고 있다. (make, a rule, go to bed)

_____.

C

문장 완성

다음 우리말과 일치하도록 괄호 안에 주어진 단어와 가목적어를 활용하여 문장을 완성하시오.

01 Jack은 진공청소기를 쓰는 것이 편리하다는 것을 알았다. (convenient, use)

Jack _____ a vacuum cleaner.

02 나는 그렇게 좋은 기회를 포기하는 것은 어리석은 일이라고 믿는다. (foolish, give up)

I _____ that good opportunity.

03 나는 누군가를 외모로 판단하는 것은 그릇된 것이라고 생각한다. (wrong, judge)

I _____ someone by their appearance.

A
배열 영작

다음 우리말과 일치하도록 괄호 안에 주어진 말을 바르게 배열하시오.

01 나는 종종 그가 다른 학생들을 돕는 것을 본다. (help / often / I / other students / him / see)

_____

02 선생님은 우리가 포스터를 만드는 것을 보셨다. (watched / making / us / the teacher / a poster)

_____

03 그녀는 누군가 뒤에서 밀고 있는 것을 느꼈다. (pushing / she / someone / her / felt / from behind)

_____

04 그가 길 건너편에서 너를 부르는 소리를 못 들었니?
(from across / him / call / didn't / you / hear / you / the road)

_____

B
문장 완성

다음 우리말과 일치하도록 괄호 안에 주어진 말을 활용하여 문장을 완성하시오.

01 그들은 그 화산이 100미터 이상으로 커지는 것을 지켜보았다. (watch, the volcano, grow)

_____ over 100 meters tall.

02 그는 밖에서 무언가 타는 냄새를 맡았다. (smell, burn)

_____ outside.

03 Ashley는 누군가 그녀를 보고 있는 것을 알아차렸다. (notice, someone, look at)

_____.

04 Jessie는 그가 부엌에서 요리하는 것을 봤다. (see, cook)

_____.

C
문장 전환

다음 두 문장을 같은 뜻의 한 문장으로 바꿔 쓰시오.

01 Mary felt the breeze. + The breeze touched her cheeks.

→ Mary _____ her cheeks.

02 I saw a man. + The man was falling into the water.

→ I _____ into the water.

03 She heard her children. + Her children shouted on the street.

→ She _____ on the street.

사역동사+목적어+목적격 보어 ◀ 부정사

A
배열 영작

다음 우리말과 일치하도록 괄호 안에 주어진 말을 바르게 배열하시오.

01 초콜릿은 내가 행복한 기분이 들게 만든다. (me / happy / chocolate / feel / makes)

_____

02 선생님이 우리가 점심시간에 축구를 하게 해 주셨다. (my teacher / us / play / let / soccer / at lunchtime)

_____

03 우리 아빠는 항상 나를 일찍 일어나게 한다. (always / early / my dad / has / get up / me)

_____

04 나는 친구에게 내 가방을 잠깐 보게 했다. (my bag / for a while / my friend / made / I / watch)

_____

B
문장 완성

다음 우리말과 일치하도록 괄호 안에 주어진 말을 활용하여 문장을 완성하시오.

01 태풍은 우리 학교가 모든 수업을 취소하게 했다. (make, cancel)

The typhoon _____ all classes.

02 Smith 선생님은 우리가 교실을 정돈하도록 하셨다. (make, organize the classroom)

Mr. Smith _____.

03 그는 그녀에게 그 사건에 대한 진실을 말하도록 했다. (have, tell the truth)

_____ about the issue.

04 그녀는 자신의 개들이 자유롭게 뛰어다니게 해 주었다. (let, run free)

_____.

C
문장 완성

다음 우리말과 일치하도록 괄호 안에 주어진 표현을 활용하여 문장을 완성하시오.

01 슬픈 영화는 항상 그녀를 울게 만든다. (make, cry)

Sad movies always _____.

02 엔지니어는 컴퓨터 바이러스가 제거되도록 했다. (have, the computer virus, remove)

The engineer _____.

03 언니는 내가 자신의 새 티셔츠를 입게 허락하지 않을 것이다. (let, wear)

My sister _____ her new T-shirt.

A

배열 영작

다음 우리말과 일치하도록 괄호 안에 주어진 말을 바르게 배열하시오.

01 암컷 코끼리들은 서로 새끼들을 돌보는 것을 돕는다.
(look after / female elephants / each other / their babies / help)

_____

02 엄마는 내가 아침을 먹게 했다. (me / have / mom / breakfast / to / got)

_____

03 그는 아빠가 저녁을 만드는 것을 도왔다. (make / his dad / helped / dinner / he / to)

_____

04 그녀는 남편이 전구를 갈아 끼우게 했다. (her husband / the light bulb / to / got / she / change)

_____

B

문장 완성

다음 우리말과 일치하도록 괄호 안에 주어진 말을 활용하여 문장을 완성하시오.

01 Jane은 내가 농구 동아리에서 많은 친구들을 사귀게 도와주었다. (help, make)

Jane _____ in the basketball club.

02 나는 그녀가 그 레스토랑에 자리를 예약하게 했다. (get, reserve)

_____ a table at the restaurant.

03 운동은 내가 스트레스를 푸는 데 도움을 준다. (help, relieve stress)

Exercise _____.

04 George는 자신의 개를 뒹굴게 할 수 있다. (get, roll over)

_____.

C

오류 수정

다음 문장에서 어법상 <u>틀린</u> 부분을 찾아 바르게 고쳐 쓰시오.

01 Can you help me carrying these books?

_____ → _____

02 Mr. Brown got his wife cut his hair short.

_____ → _____

03 The nurse got her patient taking some medicine.

_____ → _____

A
배열 영작

다음 우리말과 일치하도록 괄호 안에 주어진 말을 바르게 배열하시오.

01 이 오디오 가이드를 어떻게 사용하는지 설명해주시겠어요?
(explain / to / this audio guide / could / how / you / use)

_____

02 나는 매일 무엇을 입을지 걱정한다. (what / worry / to / I / about / wear / every day)

_____

03 그는 캠핑을 언제 갈지 결정할 수 없었다. (he / go camping / decide / when / couldn't / to)

_____

04 나는 어디서 시작해야 하는지 모르겠다. (I / know / where / start / to / don't)

_____

B
문장 완성

다음 우리말과 일치하도록 괄호 안에 주어진 말을 활용하여 문장을 완성하시오. (단, 「의문사+to부정사」를 사용할 것)

01 그는 탁자 위에 무엇을 놓을지 결정했다. (decide, put)

_____ on the table.

02 너는 강한 햇빛으로부터 어떻게 네 피부를 보호해야 할지 알고 있니? (know, protect, skin)

_____ from strong sunlight?

03 터미널로 가는 택시를 어디서 잡아야 하는지 제게 알려주세요. (tell, catch a taxi)

Please _____ to the terminal.

04 그들은 언제 그 굉장한 소식을 공유해야 할지 몰랐다. (know, share, the big news)

_____ .

C
대화 완성

다음 〈보기〉에서 알맞은 의문사를 골라 괄호 안에 주어진 단어와 「의문사+to부정사」 구문을 활용하여 대화를 완성하시오.

보기	how	what	where

01 A: You must not ride your bike on this road.

B: I'm sorry. I didn't know _____ my bike. (ride)

02 A: I heard that our natural resources are running out.

B: Right. We should learn _____ our resources more wisely. (use)

03 A: I still haven't decided _____ to the Halloween party. (wear)

B: How about dressing up as a witch?

A

배열 영작

다음 우리말과 일치하도록 괄호 안에 주어진 말을 바르게 배열하시오.

01 시간은 너무 중요해서 낭비할 수 없다. (important / time / too / to / is / waste)

　　　_____

02 그녀는 너무 소심해서 새로운 것에 도전하지 못한다. (too / to / she / new things / is / timid / try)

　　　_____

03 이 시는 너무 어려워서 내가 이해할 수 없다. (understand / for / this poem / too / is / me / difficult / to)

　　　_____

04 음악이 너무 시끄러워서 그는 집중할 수 없었다.
　　　(was / too / him / concentrate / the music / to / loud / for)

　　　_____

B

문장 완성

다음 우리말과 일치하도록 괄호 안에 주어진 말을 활용하여 문장을 완성하시오.
(단, 「too … to ~」 구문을 사용할 것)

01 Ben은 너무 졸려서 숙제를 끝낼 수 없었다. (sleepy, finish)

　　　_____ his homework.

02 그 골동품 가구는 너무 비싸서 그녀가 살 수 없었다. (expensive, buy)

　　　The antique furniture was _____.

03 나는 너무 바빠서 영화 보러 갈 수 없다. (busy, go to the movies)

　　　_____.

04 그 주스는 내가 마시기에 너무 달다. (sweet, drink)

　　　_____.

C

문장 전환

다음 문장을 「too … to ~」 구문을 활용하여 같은 뜻의 문장으로 바꿔 쓰시오.

01 He was so exhausted that he couldn't hang out with his friends.

　　　→ He was _____.

02 The tree was so high that they couldn't climb it.

　　　→ The tree was _____.

03 Kate is so shy that she can't say anything to the boy.

　　　→ Kate is _____.

A 다음 우리말과 일치하도록 괄호 안에 주어진 말을 바르게 배열하시오.

배열 영작

01 그녀는 차를 운전할 만큼 충분한 나이가 아니다. (old / drive / isn't / to / she / enough / a car)

_____

02 생쥐는 구멍을 통과할 만큼 충분히 작다. (to / go through / the mouse / small / the hole / is / enough)

_____

03 Jen은 자신의 실수를 인정할 만큼 충분히 현명하다. (is / enough / admit / Jen / wise / to / her mistakes)

_____

04 이 책은 아이들이 이해할 수 있을 만큼 충분히 쉽다.
(understand / this book / easy / is / children / to / enough / for)

_____

B 다음 우리말과 일치하도록 괄호 안에 주어진 말을 활용하여 문장을 완성하시오.
(단, 「··· enough to ~」 구문을 사용할 것)

문장 완성

01 스키를 타러 갈 수 있을 만큼 날이 충분히 춥다. (cold, go skiing)

It is _____ .

02 이 앱은 노인들이 사용할 수 있을 만큼 충분히 간단하다. (simple, elderly people, use)

This app is _____ .

03 그 극장은 5,000명의 인원을 수용할 만큼 충분히 크다. (large, hold, people)

The theater is _____ .

04 그는 우리가 들을 만큼 충분히 크게 말했다. (speak, loudly, hear)

_____

C 다음 문장을 「··· enough to ~」 구문을 활용하여 같은 뜻의 문장으로 바꿔 쓰시오.

문장 전환

01 She is so creative that she can design these buildings.

→ She is _____ .

02 Frank was so brave that he could save the child from the river.

→ Frank was _____ .

03 The weather is so good that we can go climbing.

→ The weather is _____ .

A 배열 영작

다음 우리말과 일치하도록 괄호 안에 주어진 말을 바르게 배열하시오.

01 Carter의 블로그는 교육적인 것 같다. (to / educational / Carter's blog / be / seems)

_____

02 너희는 공통점이 하나도 없는 것 같다. (seem / nothing / you / have / to / in common)

_____

03 Jenny는 자신의 가족에 대해 거짓말을 하는 것 같았다.
(about / seemed / her family / tell / Jenny / lies / to)

_____

04 엘리베이터가 고장 난 것 같다. (out of order / the elevator / to / seems / be)

_____

B 문장 완성

다음 우리말과 일치하도록 괄호 안에 주어진 말을 활용하여 문장을 완성하시오.
(단, 「seem to ~」 구문을 사용할 것)

01 그녀는 스트레스를 받을 때 많이 먹는 것 같다. (eat, a lot)

_____ when she feels stressed.

02 Justin은 발표에 대해 초조해하는 것 같았다. (anxious about)

_____ his presentation.

03 Angela는 책을 많이 읽는 것 같다. (read, lots of books)

_____ .

04 그는 실패를 두려워하지 않는 것 같았다. (be afraid of, failure)

_____ .

C 문장 전환

다음 문장을 「seem to ~」 구문을 활용하여 같은 뜻의 문장으로 바꿔 쓰시오.

01 It seems that Ken is very generous to say that.

→ _____

02 It seems that Peter likes to take pictures of food.

→ _____

03 It seemed that Rosy was interested in saving animals.

→ _____

A

배열 영작

다음 우리말과 일치하도록 괄호 안에 주어진 말을 바르게 배열하시오.

01 산을 오르는 데는 많은 에너지가 필요하다. (lots of energy / a mountain / takes / to / it / climb up)

_____

02 새로운 언어를 배우는 데는 시간이 걸린다. (a new language / learn / takes / to / time / it)

_____

03 그들이 그 프로젝트를 끝내는 데 두 달이 걸렸다. (to / took / the project / them / it / two months / finish)

_____

04 다리를 만드는 데 500만 달러가 들었다. (build / took / the bridge / to / it / 5 million dollars)

_____

B

문장 완성

다음 우리말과 일치하도록 괄호 안에 주어진 말을 활용하여 문장을 완성하시오. (단, 가주어를 사용할 것)

01 뉴욕에서 서울까지 비행기로 가는 데 거의 14시간이 걸린다. (almost fourteen hours, go)

_____ by plane from New York to Seoul.

02 그가 사진작가로 성공하는 데 많은 노력이 들었다. (a lot of effort, succeed)

_____ as a photographer.

03 이 요리법으로 피자를 만드는 데 10분밖에 안 걸린다. (only ten minutes, make)

_____ a pizza with this recipe.

04 화재를 진압하는 데 거의 6시간이 걸렸다. (almost six hours, put out, the fire)

_____.

C

문장 전환

다음 문장을 괄호 안에 주어진 단어를 의미상 주어로 활용하여 바꿔 쓰시오.

01 It takes fifteen minutes to walk to the park. (her)

→ _____

02 It will take some effort to upgrade the system. (the engineer)

→ _____

03 It took more than two hours to finish her essay. (Alice)

→ _____

A
배열 영작

다음 우리말과 일치하도록 괄호 안에 주어진 말을 바르게 배열하시오.

01 Jack은 대학에 가지 않는 것을 고려하고 있다. (is considering / to college / Jack / not / going)

_____

02 공유 컴퓨터에 당신의 비밀번호를 저장하지 않는 것이 더 낫다.
(better / in the shared computers / your password / not / is / saving)

_____

03 그는 수업에 참석하지 않은 것에 대해 사과했다. (not / apologized / the class / he / attending / for)

_____

B
문장 완성

다음 우리말과 일치하도록 괄호 안에 주어진 말을 활용하여 문장을 완성하시오. (단, 동명사를 사용할 것)

01 안전 장비를 착용하지 않는 것은 위험하다. (wear, safety gear)

_____ dangerous.

02 Brett은 시간을 잘 지키지 않는 것을 싫어한다. (be, on time)

Brett hates _____ .

03 그녀는 상을 받지 못한 것에 실망했다. (win, the prize)

She was disappointed about _____ .

04 너에게 전화하지 않아서 미안해. (sorry for, call)

_____ .

C
오류 수정

다음 문장에서 어법상 틀린 부분을 찾아 바르게 고쳐 쓰시오.

01 Wasting not energy and water is good for the environment.

_____ → _____

02 He complained of don't have enough money.

_____ → _____

03 I regret telling not you the truth then.

_____ → _____

Unit 03-02 ▶ 동명사의 의미상 주어 ◀ 동명사

A
배열 영작

다음 우리말과 일치하도록 괄호 안에 주어진 말을 바르게 배열하시오.

01 부모님은 내가 머리를 염색하는 것을 좋아하지 않으셨다. (dyeing / my parents / like / didn't / my / hair)

_____

02 나는 그가 훌륭한 작가가 될 거라고 확신해. (a good writer / sure of / becoming / I'm / his)

_____

03 저에게 기회를 주셔서 감사합니다. (your / the opportunity / appreciate / I / me / giving)

_____

04 그들은 그녀가 너무 많이 먹는 것을 걱정했다. (her / too much / they / concerned about / were / eating)

_____

B
문장 완성

다음 우리말과 일치하도록 괄호 안에 주어진 말을 활용하여 문장을 완성하시오. (단, 동명사를 사용할 것)

01 그녀는 그들이 길거리에 쓰레기를 버리는 것에 화가 났다. (be angry at, throw)

_____ garbage on the street.

02 Mike는 그녀가 여우주연상을 타는 것을 상상했다. (imagine, win)

_____ the best actress award.

03 Duncan은 네가 아프리카를 여행하는 것을 걱정한다. (travel, in Africa)

Duncan is worried about _____.

04 그들은 그가 밤에 드럼을 연주하는 것을 싫어한다. (dislike, play the drums)

_____

C
문장 전환

다음 문장을 동명사를 활용하여 같은 뜻의 문장으로 바꿔 쓰시오.

01 They complained that the waiter was very unkind.

→ They complained of _____.

02 Her parents are proud that she got a job.

→ Her parents are proud of _____.

03 She felt ashamed that he cheated in the exam.

→ She felt ashamed of _____.

A 다음 우리말과 일치하도록 괄호 안에 주어진 말을 바르게 배열하시오.

배열 영작

01 나는 팟타이를 한번 먹어봤다. (tried / Pad Thai / eating / I)

_____

02 Clara는 알람 시계를 맞추는 것을 잊어버렸다. (set / forgot / the alarm clock / Clara / to)

_____

03 Alice는 나에게 그녀의 책을 빌려준 것을 후회했다. (lending / her book / regretted / Alice / me)

_____

04 그는 비행기 표를 예약해야 하는 것을 기억했다. (to / he / a plane ticket / remembered / book)

_____

B 다음 우리말과 일치하도록 괄호 안에 주어진 말을 활용하여 문장을 완성하시오.

문장 완성

01 우리는 멕시코만에서 봉사활동을 한 것을 기억한다. (volunteer)

_____ in the Gulf of Mexico.

02 Pedro는 디즈니랜드에 갔던 것을 절대 잊지 못할 것이다. (never, go)

_____ to Disneyland.

03 그녀는 전화를 받기 위해 멈췄다. (answer the phone)

_____.

04 Frankie는 컴퓨터 게임하는 것을 그만두었다. (play computer games)

_____.

C 다음 괄호 안에 주어진 표현을 활용하여 대화를 완성하시오.

대화 완성

A: Oh, it's raining outside. I ① _____ my car inside when it rains,

but I didn't check the forecast today! (try, park)

B: Oh, no! Did you ② _____ Steve? (remember, call)

It's his birthday today.

A: Yes, I did. I'm going to meet him at 4.

B: Don't ③ _____ your umbrella when you go out. (forget, take)

A: Okay, I will.

A
배열 영작

다음 우리말과 일치하도록 괄호 안에 주어진 말을 바르게 배열하시오.

01 우리는 물을 마시지 않고 생존할 수 없다. (drinking / can't / we / water / survive / without)

_____

02 나는 소셜 미디어를 이용해서 내 옛 친구를 찾았다. (found / using / my old friend / I / social media / by)

_____

03 그녀는 TV를 끄지 않고 잠들었다. (without / she / turning off / fell asleep / the TV)

_____

04 그는 센서에 손가락을 올림으로써 물건값을 지불한다.
(pays for / putting / by / he / his finger / on a sensor / things)

_____

B
문장 완성

다음 우리말과 일치하도록 괄호 안에 주어진 말을 활용하여 문장을 완성하시오.
(단, by 또는 without을 사용할 것)

01 우리는 함께 공부함으로써 더 쉽게 그 답을 찾을 수 있다. (study together)

We can find the answers more easily _____.

02 그 아이들은 떠들지 않고 책을 읽고 있다. (make noise)

The children are reading books _____.

03 새로운 것을 시도하지 않고는 어떤 것도 이룰 수 없다. (attempt, new things)

You cannot achieve anything _____.

04 나는 온라인 강의를 수강함으로써 세계사를 배운다. (take, online courses)

I learn world history _____.

C
조건 영작

다음 우리말과 일치하도록 괄호 안에 주어진 표현과 by나 without을 활용하여 문장을 완성하시오.

01 우리는 계단을 이용함으로써 운동할 수 있다. (take, the stairs)

We can exercise _____.

02 의사에게 물어보지 않고 약을 먹지 마라. (ask)

Don't take medicine _____ your doctor.

03 그들은 파티를 엶으로써 시험이 끝난 것을 기념했다. (have a party)

They celebrated the end of exams _____.

A 다음 우리말과 일치하도록 괄호 안에 주어진 말을 바르게 배열하시오.

배열 영작

01 이 지역은 보존할 가치가 있다. (is / this area / preserving / worth)

_____

02 그녀는 콘서트에 가기를 고대하고 있다. (to the concert / forward / she / going / is / looking / to)

_____

03 나는 점심을 먹고 싶지 않다. (feel / lunch / don't / I / like / having)

_____

04 제 좌석을 발로 차지 말아 주실래요? (kicking / would / mind / you / not / my seat)

_____

B 다음 우리말과 일치하도록 괄호 안에 주어진 말을 활용하여 문장을 완성하시오. (단, 주요 동명사 구문을 사용할 것)

문장 완성

01 그는 그녀의 편지를 받기를 고대한다. (receive)

_____ her letters.

02 나는 커피를 한 잔 마시고 싶다. (drink)

_____ a cup of coffee.

03 너의 꿈은 도전할 가치가 있다. (dream, try)

_____.

04 그 자료를 분석해 주시겠어요? (analyze, the data)

_____?

C 다음 괄호 안에 주어진 표현과 주요 동명사 구문을 활용하여 밑줄 친 ①~②를 영어로 옮기시오.

대화 완성

A: I'm going to go to Gyeongju this weekend.
B: Great. ① 그곳은 방문할 만한 가치가 있어.
A: I think so, too.
B: What are you planning to do there?
A: ② 나는 불국사에 방문하기를 고대하고 있어.

① It is _____. (visit)

② _____ Bulguksa. (visit)

A

배열 영작

다음 우리말과 일치하도록 괄호 안에 주어진 말을 바르게 배열하시오.

01 나는 열이 나서 학교에 가지 못했다. (me / to school / the fever / from / kept / going)

_____

02 나를 파티에 초대해 줘서 고마워. (for / me / thank / to the party / you / inviting)

_____

03 그들은 서울로 이사할 생각을 하는 중이다. (of / to Seoul / are / moving / thinking / they)

_____

04 그녀는 시험에 떨어지는 것에 대해 걱정한다. (failing / is / the test / about / worried / she)

_____

B

문장 완성

다음 우리말과 일치하도록 괄호 안에 주어진 말을 활용하여 문장을 완성하시오. (단, 주요 동명사 구문을 사용할 것)

01 그의 나쁜 시력은 그가 조종사가 될 수 없게 했다. (stop, become a pilot)

His bad eyesight _____.

02 너는 요리 강좌를 들을 생각이니? (think, take)

_____ cooking lessons?

03 너는 새로운 친구를 사귀는 것에 대해 걱정하니? (make, new friends)

Do you _____?

04 나에게 선물을 보내줘서 고마워. (send, the present)

_____.

C

대화 완성

다음 괄호 안에 주어진 표현과 주요 동명사 구문을 활용하여 밑줄 친 ①~③을 영어로 옮기시오.

A: Why do you skip dinner? ① 너는 살찌는 것에 대해 걱정하니?
B: Yes. I only drink orange juice after 6 p.m.
A: ② 오렌지 주스는 네가 살이 찌는 것을 막아줄 수 없어. You should drink a lot of water and exercise regularly.
B: ③ 나에게 이런 충고를 해줘서 고마워.

① Do you _____? (gain weight)

② Orange juice can't _____. (prevent, gain weight)

③ _____ this advice. (give)

A
배열 영작

다음 우리말과 일치하도록 괄호 안에 주어진 말을 바르게 배열하시오.

01 물을 마시고 있는 그 남자아이는 Eric이다. (water / the boy / Eric / drinking / is)

_____

02 그것은 매우 혼란스러운 상황이었다. (situation / very / confusing / it / was / a)

_____

03 잔디 위에서 자는 고양이가 매우 귀엽다. (on the grass / the cat / very / sleeping / cute / is)

_____

04 너는 그 충격적인 소식을 들었니? (news / you / hear / shocking / did / the)

_____

B
문장 완성

다음 우리말과 일치하도록 괄호 안에 주어진 말을 활용하여 문장을 완성하시오.

01 나는 떨어지는 별을 보며 소원을 빌었다. (fall)

I saw a _____ and made a wish.

02 어떤 차들은 몸을 진정시키는 효과가 있다. (relax, effect)

Some teas have a _____ on the body.

03 온라인 게임을 하는 학생들이 많다. (there, many students, play online games)

_____.

04 문간에 서 있는 그 여자아이는 Julia이다. (stand, at the door)

_____.

C
문장 완성

다음 우리말과 일치하도록 괄호 안에 주어진 단어와 현재분사를 활용하여 문장을 완성하시오.

01 냄비에 끓는 물을 약간 부어라. (pour, boil)

→ _____ in the pot.

02 나는 식당을 운영하는 한 요리사를 알고 있다. (chef, run)

→ I know _____.

03 그 축구 경기를 보고 있는 그 남자아이들은 흥분했다. (watch, soccer game)

→ _____ are excited.

A
배열 영작

다음 우리말과 일치하도록 괄호 안에 주어진 말을 바르게 배열하시오.

01 그들은 숨겨진 폭탄을 찾았다. (they / bombs / found / hidden)

_____

02 의사들이 부상 당한 병사들을 치료하고 있다. (treating / soldiers / doctors / are / wounded)

_____

03 부러진 나뭇가지들을 버려라. (the / branches / throw away / broken)

_____

04 할아버지께서 나에게 독일에서 만들어진 시계를 주셨다.
(made / me / a watch / my grandfather / gave / in Germany)

_____

B
문장 완성

다음 우리말과 일치하도록 괄호 안에 주어진 말을 활용하여 문장을 완성하시오.

01 Laura라는 이름의 여성은 야구선수가 되기를 원했다. (a woman, name)

_____ wanted to be a baseball player.

02 그녀는 그들에게 고장 난 문을 고쳐 달라고 요청했다. (repair, break)

She asked them to _____.

03 코끼리 귀라고 불리는 식물은 독성이 있다. (the plant, call, elephant ear)

_____ is poisonous.

04 그는 그 슈퍼마켓에서 냉동식품 몇 개를 샀다. (buy, freeze, food)

_____.

C
문장 완성

다음 우리말과 일치하도록 괄호 안에 주어진 단어를 활용하여 문장을 완성하시오.

01 우리는 백 년 전에 지어진 궁전을 방문했다. (visit, build, the palace)

_____ a hundred years ago.

02 그의 라이브 공연이 나를 흥분하게 했다. (make, excite)

His live performance _____.

03 경찰이 어제 강가에서 도난당한 승용차를 발견했다. (the police, find, steal)

_____ at the riverside yesterday.

A 다음 우리말과 일치하도록 괄호 안에 주어진 말을 바르게 배열하시오.

배열 영작

01 아무도 지구가 움직이고 있는 것을 느끼지 못한다. (the earth / nobody / moving / feels)

_____

02 나는 바람에 창문이 닫히는 것을 보았다. (the window / I / by / saw / shut / wind)

_____

03 그녀는 Jake가 축구를 하는 것을 보았다. (Jake / watched / soccer / play / she)

_____

04 그는 비가 지붕에 떨어지고 있는 소리를 들었다. (on the roof / he / the rain / heard / falling)

_____

B 다음 우리말과 일치하도록 괄호 안에 주어진 말을 활용하여 문장을 완성하시오.

문장 완성

01 그녀는 어깨 위로 눈이 떨어지는 것을 느꼈다. (feel, fall)

_____ on her shoulder.

02 너는 초인종이 울리는 것을 들었니? (hear, the doorbell, ring)

Did you _____?

03 나는 어떤 사람이 그녀의 지갑을 훔치는 것을 보았다. (see, steal, purse)

_____.

04 그녀는 상자 하나가 밖에 놓아져 있는 것을 보았다. (look at, leave, outside)

_____.

C 다음 문장에서 어법상 <u>틀린</u> 부분을 찾아 바르게 고쳐 쓰시오.

오류 수정

01 She saw a strange man walked around the town.

_____ → _____

02 The driver noticed a bag leaving on the bus.

_____ → _____

03 I felt my heart to beat fast when he came up to me.

_____ → _____

A

배열 영작

다음 우리말과 일치하도록 괄호 안에 주어진 말을 바르게 배열하시오.

01 그들은 집으로 식료품이 배달되게 했다. (to their house / they / the groceries / had / delivered)

_____

02 나의 선생님께서는 내가 보고서를 빨리 제출하도록 했다.
(hand in / had / the report / my teacher / me / early)

_____

03 그 과학 프로젝트는 우리를 만족스럽게 했다. (us / satisfied / the science project / made)

_____

04 그 골프 선수는 왼쪽 무릎을 진찰받았다. (examined / had / the golfer / his left knee)

_____

B

문장 완성

다음 우리말과 일치하도록 괄호 안에 주어진 말을 활용하여 문장을 완성하시오.

01 Steve는 자신의 책을 종이로 쌌다. (have, wrap)

_____ in paper.

02 기름 유출에 관한 소식이 그녀를 걱정스럽게 했다. (make, worry)

The news about an oil spill _____.

03 나는 그녀에게 내 재킷을 빌려주었다. (let, borrow)

_____

04 Judy는 자신의 머리를 빨간색으로 염색했다. (have, dye)

_____

C

오류 수정

다음 문장에서 어법상 틀린 부분을 찾아 바르게 고쳐 쓰시오.

01 This book made me disappointing.

_____ → _____

02 My mother had me saved money.

_____ → _____

03 Olivia went to the beauty salon to have her hair to cut this afternoon.

_____ → _____

A
배열 영작

다음 우리말과 일치하도록 괄호 안에 주어진 말을 바르게 배열하시오.

01 나는 내 여동생이 내 우산을 가져오도록 했다. (my umbrella / bring/ my sister / I / to / got)

_____

02 Susan은 왼팔이 부러졌다. (her left arm / got / broken / Susan)

_____

03 여행을 위해 가방을 챙겨라. (packed / for the trip / your bag / get)

_____

04 Mark는 지하철에서 지갑을 도난당했다. (Mark / his wallet / on the subway / stolen / got)

_____

B
문장 완성

다음 우리말과 일치하도록 괄호 안에 주어진 말을 활용하여 문장을 완성하시오.

01 그는 택시 기사가 여행 가방을 옮기게 했다. (get, his suitcase, carry)

_____ by the taxi driver.

02 그녀는 내가 일기를 쓰게 했다. (get, write)

_____ a diary.

03 Violet은 해외여행을 가려고 자신의 여권을 만들었다. (get, passport, make)

_____ to travel abroad.

04 그들은 사과나무를 심었다. (get, an apple tree, plant)

_____ .

C
조건 영작

다음 우리말과 일치하도록 괄호 안에 주어진 단어와 get을 활용하여 문장을 완성하시오.

01 그 학생들은 자신들의 숙제가 선생님께 검사받도록 했다. 그들은 제 시간에 그것을 끝내야 한다.

The students _____ by the teacher. (check)

They have to _____ in time. (finish)

02 Angela는 어제 왼 다리가 부러졌다. 그녀는 회복될 때까지 자신의 친구가 자신의 고양이를 돌보도록 할 것이다.

Angela _____ yesterday. (break)

She'll _____ her cat until she recovers.

(take care of)

A
배열 영작

다음 우리말과 일치하도록 괄호 안에 주어진 말을 바르게 배열하시오.

01 숨을 고르면서 Nobel은 기사를 계속 읽었다. (his breath / the article / Nobel / reading / catching / kept)

_____

02 손을 흔들면서 그는 집 밖으로 걸어 나왔다. (walked / waving / the house / he / his hand / out of)

_____

03 외국인이기 때문에 그가 한국에 머물기 위해서는 비자가 필요하다.
(needs / in Korea / a visa / to stay / he / a foreigner / being)

_____

04 서울에 새 직장을 얻어서 그는 그곳으로 이사해야 한다.
(a new job / he / move there / having / has to / in Seoul)

_____

B
문장 완성

다음 우리말과 일치하도록 괄호 안에 주어진 말을 활용하여 문장을 완성하시오.

01 방과 후에 그 콘서트에 가기 때문에 나는 마음이 들떠 있었다. (go to, the concert)
_____ after school, I felt excited.

02 노래를 흥얼거리면서 그녀는 거리를 걸었다. (hum, a song)
_____ , she walked along the street.

03 Tina는 캐나다에 있는 자신의 가족을 생각하면서 해변에 누워 있었다. (think of)
Tina was lying on the beach, _____ .

04 그 영화를 보면서 그녀는 중국 문화에 대해 많은 것을 알게 되었다. (watch, learn, a lot)
_____ about Chinese culture.

C
문장 전환

다음 문장을 분사구문을 활용하여 같은 뜻의 문장으로 바꿔 쓰시오.

01 While I was waiting for Mark, I made some food.
→ _____

02 Because she didn't know what to say on stage, she froze.
→ _____

03 They watched the sunset, while they had some hot coffee.
→ _____

A
배열 영작

다음 우리말과 일치하도록 괄호 안에 주어진 말을 바르게 배열하시오.

01 그는 전등을 켜둔 채 외출했다. (with / he / turned on / the lights / went out)

_____

02 Sam은 자명종이 울리는 채로 계속 잤다. (kept / ringing / Sam / the alarm / sleeping / with)

_____

03 그녀는 엔진을 켜 놓은 채 앉아 있다. (she / running / is / the engine / with / sitting)

_____

04 Sandy는 눈을 감은 채 누워있다. (closed / Sandy / with / her eyes / is lying)

_____

B
문장 완성

다음 우리말과 일치하도록 괄호 안에 주어진 말을 활용하여 문장을 완성하시오.

01 그녀는 눈물이 그녀의 뺨으로 흘러내린 채 말을 했다. (tears, fall down)

She spoke _____ her cheeks.

02 그는 한쪽 눈을 가린 채로 그의 시력을 점검하고 있다. (one eye, cover)

He is checking his eyes _____.

03 Alex는 고개를 숙인 채 선생님 말씀을 듣고 있다. (one's head, bend down)

Alex is listening to his teacher _____.

04 그녀는 로봇 청소기를 작동시킨 채 자러 갔다. (the robot cleaner, work)

_____

C
조건 영작

다음 우리말과 일치하도록 괄호 안에 주어진 표현과 「with+명사+분사」 구문을 활용하여 문장을 완성하시오.

01 그들은 오전 내내 문을 닫은 채 잠을 잤다. (the door, close)

They slept all morning _____.

02 그는 자신의 신발 끈이 풀린 채로 결승선까지 뛰었다. (shoelaces, untie)

He ran to the finish line _____.

03 그녀는 그녀의 개가 그녀 옆에 누워 있게 한 채 TV를 보았다. (lie, beside)

She watched TV _____.

A
배열 영작

다음 우리말과 일치하도록 괄호 안에 주어진 말을 바르게 배열하시오.

01 우리를 구해준 남자는 경찰관이었다. (saved / us / was / the man / a police officer / who)

_____

02 그는 채소를 찧을 수 있는 기계를 만들었다.
(a machine / could crush / which / he / vegetables / created)

_____

03 바리스타는 커피를 만드는 사람이다. (a barista / makes / is / who / a person / coffee)

_____

04 블루베리는 시력을 향상시킬 수 있는 영양소를 포함한다.
(contain / can improve / nutrients / your vision / blueberries / which)

_____

B
문장 완성

다음 우리말과 일치하도록 괄호 안에 주어진 말을 활용하여 문장을 완성하시오.

01 저쪽에 서 있는 그 여자는 나의 고모이다. (stand)

_____ over there is my aunt.

02 2층에 잘 작동되는 프린터기가 있다. (a printer, work)

There is _____ on the second floor.

03 역으로 가는 길을 물어본 그 사람들은 관광객들이었다. (ask, the way)

_____ to the station were tourists.

04 우리 집 근처에 있는 산은 북한산이다. (the mountain, near, Mt. Bukhan)

_____ .

C
문장 전환

다음 두 문장을 who나 which를 활용하여 한 문장으로 바꿔 쓰시오.

01 Haenyeo are female divers in Jeju Island. + They harvest seafood.

→ Haenyeo are _____

02 I went to the amusement park. + It was completed last month.

→ I went to _____

03 My grandma thanked the woman. + She gave her help with her smartphone.

→ My grandma thanked _____

A
배열 영작

다음 우리말과 일치하도록 괄호 안에 주어진 말을 바르게 배열하시오.

01 그녀가 사고 싶어 했던 그 운동화는 다 팔렸다.
(are / which / wanted / to buy / she / sold out / the sneakers)

_____

02 그들은 그녀가 만든 음식을 좋아하지 않았다. (the dishes / they / she / which / didn't like / made)

_____

03 내가 좋아하는 TV 쇼는 오늘 밤에 한다. (I / the TV show / is / like / which / on tonight)

_____

04 그녀는 그가 스카우트하고 싶어 했던 야구 선수이다.
(wanted / a baseball player / he / to scout / is / she / whom)

_____

B
문장 완성

다음 우리말과 일치하도록 괄호 안에 주어진 말을 활용하여 문장을 완성하시오.

01 그녀가 내게 말한 박물관은 토요일에 연다. (the museum, tell)

_____ about is open on Saturday.

02 우리 언니가 일하는 가게는 매우 유명하다. (the store, work at)

_____ is very popular.

03 내가 카페에서 본 그 여자는 가수이다. (see)

_____ at the cafe is a singer.

04 Ben이 찍은 그 사진들은 유명해졌다. (photos, take, become famous)

_____ .

C
문장 전환

다음 두 문장을 whom이나 which를 활용하여 한 문장으로 바꿔 쓰시오.

01 Kimberly believed the man. + She didn't even know him.

→ Kimberly believed _____

02 He put on a hat. + He bought it yesterday.

→ He put on _____

03 Barry found the wallet. + He lost it three days ago.

→ Barry found _____

A

배열 영작

다음 우리말과 일치하도록 괄호 안에 주어진 말을 바르게 배열하시오.

01　Paul은 취미가 여행인 친구가 있다. (whose / a friend / traveling / Paul / hobby / is / has)

_____

02　그녀는 눈이 정말 큰 고양이를 기른다. (a cat / really big / she / whose / eyes / has / are)

_____

03　그들은 지붕이 빨간 집에 산다. (they / red / whose / the house / roof / live in / is)

_____

04　표지가 찢어진 그 책은 내 것이다. (mine / the book / whose / is torn / cover / is)

_____

B

문장 완성

다음 우리말과 일치하도록 괄호 안에 주어진 말을 활용하여 문장을 완성하시오.

01　그림이 미술관에 있는 그 남자는 나의 조카이다. (painting)

_____ in the museum is my nephew.

02　생일이 오늘인 내 친구는 오늘 오후에 파티를 연다. (birthday)

_____ has a party this afternoon.

03　나는 가지들이 긴 나무 한 그루를 보았다. (branch, long)

_____.

04　그녀는 직업이 농구 선수인 오빠가 있다. (job, a basketball player)

_____.

C

문장 전환

다음 두 문장을 whose를 활용하여 한 문장으로 바꿔 쓰시오.

01　The fish uses a tool to open clams. + Its favorite food is clams.

→ The fish _____ uses a tool to open them.

02　A woman is waiting for you. + Her last name is Connelly.

→ A woman _____

03　Grace met a writer. + His articles are very interesting.

→ Grace met _____

A 다음 우리말과 일치하도록 괄호 안에 주어진 말을 바르게 배열하시오.

배열 영작

01 네가 추천해줄 만한 것이 있니? (something / have / recommend / you / that / do / you)

_____

02 Sam이 깨뜨린 이 도자기는 그의 할아버지의 것이다.
(Sam / his grandfather's / is / broke / that / this pottery)

_____

03 나는 우리가 연주했던 첫 번째 음악을 기억한다.
(remember / that / the first piece of music / we / I / played)

_____

B 다음 우리말과 일치하도록 괄호 안에 주어진 말을 활용하여 문장을 완성하시오.

문장 완성

01 Brown 씨는 내가 아는 가장 친절한 사람들 중 한 명이다. (the kindest men, know)

Mr. Brown is one of _____ .

02 동물원에 있는 야생동물들은 행복한 것 같지 않다. (the wild animals)

_____ in the zoo don't seem to be happy.

03 사진작가는 사진으로 이야기를 전하는 사람이다. (a person, tell a story)

A photographer is _____ with pictures.

04 우리는 네가 필요로 하는 모든 것을 갖고 있다. (everything, need)

_____ .

C 다음 우리말과 일치하도록 주어진 〈조건〉에 맞게 괄호 안의 표현을 활용하여 문장을 완성하시오.

조건영작

조건 ▶   1. 관계대명사 that을 이용할 것   2. that을 생략할 수 있으면 생략할 것

01 Kate는 내가 본 가장 아름다운 여자이다. (beautiful, see)

Kate is _____ .

02 James는 우리 반에서 플루트를 연주할 수 있는 유일한 학생이다. (only, play)

_____ the flute in my class.

03 나를 멋져 보이게 하는 무언가를 사고 싶다. (buy, something, make)

_____ me look cool.

A 다음 우리말과 일치하도록 괄호 안에 주어진 말을 바르게 배열하시오.

배열 영작

01 우리는 엄마가 우리를 위해 요리한 것을 먹었다. (mom / had cooked / we / what / for us / ate)

_____

02 그가 정말 원했던 것은 진실이었다. (really / was / what / he / the truth / wanted)

_____

03 내가 방금 말한 것을 이해했니? (just / understand / said / I / did / what / you)

_____

04 그건 내가 말하려던 것이 아니다. (not / meant / I / that / is / what / to say)

_____

B 다음 우리말과 일치하도록 괄호 안에 주어진 말을 활용하여 문장을 완성하시오. (단, what을 사용할 것)

문장 완성

01 그는 네가 좋아하는 것을 어떻게 아니? (like)

How does he know _____?

02 그녀가 말하는 것은 그녀가 행동하는 것과 다르다. (say)

_____ different from what she does.

03 Daisy는 어제 자신이 산 것을 그에게 주었다. (give, buy)

_____ to him yesterday.

04 그가 준비한 것은 샌드위치였다. (prepare, a sandwich)

_____.

C 다음 문장에서 어법상 틀린 부분을 찾아 바르게 고쳐 쓰시오.

오류 수정

01 She told me that she read in the newspaper.

_____ → _____

02 What my parents worry about are my grandmother's health.

_____ → _____

03 Peggy is wearing a scarf what she received as a gift.

_____ → _____

A

배열 영작

다음 우리말과 일치하도록 괄호 안에 주어진 말을 바르게 배열하시오.

01 Ashley는 Steve와 결혼했는데, 그는 요리사였다. (a chef / married / Steve / who / Ashley / was)

_____

02 나는 오래된 노트북이 있는데, 그것은 우리 형의 것이었다.
(which / an old laptop / my brother's / I / was / have)

_____

03 그는 Mark를 초대하고 싶어 하는데, 나는 그가 싫다. (wants / Mark / whom / he / to invite / hate / I)

_____

04 학생들은 수학 문제를 풀었는데, 그것은 매우 어려웠다.
(was / solved / which / very difficult / the students / the math problem)

_____

B

문장 완성

다음 우리말과 일치하도록 괄호 안에 주어진 말을 활용하여 문장을 완성하시오.

01 이것은 그의 안경인데, 그것은 그가 더 잘 보도록 돕는다. (glasses, help)

These are _____ him see better.

02 나는 새 자동차를 샀는데, 그것은 비쌌다. (a new car, expensive)

I bought _____ .

03 그들은 내 사촌들인데, 그들은 나와 동갑이다. (cousin, the same age)

_____ as me.

04 그녀는 옛 친구를 만났는데, 그는 그녀를 알아보지 못했다. (meet, recognize)

_____ .

C

문장 전환

다음 두 문장을 관계대명사를 활용하여 한 문장으로 바꿔 쓰시오. (단, 계속적 용법으로 쓸 것)

01 The credit card is in my wallet. + It is on the table.

→ The credit card is _____ .

02 Angela met Peter yesterday. + He told her the bad news.

→ Angela met _____ .

03 We are looking at Seorak mountain. + It is covered with snow.

→ We _____ .

A
배열 영작

다음 우리말과 일치하도록 괄호 안에 주어진 말을 바르게 배열하시오.

01 Sam이 산 운동화를 봤니? (bought / did / the sneakers / Sam / you / see)
_____

02 우리 아빠는 내가 가장 존경하는 분이다. (the person / is / admire / I / my dad / most)
_____

03 Amy 옆에 서 있는 남자아이는 James이다. (James / standing / Amy / the boy / next to / is)
_____

04 독도는 한국과 일본 사이에 위치한 섬이다.
(located / an island / between / is / Korea and Japan / Dokdo)
_____

B
문장 완성

다음 우리말과 일치하도록 괄호 안에 주어진 말을 활용하여 문장을 완성하시오.

01 한국에서 만들어진 그 영화는 4개의 아카데미상을 수상했다. (movie, make)
_____ in Korea won four Academy Awards.

02 네가 말을 걸고 있던 그 여자아이는 누구니? (talk to)
Who is _____?

03 내게 오고 있는 그 남자는 나의 삼촌이다. (come toward)
_____ is my uncle.

04 수학은 내가 흥미 있어 하는 과목이다. (the subject, be interested in)
_____.

C
선택 영작

다음 중 밑줄 친 부분을 생략할 수 있는 문장을 두 개 골라 번호를 쓰고, 밑줄 친 부분을 생략해서 문장 전체를 다시 쓰시오.

> ① *Munjado* is a type of folk painting <u>that</u> was popular in the late Joseon dynasty.
> ② Jake told me that he didn't receive the email <u>which</u> I sent.
> ③ Joanne lives in a house <u>whose</u> windows are big.
> ④ I remember the traffic accident <u>which was</u> caused by a dog.

01 _____ , _____.

02 _____ , _____.

A
배열 영작

다음 우리말과 일치하도록 괄호 안에 주어진 말을 바르게 배열하시오.

01 나는 비가 내리는 날을 좋아한다. (days / rains / I / when / like / it)

_____

02 비행기가 착륙하는 정확한 시간을 내게 알려줘. (the plane / tell me / when / the exact time / lands)

_____

03 그녀는 유럽으로 여행을 갔던 그 여름을 그리워했다.
(the summer / she / traveled / she / to Europe / missed / when)

_____

04 우리 부모님은 내 성적표가 도착하는 날짜를 알고 싶어 한다.
(my report card / my parents / the date / arrives / when / want / to know)

_____

B
문장 완성

다음 우리말과 일치하도록 괄호 안에 주어진 말을 활용하여 문장을 완성하시오. (단, when을 사용할 것)

01 그들은 방학이 시작하는 날을 고대하고 있다. (the vacation, begin)

They are looking forward to _____.

02 금요일 저녁은 우리가 산책하러 가기 좋아하는 시간이다. (like)

Friday evening is _____ to go for a walk.

03 2000년은 그가 가수로서 데뷔한 해였다. (debut)

2000 was _____ as a singer.

04 내가 그녀를 만난 날은 날씨가 화창했다. (meet, sunny)

_____.

C
문장 전환

다음 두 문장을 when을 활용하여 한 문장으로 바꿔 쓰시오.

01 April is the month. + The cherry blossoms are in full bloom in April.

→ _____

02 Mrs. Smith was born in the year. + The war broke out then.

→ _____

03 That day was the saddest day of my life. + My friend left my town on that day.

→ _____

A

배열 영작

다음 우리말과 일치하도록 괄호 안에 주어진 말을 바르게 배열하시오.

01 이곳이 내가 옷을 자주 사는 매장이다. (often / clothes / this / the store / I / buy / where / is)

_____

02 할아버지는 아직도 자신이 태어난 집에서 사신다.
(still lives in / where / my grandpa / was born / the house / he)

_____

03 그곳은 내가 가곤했던 서점이다. (the bookstore / I / go / where / is / used to / it)

_____

04 시내에는 우리가 갈 만한 음식점이 많다.
(there are / restaurants / can go / where / downtown / lots of / we)

_____

B

문장 완성

다음 우리말과 일치하도록 괄호 안에 주어진 말을 활용하여 문장을 완성하시오.

01 우리가 피크닉을 가곤했던 그 공원은 많이 바뀌었다. (the park, used to)

_____ on picnics has changed a lot.

02 나는 그 휴대전화를 발견했던 곳에 그것을 도로 가져다 놓았다. (place, find)

I put back the cellphone in _____ it.

03 이곳은 내가 자원봉사를 하는 동물 보호소이다. (the animal shelter, volunteer)

_____.

04 저곳이 우리가 만났던 수족관이다. (the aquarium, meet)

_____.

C

문장 전환

다음 두 문장을 where를 활용하여 한 문장으로 바꿔 쓰시오.

01 Cancun is a city. + Many tourists travel the city every year.

→ _____

02 ABC Pizza is the restaurant. + I like to go there with my friends.

→ _____

03 This is the shop. + You can buy organic food there.

→ _____

A
배열 영작

다음 우리말과 일치하도록 괄호 안에 주어진 말을 바르게 배열하시오.

01 나는 개미들이 집단서식지에 사는 이유를 안다. (why / live in / know / ants / a colony / I)

_____

02 우리가 경기에 진 이유는 명백하다. (we / is / the reason / why / lost / obvious / the game)

_____

03 네가 변호사가 된 이유를 내게 말해줘. (a lawyer / why / tell / became / me / you)

_____

04 나는 중국인들이 빨간색을 좋아하는 이유를 알고 싶다.
(Chinese people / want / red / the color / I / why / like / to know)

_____

B
문장 완성

다음 우리말과 일치하도록 괄호 안에 주어진 말을 활용하여 문장을 완성하시오. (단, why를 사용할 것)

01 우리는 나무가 중요한 이유를 아이들에게 가르쳐야 한다. (trees, important)

We have to teach children _____.

02 너는 David가 식당을 개업한 이유를 짐작할 수 있니? (open, a restaurant)

Can you guess _____?

03 내가 캐나다에 간 이유를 네게 설명해줄게. (go to)

I'll explain to you _____.

04 그가 병원에 입원 중인 이유는 확실하지 않다. (be in the hospital, clear)

_____.

C
문장 전환

다음 두 문장을 why를 활용하여 한 문장으로 바꿔 쓰시오.

01 She asked him the reason. + He was absent from school for that reason.

→ _____

02 I didn't know the reason. + He quit his job for that reason.

→ _____

03 I'll tell you the reason. + I feel stressed out these days for that reason.

→ _____

A

배열 영작

다음 우리말과 일치하도록 괄호 안에 주어진 말을 바르게 배열하시오.

01 네가 자유 시간을 어떻게 보내는지 내게 말해줘. (your free time / tell / how / spend / me / you)

_____

02 기술은 사람들이 사는 방식을 바꿨다. (changed / live / the way / technology / people)

_____

03 그 프로그램이 어떻게 작동하는지 말해줄래? (how / works / can / tell / you / the program / me)

_____

04 이것이 내가 현명한 소비자가 된 방법이다. (became / the way / is / a smart consumer / this / I)

_____

B

문장 완성

다음 우리말과 일치하도록 괄호 안에 주어진 말을 활용하여 문장을 완성하시오.

01 Sarah는 그가 그녀에게 이야기하는 방식을 좋아하지 않는다. (the way, speak to)

Sarah doesn't like _____.

02 James는 그가 플라스틱병으로 악기를 만든 방법을 말해주었다. (make, the instruments)

James told me _____ with plastic bottles.

03 선생님께서 애벌레가 나비로 변하는 방법을 설명하고 계신다. (a caterpillar, change into)

The teacher is explaining _____
a butterfly.

04 네가 표를 구한 방법을 내게 말해줘. (the way, get, the ticket)

_____.

C

문장 전환

다음 두 문장을 how를 활용하여 한 문장으로 바꿔 쓰시오.

01 This is the way. + People in the Joseon dynasty lived in the way.

→ _____

02 She taught us the way. + We can persuade others that way.

→ _____

03 He asked the way. + They adopted a dog in the way.

→ _____

A
배열 영작

다음 우리말과 일치하도록 괄호 안에 주어진 말을 바르게 배열하시오.

01. 우리 일상은 지구 온난화에 의해 바뀌고 있다. (global warming / our lives / being / by / changed / are)

_____

02. 아이가 안전요원에 의해 구조되고 있다. (the lifeguard / being / the child / by / is / rescued)

_____

03. 트럭이 우리 아빠에 의해 운전되고 있다. (my dad / being / the truck / by / is / driven)

_____

04. 사과가 농부들에 의해 수확되고 있다. (the farmers / picked / the apples / by / being / are)

_____

B
문장 완성

다음 우리말과 일치하도록 괄호 안에 주어진 말을 활용하여 문장을 완성하시오.

01. 음식이 컨테이너에 놓이고 있다. (put)

Food _____ in the container.

02. 환경 문제들이 논의되고 있다. (discuss)

Environmental issues _____.

03. 딸기가 Mia에 의해 부엌에서 씻겨지고 있다. (wash)

The strawberries _____ in the kitchen.

04. 당신의 피자는 지금 배달되고 있지 않습니다. (deliver)

_____.

C
문장 전환

다음 문장을 수동태를 활용하여 같은 뜻의 문장으로 바꿔 쓰시오.

01. The bellboy isn't moving my luggage.

→ My luggage _____.

02. Two men are chasing him on the street.

→ He _____.

03. Some volunteers are painting the school walls.

→ The school walls _____.

A

배열 영작

다음 우리말과 일치하도록 괄호 안에 주어진 말을 바르게 배열하시오.

01 제주도가 눈보라에 강타당했다. (a snowstorm / by / been / Jeju Island / hit / has)

_____

02 식초는 수년 동안 음식에 향을 내는 데 쓰여 왔다.
(to / used / vinegar / flavor / foods / been / has / for many years)

_____

03 수중도시가 인도의 해안에서 발견되었다.
(has / found / An underwater city / been / off the coast of India)

_____

04 그 기계는 최근에 수리되었다. (has / the machine / recently / been / repaired)

_____

B

문장 완성

다음 우리말과 일치하도록 괄호 안에 주어진 말을 활용하여 문장을 완성하시오.

01 이 새로운 물질은 자전거를 만드는 데 사용되어 왔다. (use)

This new material _____ to make bicycles.

02 〈해리포터〉는 80개 이상의 언어로 번역되었다. (translate)

Harry Potter _____ into more than 80 languages.

03 Jason은 교통사고로 부상을 당했다. (injure, in a car accident)

_____ in a car accident.

04 그 장난감들은 아이들에게 기부되었다. (toy, donate, the children)

_____ .

C

문장 전환

다음 문장을 수동태를 활용하여 같은 뜻의 문장으로 바꿔 쓰시오.

01 The researchers have not discovered a way to predict earthquakes yet.

→ _____

02 Scientists have predicted a powerful storm.

→ _____

03 Many people have welcomed the idea of building a new library.

→ _____

A
배열 영작

다음 우리말과 일치하도록 괄호 안에 주어진 말을 바르게 배열하시오.

01 오로라는 북극 근처에서 볼 수 있다. (the Arctic / be / near / can / auroras / seen)

_____

02 그 스웨터는 온수에 세탁해서는 안 된다. (washed / the sweater / be / in hot water / shouldn't)

_____

03 딱딱한 껍데기의 조개는 날것으로 먹을 수 없다. (be / eaten / cannot / raw / hard-shell clams)

_____

04 그에 대한 진실이 밝혀질지도 모른다. (be / him / revealed / the truth / may / about)

_____

B
문장 완성

다음 우리말과 일치하도록 괄호 안에 주어진 말을 활용하여 문장을 완성하시오.

01 독감 철이 되면 더 많은 감기약이 구매될 것이다. (will, buy)

When the flu season comes, more flu medicine _____.

02 그 영화는 북미에서 개봉되지 않을지도 모른다. (movie, may, release)

_____ in North America.

03 이 책은 역사를 가르치는 데 사용될 수 있다. (can, use)

_____ to teach history.

04 그 소스는 냉장고에 보관되어야 한다. (sauce, should, keep, a refrigerator)

_____.

C
조건 영작

다음 우리말과 일치하도록 〈보기〉에서 알맞은 조동사를 골라 주어진 단어를 활용하여 문장을 완성하시오.

보기 ▶	may	can	must

01 야자수는 열대지방에서 찾아볼 수 있다.

Palm trees _____ in the tropics. (find)

02 폭설로 인해 폐막식이 취소될지도 모른다.

The closing ceremony _____ because of the heavy snow.
(cancel)

03 그 지하철역은 올해 8월까지 완공되어야 한다.

The subway station _____ by this August. (complete)

A
배열 영작

다음 우리말과 일치하도록 괄호 안에 주어진 말을 바르게 배열하시오.

01   손님들에게 무료 점심이 제공될 것이다. (offered / will / free lunch / be / the guests)

_____

02   우리는 호텔 직원에 의해 객실을 안내받았다. (the hotel staff / were / we / by / the room / shown)

_____

03   그 열쇠는 Hugo가 내게 찾아준 것이다. (found / by / the key / for / Hugo / was / me)

_____

04   그 약은 그가 약사에게 받은 것이다. (the pharmacist / by / given / him / the medicine / to / was)

_____

B
문장 완성

다음 우리말과 일치하도록 괄호 안에 주어진 말을 활용하여 문장을 완성하시오.

01   자전거를 열 번호가 그 앱에 의해 너에게 주어질 것이다. (will, give)

A number to unlock a bike with _____ by the application.

02   이 도서관에서는 로봇에 의해 당신에게 책이 찾아진다. (find, robots)

In this library, the books _____.

03   그 신선한 과일은 웨이터가 우리에게 가져온 것이다. (bring, the waiter)

The fresh fruit _____.

04   우리는 Katie에게 무서운 이야기들을 들었다. (tell, horror story)

_____.

C
문장 전환

다음 문장을 각각 간접목적어와 직접목적어를 주어로 하는 문장으로 바꿔 쓰시오.

01   A large screen shows the runners their finish times.

(1) [간접목적어를 주어로] _____

(2) [직접목적어를 주어로] _____

02   The principal gave Dave an award.

(1) [간접목적어를 주어로] _____

(2) [직접목적어를 주어로] _____

A
배열 영작

다음 우리말과 일치하도록 괄호 안에 주어진 말을 바르게 배열하시오.

01 그 카드는 내가 그녀에게 준 것이다. (given / her / by / the card / me / was / to)

_____

02 그 드레스는 그녀의 딸이 Marsha를 위해 만들었다.
(made / her daughter / Marsha / the dress / by / for / was)

_____

03 그의 미술품은 시립 박물관에 팔렸다. (sold / his artwork / to / was / the city museum)

_____

04 그 기사는 Ella가 엄마께 읽어드린 것이다. (to / Ella / the article / by / was / her mom / read)

_____

B
문장 완성

다음 우리말과 일치하도록 괄호 안에 주어진 말을 활용하여 문장을 완성하시오.

01 내 친한 친구가 나에게 과자 한 봉지를 사줬다. (buy)

A bag of chips _____ by my best friend.

02 그 악기들은 장인이 그 학생들을 위해 만든 것이다. (make)

The instruments _____ by the master.

03 〈잭과 콩나무〉는 그의 누나가 그에게 읽어준 것이다. (read)

Jack and the Beanstalk _____ by his sister.

04 그 수프는 내 친구가 나를 위해 요리한 것이다. (soup, cook)

_____ .

C
선택 영작

다음 중 간접목적어를 주어로 수동태를 만들 수 <u>없는</u> 문장을 두 개 골라 번호를 쓰고, 수동태로 바꿔 문장 전체를 다시 쓰시오.

① My dad cooked me the curry and rice.
② The lady gave me a free movie ticket.
③ A woman lent me a pink umbrella yesterday.
④ Dave bought Linda the necklace.

01 _____ , _____

02 _____ , _____

A
배열 영작

다음 우리말과 일치하도록 괄호 안에 주어진 말을 바르게 배열하시오.

01 햄버거라는 이름은 독일에서 왔다. (The name "hamburger" / from / was / German / borrowed)

_____

02 아프리카는 인류의 발상지로 여겨진다. (considered / Africa / the birthplace / is / of / humankind)

_____

03 이 치료법은 몇몇 의사들에 의해 효과적이라는 것이 밝혀졌다.
(effective / this remedy / by / some doctors / was / found)

_____

04 점원은 고객에 의해 검은색 재킷을 보여 달라는 요청을 받았다.
(by / the clerk / a customer / was / to / show / asked / a black jacket)

_____

B
문장 완성

다음 우리말과 일치하도록 괄호 안에 주어진 말을 활용하여 문장을 완성하시오.

01 세르파는 에베레스트산의 보이지 않는 사람들로 불린다. (call, the invisible people)

Sherpas _____ of Mount Everest.

02 건물 전체가 태양 에너지에 의해 따뜻하게 유지된다. (keep, warm)

The whole building _____ by solar power.

03 우리는 Brown 선생님에 의해 밖에서 노는 것이 허용된다. (allow, play, outside)

_____ by Ms. Brown.

04 그 학생들은 그들의 선생님에게 봉사활동을 하라는 권고를 받았다. (advise, do volunteer work)

_____.

C
조건 영작

다음 우리말과 일치하도록 A와 B에서 알맞은 말을 골라 적절히 활용하여 문장을 완성하시오.

A	advise	call	consider	B	a role model	go out	a gat

01 이 전통 한국 모자는 갓이라고 불린다.

This traditional Korean hat _____.

02 Babinski 씨는 모든 면에서 롤모델로 여겨진다.

Mr. Babinski _____ in every respect.

03 사람들은 경찰관들에게 밤늦게 혼자 나가지 말라는 권고를 받았다.

People _____ alone late at night by police officers.

A

배열 영작

다음 우리말과 일치하도록 괄호 안에 주어진 말을 바르게 배열하시오.

01 그들이 전화통화를 하는 것이 그녀에게 들렸다. (on the phone / she / was / talking / heard / by / them)

_____

02 우리는 그녀에 의해 밖에서 기다리게 되었다. (made / by / wait outside / her / we / to / were)

_____

03 그가 종종 그릴에서 음식을 요리하고 있는 것이 보인다. (he / on the grill / is / food / often seen / cooking)

_____

04 물고기 한 마리가 물 밖으로 뛰어오르는 것이 보였다. (jumping / the water / seen / out of / a fish / was)

_____

B

문장 완성

다음 우리말과 일치하도록 괄호 안에 주어진 말을 활용하여 문장을 완성하시오.

01 인도로의 여행에 의해 나는 더 현명해지는 데 도움을 받았다. (help, become)

_____ wiser by my trip to India.

02 Sarah가 버스 정류장에 서 있는 것이 보였다. (see, stand)

_____ at the bus stop.

03 Peter는 어젯밤 방에서 기타를 치는 소리가 들렸다. (hear, play)

_____ in the room last night.

04 나는 우리 형에 의해 일찍 일어나게 되었다. (make, wake up)

_____.

C

오류 수정

다음 문장에서 어법상 틀린 부분을 찾아 바르게 고치시오.

01 The climbers were heard called for help.

_____ → _____

02 I was made learn to play tennis by my grandfather.

_____ → _____

03 The thief was seen run through the crowd.

_____ → _____

A
배열 영작

다음 우리말과 일치하도록 괄호 안에 주어진 말을 바르게 배열하시오.

01 나는 사랑이 가득한 가정에서 자랐다. (I / brought / was / a loving family / by / up)

_____

02 몇 가지 행사가 폭우로 인해 연기되었다. (were / off / several events / the heavy rain / put / because of)

_____

03 그 교사는 학생들에게 평판이 좋지 않다. (by / spoken / of / is / ill / the teacher / the students)

_____

04 그 남자는 오늘 아침에 차에 치였다. (the man / this morning / was / a car / run / by / over)

_____

B
문장 완성

다음 우리말과 일치하도록 괄호 안에 주어진 말을 활용하여 문장을 완성하시오.

01 웃음은 심장을 위한 운동으로 여겨진다. (think of)

Laughter _____ as exercise for the heart.

02 새끼들은 수컷 펭귄들에 의해 보살핌을 받는다. (look after)

Their babies _____ male penguins.

03 너의 문제는 학교 상담교사에 의해 처리될 것이다. (deal with)

_____ the school counselor.

04 그의 제안은 그 코치에 의해 거절되었다. (proposal, turn down, coach)

_____ .

C
문장 전환

다음 문장을 수동태를 활용하여 같은 뜻의 문장으로 바꿔 쓰시오.

01 Many people look up to the politician.

→ _____

02 These pills took away the pain in my back.

→ _____

03 His classmates made fun of him.

→ _____

A
배열 영작

다음 우리말과 일치하도록 괄호 안에 주어진 말을 바르게 배열하시오.

01   그 비밀은 그들에게 알려져 있다. (is / the secret / to / known / them)

_____

02   나는 내 새 전화기가 마음에 들지 않는다. (my new phone / not / am / with / I / satisfied)

_____

03   그는 우리 마을에서 가장 부유한 사람 중 한 명으로 알려져 있다.
      (is / known / the richest men / he / as / in my town / one of)

_____

04   구조대는 20명의 대원으로 구성된다. (composed / twenty members / of / the rescue team / is)

_____

B
문장 완성

다음 우리말과 일치하도록 괄호 안에 주어진 말을 활용하여 문장을 완성하시오.

01   그 연극은 1938년에 공상 과학 쇼로 만들어졌다. (make)

      The play _____ a science fiction show in 1938.

02   이 가방은 재활용된 종이로 만들어진다. (make)

      _____ recycled paper.

03   매일 운동을 하는 게 지겨우세요? (tire)

      _____ doing exercise every day?

04   잔디가 눈으로 덮여있다. (the grass, cover)

      _____ .

C
조건 영작

다음 우리말과 일치하도록 〈보기〉에서 알맞은 말을 골라 적절한 전치사를 활용하여 문장을 완성하시오.

보기 ▶	fill	worry	know

01   Churchill은 전쟁 기간 동안 감명 깊은 연설로 유명하다.

      Churchill _____ his inspiring speeches during times of war.

02   많은 사람들이 요즘 경제에 대해 걱정한다.

      Many people _____ the economy these days.

03   지역 축제는 관광객들을 위한 행사로 가득하다.

      The local festival _____ events for tourists.

A
배열 영작

다음 우리말과 일치하도록 괄호 안에 주어진 말을 바르게 배열하시오.

01 David가 외출하자 비가 내리기 시작했다. (it / as / David / to rain / started / went out)

_____.

02 밤이 늦었기 때문에 우리는 집으로 갔다. (late at night / we / home / it / as / went / was)

_____.

03 내가 집에 도착했을 때 나는 내 개에게 달려갔다. (as / got home / I / my dog / I / ran to)

_____.

04 네가 도와줬기 때문에 나는 숙제를 일찍 끝냈다.
(helped / finished / as / you / me / my homework / early / I)

_____.

B
문장 완성

다음 우리말과 일치하도록 괄호 안에 주어진 말을 활용하여 문장을 완성하시오. (단, as를 사용할 것)

01 기술이 발전함에 따라 정보를 공유하는 것이 쉬워지고 있다. (technology, develop)

_____, it is getting easier to share information.

02 나는 탁자를 옮기며 바닥에서 10달러짜리 지폐를 발견했다. (move, the table)

_____, I found a ten-dollar bill on the floor.

03 Julie가 처음으로 말을 하자, 그녀의 부모는 기쁨에 가득 찼다. (speak, one's first words)

_____, her parents felt full of joy.

04 그녀는 근면하기 때문에 좋은 성적을 얻을 것이다. (get, a good grade, diligent)

_____.

C
조건 영작

다음 우리말과 일치하도록 〈보기〉에서 알맞은 말을 골라 괄호 안에 주어진 단어와 as를 활용하여 문장을 완성하시오.

보기 ▶	arrive	enter	get

01 날씨가 점점 추워짐에 따라 겨울 부츠가 잘 팔린다.

_____, winter boots sell well. (it, colder)

02 그녀가 공항에 도착했을 때 파파라치에 의해 둘러싸였다.

_____, she was surrounded by the paparazzi. (the airport)

03 내가 방으로 들어가자 언니가 책을 읽다가 쳐다보았다.

My sister looked up from her book _____. (the room)

A

배열 영작

다음 우리말과 일치하도록 괄호 안에 주어진 말을 바르게 배열하시오.

01 그는 친구들이 그의 생일을 잊어버려서 실망했다.
(he / forgot / was / his birthday / disappointed / since / his friends)

_____

02 나는 어려서부터 첼로를 매일 연습했다.
(have / the cello / I / since / was / every day / little / I / practiced)

_____

03 Cathy는 어렸을 적부터 뮤지컬에 관심이 있었다.
(has / since / was / interested in / Cathy / musicals / she / been / young)

_____

B

문장 완성

다음 우리말과 일치하도록 괄호 안에 주어진 말을 활용하여 문장을 완성하시오. (단, since를 사용할 것)

01 그 운동화가 비싸서 엄마는 내게 그것을 사주지 않았다. (the sneakers, expensive)

_____, my mom didn't buy them for me.

02 나는 고양이를 키운 이후로 전혀 외로움을 느낀 적이 없다. (get, a cat)

I have never felt lonely _____.

03 그들은 어린아이였을 때부터 서로 알고 지내왔다. (kids)

They have known each other _____.

04 Sean은 그의 팔을 다쳐서 농구를 할 수 없었다. (hurt, arm)

_____.

C

조건 영작

다음 우리말과 일치하도록 〈보기〉에서 알맞은 말을 골라 since를 활용하여 문장을 완성하시오.

보기 ▶	move	have	return

01 개미는 다리에 민감한 털이 있어서 아주 작은 터치도 감지할 수 있다.

_____ with sensitive hairs, it can sense the smallest touch.

02 그녀는 작년에 여기로 이사 온 이후로 규칙적으로 운동을 해 왔다.

She has exercised regularly _____.

03 그 책을 이미 반납해서 너에게 빌려줄 수가 없어.

_____, I can't lend it to you.

A
배열 영작

다음 우리말과 일치하도록 괄호 안에 주어진 말을 바르게 배열하시오.

01 그는 다섯 살밖에 되지 않았지만, 3개 국어를 구사한다.
(can speak / three languages / he / although / is / only five years old / he)

_____

02 그는 위험했지만 수영을 하러 갔다. (even though / it / swimming / was / he / went / dangerous)

_____

03 Jacob이 그녀보다 나이가 많지만 키가 더 작다.
(although / older than / Jacob / is / shorter / her / he / is)

_____

04 그들은 멀리 떨어져 살지만 사랑에 빠졌다. (they / live / far apart / even though / they / fell in love)

_____

B
문장 완성

다음 우리말과 일치하도록 괄호 안에 주어진 말을 활용하여 문장을 완성하시오.
(단, although/even though를 사용할 것)

01 내 자동차는 낡았지만 아직 잘 굴러간다. (old)

_____, it still runs well.

02 엄마는 시간이 거의 없었지만 훌륭한 식사를 만들었다. (have, little time)

Mom made a good meal _____.

03 그녀는 바쁘지만 가족과 더 많은 시간을 보내려고 노력한다. (busy)

She tries to spend more time with her family _____.

04 그는 치통이 있지만 치과에 가지 않았다. (a toothache, go to the dentist)

_____.

C
문장 전환

다음 문장과 의미가 같도록 although나 even though를 활용하여 한 문장으로 바꿔 쓰시오.
(단, 접속사를 문두에 사용할 것)

01 Spinach is healthly, but I don't like it.

→ _____

02 It was cloudy, but Nick was wearing sunglasses.

→ _____

03 She was a successful author, but she couldn't make a lot of money.

→ _____

A 다음 우리말과 일치하도록 괄호 안에 주어진 말을 바르게 배열하시오.

배열 영작

01 어떤 것도 후회하지 않도록 최선을 다해라. (won't regret / that / your best / anything / do / so / you)

_____

02 우리 부모님은 건강을 유지할 수 있도록 종종 등산을 한다.
(that / my parents / stay healthy / go hiking / so / can / they / often)

_____

03 그녀는 스파게티를 만들려고 재료를 준비했다.
(make / she / that / so / spaghetti / prepared / she / could / the ingredients)

_____

04 나는 신선한 공기를 좀 마시기 위해 창문을 열었다.
(so / some fresh air / opened / I / get / could / the windows / that / I)

_____

B 다음 우리말과 일치하도록 괄호 안에 주어진 말을 활용하여 문장을 완성하시오.
(단, 「so that ~」 구문을 사용할 것)

문장 완성

01 우리가 경기 전에 좀 더 연습할 수 있도록 5시에 만나자. (can, practice)
Let's meet at five _____ more before the match.

02 그녀는 자신의 얼굴을 가릴 수 있도록 야구 모자를 썼다. (could, hide)
She wore a baseball cap _____.

03 그들은 아무도 밖에 나가지 못하도록 문을 잠갔다. (no one, could, go outside)
They locked the door _____.

04 Paul은 새 노트북을 사려고 돈을 저축했다. (save, could, buy, a laptop)

_____

C 다음 〈보기〉에서 문맥상 가장 알맞은 것을 골라 괄호 안에 주어진 말과 「so that ~」 구문을 활용하여 문장을
완성하시오.

조건 영작

보기 ▶	get on the plane	mix well	watch her favorite show

01 We hurried _____. (could)

02 She turned on the TV _____. (could)

03 Stir the sauce constantly _____. (can)

A 다음 우리말과 일치하도록 괄호 안에 주어진 말을 바르게 배열하시오.

배열 영작

01 나는 너무 놀라서 바닥에 쓰러졌다. (so / on the floor / I / surprised / I / was / fell down / that)

_____

02 지하철이 너무 붐벼서 우리는 자리를 찾을 수 없다.
(that / the subway / so / a seat / is / we / crowded / find / can't)

_____

03 Roy는 무척 친절해서 모두가 그를 좋아한다. (so / is / him / everybody / Roy / nice / that / likes)

_____

04 날이 너무 추워서 호수가 얼었다. (the lake / so / was / cold / that / was frozen / it)

_____

B 다음 우리말과 일치하도록 괄호 안에 주어진 말을 활용하여 문장을 완성하시오.
(단, 「so … that ~」 구문을 사용할 것)

문장 완성

01 너희 엄마는 너무 젊어 보여서 네 언니처럼 보인다. (young, look like)
Your mom looks _____.

02 그 짐은 너무 무거워서 나는 그것을 들 수 없었다. (heavy, lift)
The baggage was _____ it.

03 그 호두 껍데기는 너무 딱딱해서 내가 깔 수 없었다. (hard, open)
The walnut shell was _____ it.

04 그녀는 너무 슬퍼서 아무것도 먹을 수 없었다. (sad, eat)

_____.

C 다음 문장에서 어법이나 의미가 <u>틀린</u> 부분을 찾아 바르게 고치시오.

오류 수정

01 This opportunity is good so that I don't want to miss it.

_____ → _____

02 The fog was so thick that he could drive.

_____ → _____

03 The road is so mud that we cannot walk fast.

_____ → _____

A
배열 영작

다음 우리말과 일치하도록 괄호 안에 주어진 말을 바르게 배열하시오.

01 문제는 그녀가 물을 무서워한다는 것이다. (is afraid of / the problem / that / water / she / is)

_____

02 곤란한 점은 그가 한국어를 이해하지 못한다는 것이다.
(he / that / Korean / the trouble / understand / is / can't)

_____

03 사실은 그녀가 꽃을 좋아하지 않는다는 것이다. (like / that / she / is / flowers / the fact / doesn't)

_____

04 요점은 우리가 그것을 살 충분한 돈이 없다는 것이다.
(don't have / we / to buy it / enough money / that / the point / is)

_____

B
문장 완성

다음 우리말과 일치하도록 괄호 안에 주어진 말을 활용하여 문장을 완성하시오.

01 사실은 전구가 그의 많은 발명품 중 하나였다는 것이다. (fact, the light bulb)

_____ one of his many inventions.

02 요점은 우리가 가장 좋은 아이디어를 선택해야 한다는 것이다. (point, should, choose)

_____ the best idea.

03 곤란한 점은 그들이 지금 음식이 없다는 것이다. (trouble, food)

_____.

04 문제는 그가 게으르다는 것이다. (problem, lazy)

_____.

C
문장 전환

다음 두 문장을 접속사 that을 활용하여 한 문장으로 바꿔 쓰시오.

01 I am satisfied with my life. + It is the point.

→ The point _____.

02 He had a car accident yesterday. + It is the bad news.

→ The bad news _____.

03 A toothbrush contains more than 10 million bacteria. + It is the truth.

→ The truth _____.

A

배열 영작

다음 우리말과 일치하도록 괄호 안에 주어진 말을 바르게 배열하시오.

01 나는 엄마가 화가 났는지 궁금하다. (my mom / angry / wonder / if / I / is)

_____

02 문제는 그가 제시간에 도착할 수 있느냐는 것이다. (the question / he / is / in time / if / can / arrive)

_____

03 내가 가스를 잠갔는지 기억이 안 나. (I / whether / turned off / I / don't / the gas / remember)

_____

04 그들이 중국어를 말하는지 내게 말해줄래? (you / speak / tell / can / Chinese / whether / they / me)

_____

B

문장 완성

다음 우리말과 일치하도록 괄호 안에 주어진 말을 활용하여 문장을 완성하시오.

01 나는 그 시장에서 카펫을 살 수 있는지 궁금하다. (buy, a carpet)

I wonder _____ at the market.

02 David 씨는 그 기계가 학습에 유용한지 알고 싶어 했다. (device, useful)

Mr. David wanted to know _____ for learning.

03 그 조사는 사람들에게 돈이 그들을 행복하게 할 수 있는지를 물었다. (make)

The survey asked people _____.

04 그는 그 계획이 실행될지 의심스러워한다. (doubt, will, work)

_____.

C

문장 전환

다음 두 문장을 if나 whether를 활용하여 한 문장으로 바꿔 쓰시오.

01 I want to know. + Can I meet him at eleven?

→ I want to know _____ or not.

02 We didn't hear. + Did he come back from his trip?

→ We didn't hear _____ or not.

03 Sam wondered. + Can he go to a good university?

→ Sam wondered _____ or not.

A
배열 영작

다음 우리말과 일치하도록 괄호 안에 주어진 말을 바르게 배열하시오.

01 내가 너라면 그저 최선을 다할 텐데. (just do / were / I / my best / I'd / if / you)

_____

02 여름에 눈이 내리면 나는 매우 행복할 텐데.
(it / be / during the summer / so happy / I / snowed / if / would)

_____

03 그가 그 사실을 알면 화가 날지도 모를 텐데. (angry / might / he / the truth / be / knew / if / he)

_____

04 달이 사라지면, 어떤 일이 일어날까? (what / the moon / happen / would / if / disappeared)

_____

B
문장 완성

다음 우리말과 일치하도록 괄호 안에 주어진 말을 활용하여 문장을 완성하시오.

01 하늘을 나는 양탄자가 있으면 나는 전 세계를 여행할 수 있을 텐데. (have, can, travel)

If I _____ a flying carpet, I _____ all over the world.

02 지구상에 물이 없다면, 우리는 생존할 수 없을 것이다. (no, can, survive)

If there _____ on Earth, we _____.

03 무인도에서 살아야 한다면, 너는 무엇을 가져갈래? (have to, live on, will, take)

_____ a desert island, _____?

04 내가 그 배우를 만난다면 그와 함께 사진을 찍을 텐데. (will, take a picture)

_____.

C
오류 수정

다음 문장에서 어법상 틀린 부분을 찾아 바르게 고쳐 쓰시오.

01 If I were a cat, I can play and sleep all day long.

_____ → _____

02 What would you do if you see a bear?

_____ → _____

03 If you could be any character in any movie, who will you want to be?

_____ → _____

A
배열 영작

다음 우리말과 일치하도록 괄호 안에 주어진 말을 바르게 배열하시오. (단, 조건절을 문두에 쓸 것)

01 네가 뛰었으면, 버스를 잡았을 텐데. (have / the bus / would / you / had / if / you / caught / run)

_____

02 표지판이 없었다면, 우리는 길을 잃었을 수도 있어.
(there / been / we / if / could / our way / lost / have / hadn't / a sign)

_____

03 내가 도서관에서 너를 보았더라면, 인사를 했을 텐데.
(have / seen / I / you / I / if / at the library / would / said / hello / had)

_____

04 우리가 일찍 떠났다면, 제시간에 도착했을 텐데.
(early / would / in time / we / if / left / arrived / we / had / have)

_____

B
문장 완성

다음 우리말과 일치하도록 괄호 안에 주어진 말을 활용하여 문장을 완성하시오.

01 그들이 나에게 충고를 하지 않았다면, 나는 실수를 했을지도 모른다. (give, might, make)
If they _____ me advice, I _____ a mistake.

02 우리가 조용히 했으면, 아기가 깨지 않았을 텐데. (will, wake up, be quiet)
The baby _____ if we _____ .

03 네가 그 경고를 무시하지 않았다면, 곤경에 처하지 않았을 텐데. (ignore, will, be)
If you _____ the warning, you _____ in trouble.

04 그녀가 그것을 온라인에서 샀다면, 할인을 받을 수 있었을 텐데. (buy, can, get a discount)

_____ .

C
문장 전환

다음 문장을 괄호 안에 주어진 조동사를 활용하여 가정법 문장으로 바꿔 쓰시오.

01 As he didn't drive more carefully, he had an accident. (would)
→ If _____ .

02 As she came late, she didn't meet him. (might)
→ If _____ .

03 We couldn't play baseball because it rained heavily. (could)
→ If _____ .

A
배열 영작

다음 우리말과 일치하도록 괄호 안에 주어진 말을 바르게 배열하시오.

01 모든 것이 괜찮아지면 좋을 텐데. (be / wish / okay / everything / would / I)

_____

02 지금 날씨가 화창하면 좋을 텐데. (sunny / I / now / it / were / wish)

_____

03 우리가 시간을 되돌릴 수 있으면 좋을 텐데. (could / time / I / wish / we / turn back)

_____

04 새 스마트폰이 있으면 좋을 텐데. (had / new smartphone / wish / I / I / a)

_____

B
문장 완성

다음 우리말과 일치하도록 괄호 안에 주어진 말을 활용하여 문장을 완성하시오.
(단, 「I wish+가정법」 구문을 사용할 것)

01 그녀를 다시 만날 기회가 있다면 좋을 텐데. (have)

_____ a chance to meet her again.

02 내 남자친구가 키가 좀 더 크면 좋을 텐데. (be)

_____ a little taller.

03 매일이 내 생일이면 좋을 텐데. (can, be)

_____ my birthday.

04 그들이 서로를 이해하면 좋을 텐데. (understand)

_____ .

C
문장 전환

다음 문장을 「I wish+가정법」 구문을 활용하여 바꿔 쓰시오.

01 I want to live in Paris, but I don't.

→ _____

02 I want to go camping with you, but I can't.

→ _____

03 I want to be good at sports, but I'm not.

→ _____

A

배열 영작

다음 우리말과 일치하도록 괄호 안에 주어진 말을 바르게 배열하시오.

01 그는 마치 부자인 것처럼 돈을 쓴다. (rich / spends / he / as / were / he / if / money)

_____

02 그녀는 남자친구가 있는 것처럼 말한다. (as / a boyfriend / had / she / if / she / talks)

_____

03 너는 가끔 네가 우리 엄마인 것처럼 군다. (you / my mom / as / if / sometimes / were / you / act)

_____

04 그들은 마치 친한 친구인 것처럼 보인다. (close friends / seem / they / if / were / as / they)

_____

B

문장 완성

다음 우리말과 일치하도록 괄호 안에 주어진 말을 활용하여 문장을 완성하시오.
(단, 「as if+가정법」 구문을 사용할 것)

01 그녀는 마치 머릿속에 모든 것이 있는 것처럼 행동한다. (act, have)

She acts _____ everything in her head.

02 그들은 대도시에 사는 것처럼 보인다. (seem, live)

_____ in a big city.

03 선생님께서 마치 그것이 중요한 것처럼 말씀하신다. (talk, important)

The teacher _____.

04 그녀는 지친 것처럼 보인다. (look, be exhausted)

_____.

C

문장 전환

다음 문장을 「as if+가정법」 구문을 활용하여 바꿔 쓰시오.

01 Ms. Knight is acting like she is a professor, but she is not a professor.

→ Ms. Knight is acting _____.

02 Judy talks she knows the famous singer, but she doesn't.

→ Judy talks _____.

03 Mark wears glasses, but he doesn't have poor eyesight.

→ Mark wears glasses _____.

Unit 08-05 It's time+(that)+주어+과거동사 ◀ 가정법

A
배열 영작

다음 우리말과 일치하도록 괄호 안에 주어진 말을 바르게 배열하시오.

01 우리가 더 노력할 때야. (harder / it's / tried / we / time)

_____

02 네 행동에 책임을 져야 할 때다. (it's / responsibility / time / took / you / for your actions)

_____

03 우리가 전공을 결정해야 할 때다. (decided on / it's / we / time / a major / that)

_____

04 내가 새 옷을 좀 살 때가 됐어. (some new clothes / that / time / bought / it's / I)

_____

B
문장 완성

다음 우리말과 일치하도록 괄호 안에 주어진 말을 활용하여 문장을 완성하시오.
(단, 「It's time (that) ~」 구문을 사용할 것)

01 네가 우리에게 진실을 말할 때가 됐다. (tell)

_____ us the truth.

02 우리가 프로젝트를 끝내야 할 때다. (complete)

_____ our project.

03 Larry가 집에 돌아올 때가 됐다. (come back)

_____ .

04 우리가 기차를 타야 할 때야. (take, the train)

_____ .

C
도표·그림

다음 그림을 보고, 괄호 안에 주어진 표현을 활용하여 유감이나 재촉을 표현하는 문장을 완성하시오.

01 (1) It's about time Emma _____ .
　　 (clean one's room)

　　 (2) It's time she _____ .
　　 (organize one's clothes)

02 (1) It's time Peter _____ .
　　 (stop, play computer games)

　　 (2) It's time he _____ .
　　 (start on one's homework)

A 다음 우리말과 일치하도록 괄호 안에 주어진 말을 바르게 배열하시오.

배열 영작

01 네가 신이라면 어떻게 하겠니? (God / if / you / what / you / would / do / were)

_____

02 비가 절대 그치지 않으면 어떻게 할 거야? (do / would / if / stopped / never / it / raining / what / you)

_____

03 과거로 여행할 수 있다면 어떻게 하겠니?
(to the past / what / you / if / would / you / travel / do / could)

_____

04 네가 노벨상을 받으면 어떻게 하겠니? (what / the Nobel Prize / you / would / you / do / won / if)

_____

B 다음 우리말과 일치하도록 괄호 안에 주어진 말을 활용하여 문장을 완성하시오.

문장 완성

01 컴퓨터가 없다면 너는 어떻게 하겠니? (there, be)

_____ no computers, what would you do?

02 네가 영원히 산다면 어떻게 하겠니? (live, forever)

What would you do _____?

03 외계인을 만나면 너는 어떻게 하겠니? (meet, aliens)

_____, what would you do?

04 기억을 잃으면 너는 어떻게 할 거니? (lose one's memory)

_____?

C 다음 B의 대답을 읽고, 괄호 안에 주어진 단어를 활용하여 가정법 질문을 완성하시오.

문장 전환

01 A: What would you do _____? (be, a teacher)

B: I would be good to all my students.

02 A: What would you do _____? (can, be, invisible)

B: I would fight crime.

03 A: What would you do _____ to you?
(someone, give, ten million dollars)

B: I'd help poor people.

A 다음 우리말과 일치하도록 괄호 안에 주어진 말을 바르게 배열하시오.

배열 영작

01 더 많이 공부할수록 더 많이 배운다. (you / learn / the / you / more / study / more / the)

_____

02 더 열심히 연습할수록 너는 노래를 더 잘 부르게 될 것이다.
(you'll / practice / harder / the / you / sing / better / the)

_____

03 일찍 일어날수록 더 많은 시간을 절약할 수 있다.
(get up / the / you / save / the / you / more / earlier / time / can)

_____

B 다음 우리말과 일치하도록 괄호 안에 주어진 말을 활용하여 문장을 완성하시오.

문장 완성

01 날이 더워질수록 더 많은 사람들이 반바지를 입는다. (warm, many)

_____ it gets, _____ people wear shorts.

02 적게 먹을수록 더 적은 에너지를 갖게 된다. (little, energy)

_____ you eat, _____ you have.

03 더 열심히 훈련할수록 그는 더 강해졌다. (hard, strong, become)

_____ he trained, _____.

04 많이 읽을수록 너는 더 많은 지식을 얻는다. (much, knowledge, get)

_____.

C 다음 우리말과 일치하도록 A, B에서 알맞은 말을 하나씩 골라 비교급을 활용하여 문장을 완성하시오.

조건 영작

A	little	much	easy	B	earn	sleep	learn

01 나는 신경을 많이 쓸수록 더 적게 잔다.

The more I care, _____.

02 더 어릴수록 너는 더 쉽게 언어를 배울 수 있다.

The younger you are, _____.

03 더 많은 돈을 벌수록 우리는 더 많은 돈을 원한다.

_____, the more money we want.

A
배열 영작

다음 우리말과 일치하도록 괄호 안에 주어진 말을 바르게 배열하시오.

01 대나무는 다른 어떤 식물보다 빨리 자란다. (other / faster / plant / any / than / grows / bamboo)

_____

02 알래스카주는 미국의 다른 어떤 주보다 넓다.
(wider / in America / state / Alaska / than / other / is / any)

_____

03 Bill은 반에서 다른 어떤 남자아이보다 똑똑하다.
(than / is / boy / in his class / Bill / other / any / smarter)

_____

04 인도네시아는 다른 어떤 나라보다 섬이 많다.
(other / than / more / Indonesia / country / any / islands / has)

_____

B
문장 완성

다음 우리말과 일치하도록 괄호 안에 주어진 말을 활용하여 문장을 완성하시오.
(단, 「비교급+than any other」 구문을 사용할 것)

01 제주도는 한국에서 다른 어떤 섬보다 크다. (big, island)

Jeju Island is _____ in Korea.

02 나는 우리 반의 다른 어떤 학생보다 친구가 많다. (many, friend)

I have _____ in my class.

03 과학은 그에게 다른 어떤 과목보다 흥미롭다. (interesting, subject)

Science is _____ for him.

04 스테이크는 이곳에서 다른 어떤 음식보다 비싸다. (steak, expensive, dish)

_____ here.

C
문장 전환

다음 문장을 「비교급+than any other」 구문을 활용하여 같은 뜻의 문장으로 바꿔 쓰시오.

01 Sudan is the biggest country in Africa.

→ _____

02 The Yangtze River is the longest river in China.

→ _____

03 American football is the most popular sport in the U.S.

→ _____

A
배열 영작

다음 우리말과 일치하도록 괄호 안에 주어진 말을 바르게 배열하시오.

01 다른 어떤 달도 2월보다 짧지 않다. (February / other / shorter / is / month / than / no)

_____

02 다른 어떤 선수도 Colin보다 잘하지 않는다. (than / is / player / other / no / Colin / better)

_____

03 어떤 사람도 우리 오빠보다 게으르지 않다. (no / my brother / is / lazier / person / than)

_____

04 아시아에서 다른 어떤 사막도 고비 사막보다 크지 않다.
(other / is / desert / larger / no / the Gobi Desert / in Asia / than)

_____

B
문장 완성

다음 우리말과 일치하도록 괄호 안에 주어진 말을 활용하여 문장을 완성하시오.
(단, 「No (other)+비교급+than」 구문을 사용할 것)

01 어떤 동물도 코끼리보다 코가 길지 않다. (animal, long)
_____ has a _____ nose than the elephant.

02 파리에서 다른 어떤 곳도 에펠탑보다 붐비지 않는다. (place, crowded)
_____ in Paris is _____ the Eiffel Tower.

03 세계에서 다른 어떤 호수도 바이칼 호수보다 깊지 않다. (lake, deep)
_____ in the world is _____ Lake Baikal.

04 어떤 디저트도 아이스크림보다 맛있지 않다. (dessert, delicious)

_____.

C
문장 전환

다음 문장을 「No (other)+비교급+than」 구문을 활용하여 같은 뜻의 문장으로 바꿔 쓰시오.

01 January is the coldest month in Korea.

→ _____

02 Cathy is the most diligent student in my class.

→ _____

03 Pastel is the most popular street food in Brazil.

→ _____

A
배열 영작

다음 우리말과 일치하도록 괄호 안에 주어진 말을 바르게 배열하시오.

01 이 앱은 내가 이제껏 사용해 본 것 중에서 가장 유용하다.
(I've / used / this app / most / is / useful / the / ever)

_____

02 그 호텔은 그가 이제껏 머물러 본 곳 중에서 가장 더럽다.
(ever / he / the / the hotel / has / dirtiest / is / stayed at)

_____

03 그것은 내가 이제껏 먹었던 것 중에서 최고의 피자이다. (best / is / ever / it / pizza / the / eaten / I've)

_____

04 〈인어공주〉는 그녀가 이제껏 읽어본 것 중에서 가장 슬픈 동화이다.
(saddest / she's / read / *The Little Mermaid* / fairy tale / ever / is / the)

_____

B
문장 완성

다음 우리말과 일치하도록 괄호 안에 주어진 말을 활용하여 문장을 완성하시오.

01 이 다리는 Alice가 이제껏 방문한 곳 중에서 가장 아름다운 다리이다. (beautiful, visit)

This bridge is _____ bridge Alice _____ .

02 〈겨울왕국〉은 내가 이제껏 본 것 중에서 가장 감동적인 영화이다. (touching, watch)

Frozen is _____ movie that I _____ .

03 이 대학교는 Mason이 이제껏 가본 곳 중 가장 넓은 캠퍼스를 가지고 있다. (large, be)

This university has _____ campus that Mason _____ to.

04 테니스는 내가 이제껏 배워본 것 중 가장 어려운 스포츠이다. (difficult, sport, learn)

_____ .

C
조건 영작

다음 우리말과 일치하도록 A, B에서 알맞은 말을 하나씩 골라 최상급 표현을 활용하여 문장을 완성하시오.

A	scary	bad	sweet	B	eat	hear	see

01 이 마카롱은 내가 이제껏 먹어본 것 중 가장 단 디저트이다.

This macaroon is _____ .

02 악어는 그가 이제껏 본 동물 중 가장 무서운 동물이었다.

The crocodile was _____ .

03 저것은 내가 이제껏 들어본 것 중 최악의 소식이다.

That is _____ .

A 다음 우리말과 일치하도록 괄호 안에 주어진 말을 바르게 배열하시오.

배열 영작

01 음악은 나를 정말로 행복하게 한다. (make / happy / music / does / me)

_____

02 나는 요거트 만드는 법을 확실히 안다. (how / make / yogurt / do / I / know / to)

_____

03 Steve는 Green 선생님께 이메일을 확실히 보냈다. (did / an email / Ms. Green / send / Steve / to)

_____

04 우리 아빠는 가족을 위해 요리하는 것을 정말로 즐긴다. (cooking / my dad / enjoy / for my family / does)

_____

B 다음 우리말과 일치하도록 괄호 안에 주어진 말을 활용하여 문장을 완성하시오. (단, do를 사용할 것)

문장 완성

01 너희 부모님께서 너를 정말로 걱정하셔. (care about)

Your parents _____.

02 수면 부족은 시험 결과에 확실히 영향을 미친다. (affect)

Lack of sleep _____ test results.

03 그들은 Alex가 정말로 실수했다고 생각한다. (think)

_____ that Alex made a mistake.

04 나는 어젯밤 너에게 확실히 문자를 보냈어. (text)

_____.

C 다음 우리말과 일치하도록 〈보기〉에서 알맞은 말을 골라 do를 사용하여 동사를 강조하는 문장을 완성하시오.

조건 영작

보기 ▶	agree with	look	hate

01 내 남동생은 정말로 책 읽는 것을 싫어한다.

_____ reading books.

02 우리는 너의 의견에 정말로 동의해.

_____ your opinion.

03 Chloe는 그 빨간 드레스를 입으니 정말로 예뻐 보였다.

_____ pretty in that red dress.

A 다음 우리말과 일치하도록 괄호 안에 주어진 말을 바르게 배열하시오.

배열 영작

01 우리를 성공으로 이끄는 것은 바로 자신감이다. (is / confidence / it / that / us / leads / success / to)

_____

02 내가 도서관에서 만난 것은 바로 James였다. (was / in the library / James / met / that / it / I)

_____

03 그녀가 이 편지를 쓴 것은 바로 어제였다. (it / yesterday / wrote / she / this letter / was / that)

_____

04 나를 밤새 깨어 있게 한 것은 바로 모기 한 마리였다.
(kept / that / all night / was / me / a mosquito / awake / it)

_____

_____

B 다음 우리말과 일치하도록 괄호 안에 주어진 말을 활용하여 문장을 완성하시오.

문장 완성   **(단, 「It … that」 강조구문을 사용할 것)**

01 자동차 사고를 유발한 것은 바로 휴대전화였다. (cause)
_____ the cell phone _____ the car accident.

02 내가 이 책을 발견한 것은 바로 한 헌책방에서였다. (discover)
_____ at a used bookstore _____ this book.

03 그녀가 면세점에서 산 것은 바로 시계였다. (a watch, buy)
_____ at the duty-free shop.

04 너를 가장 사랑하는 사람은 바로 너의 가족이다. (love)
_____ .

C 「It … that」 강조구문을 활용하여 다음 문장의 밑줄 친 부분을 강조하는 문장으로 바꿔 쓰시오.

문장 전환

01 Tom met Taylor on the weekend.

→ _____

02 I respect my parents most in the world.

→ _____

03 I met my old friend by chance at the airport.

→ _____

A
배열 영작

다음 우리말과 일치하도록 괄호 안에 주어진 말을 바르게 배열하시오.

01 나는 한 번도 낚시하러 가본 적이 없다. (tried / never / going fishing / I / have)

_____

02 그녀는 좀처럼 학교에 걸어가지 않는다. (does / walk / she / seldom / school / to)

_____

03 나는 그녀가 근처에 사는 것을 전혀 알지 못했다. (that / little / she / did / lives / I / nearby / know)

_____

04 그 소식을 듣자마자 그는 울기 시작했다.
(the news / heard / than / had / he / began / to cry / he / no sooner)

_____

B
문장 완성

다음 우리말과 일치하도록 괄호 안에 주어진 말을 활용하여 문장을 완성하시오. (단, 부정어구를 강조할 것)

01 그는 친구가 전학을 간다는 것을 좀처럼 믿을 수 없다. (hardly, can, believe)

_____ that his friend is going to move to another school.

02 그녀는 수영선수가 될 줄은 꿈도 꾸지 못했다. (little, dream)

_____ of becoming a swimmer.

03 그는 아침에 좀처럼 버스를 타지 않는다. (rarely, take a bus)

_____ in the morning.

04 나는 무지개를 한 번도 본 적이 없다. (never, see, a rainbow)

_____.

C
문장 전환

다음 문장을 부정어구를 강조하는 문장으로 바꿔 쓰시오.

01 She has never visited New York.

→ _____

02 It rarely snows in April.

→ _____

03 He had no sooner hung up the phone than the doorbell rang.

→ _____

A 배열 영작

다음 우리말과 일치하도록 괄호 안에 주어진 말을 바르게 배열하시오.

01 우리 중 누구도 프랑스어를 말할 수 없다. (us / can / none / French / of / speak)

_____

02 그가 항상 현명한 결정을 하는 것은 아니다. (always / he / doesn't / wise decisions / make)

_____

03 모든 사람이 동일한 속도로 배우는 것은 아니다. (not / people / all / at the same speed / learn)

_____

04 이곳에 있는 어떤 책도 살 수 없다. (no / available / books / for purchase / are / here)

_____

B 문장 완성

다음 우리말과 일치하도록 괄호 안에 주어진 말을 활용하여 문장을 완성하시오.

01 인터넷에 있는 정보가 항상 옳은 것은 아니다. (always, right)

Information on the internet _____ .

02 우리 둘 중 누구도 현금을 전혀 가지고 있지 않았다. (neither, have)

_____ any cash.

03 그녀는 자신의 실수에 대해 절대로 사과하지 않는다. (never, apologize)

_____ for her mistakes.

04 모든 여자아이들이 그 남자 아이돌 그룹을 좋아하는 것은 아니다. (every, like, the boy band)

_____ .

C 문장 전환

다음 두 문장과 의미가 같도록 괄호 안에 주어진 말을 활용하여 한 문장으로 바꿔 쓰시오.

01 Many students take part in the school festival. + But some students don't.

→ _____ the school festival. (not, all)

02 This scarf didn't look good on you. + That scarf didn't look good on you, either.

→ _____ good on you. (neither)

03 The comedy show is funny. + But sometimes it isn't.

→ The comedy show _____ . (always)

MEMO

쓰작 ^{중학}^{영어} 시리즈

중학 내신
서술형 완벽대비

- 중학 교과서 진도 맞춤형 내신 서술형 대비
- **한 페이지로 끝내는 핵심 영문법 포인트별 정리+문제 풀이**
- 효과적인 **3단계 쓰기 훈련**: 순서 배열 → 빈칸 완성 → 내신 기출
- 서술형 만점을 위한 **오답&감점 피하기 솔루션** 제공
- **최신 서술형 유형 100% 반영**된 <내신 서술형 잡기> 챕터별 수록
- 서술형 추가 연습을 위한 **워크북 제공**

부가자료 다운로드
www.cedubook.com

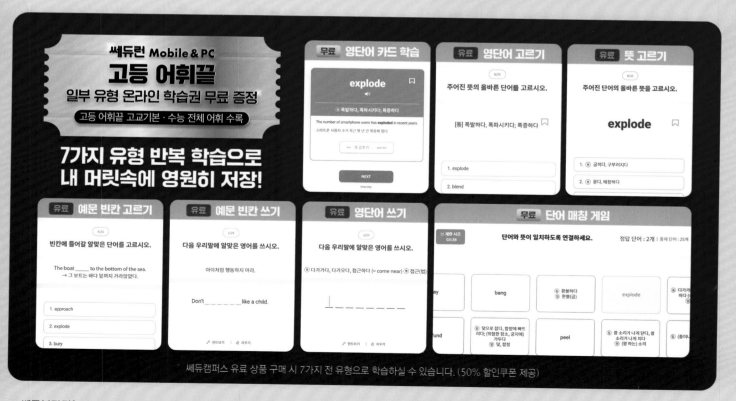

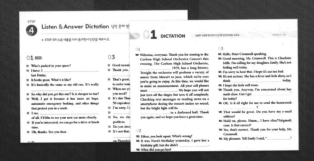

쎄듀
본영어

\<쎄듀 종합영어\> 개정판

고등영어의
근本을
바로 세운다!

◈ 문법편

1 내신·수능 대비 문법/어법

2 올바른 해석을 위한 독해 문법

3 내신·수능 빈출 포인트 수록

4 서술형 문제 강화

◈ 문법적용편

1 문법편에서 학습한 내용을
   문법/어법 문제에 적용하여 완벽 체화

2 내신·서술형·수능으로 이어지는
   체계적인 3단계 구성

◈ 독해적용편

1 문법편에서 학습한 내용을
   독해 문제에 적용하여 독해력 완성

2 대의 파악을 위한 수능 유형과 지문 전체를
   리뷰하는 내신 유형의 이원화된 구성

쎄듀북닷컴(www.cedubook.com)에서 부가 자료를 무료로 다운로드할 수 있습니다.

쎄듀

중학 서술형이

만만해지는 문장연습

중학 영어

쓰기 + 작문

쓰작

3

정답 및 해설

쎄듀

중학
영어

쓰작

쓰기 + 작문

3

정답 및 해설

Unit 01   시제와 조동사

01-01   현재완료 긍정문   p. 16

A 배열 영작

01 I have known Hailey for a long time.

02 She has had a meal on water before.

03 The flight has already taken off from Boston.

B 문장 완성

01 have enjoyed eating tomatoes since 1820

02 He has not[hasn't] finished the homework yet

03 I have watched the movie three times

> **내신 기출**
>
> ① Aiden has played soccer for 9 years.
> Aiden은 9년 동안 축구를 해왔다.
> ② He has just become the captain of his team.
> 그는 팀에서 막 주장이 되었다.
> ③ Surprisingly, he has scored 23 goals since last year.
> 놀랍게도 그는 작년 이후로 23골을 넣었다.
>
> 🎯 **감점 피하기**
> ① Clara moved to LA last year.
> Clara는 작년에 LA로 이사했다.
> ② She has lived there since then.
> 그녀는 그 이후로 그곳에 살고 있다.

01-02   현재완료 부정문/의문문   p. 17

A 배열 영작

01 Has Jeff lost his smartphone?

02 I have never told anyone about my dream.

03 How have you been recently?

B 문장 완성

01 Have you ever had a big fight

02 has never written about her family

03 Have you tried bulgogi before

> **내신 기출**
>
> 01 A: Have you ever played squash?
> 스쿼시를 쳐본 적이 있니?
> B: No, but I have always wanted to try it.
> 아니, 하지만 나는 항상 그것을 쳐보고 싶었어.
> 02 A: Have you ever met the man before?
> 너 전에 그 남자를 만난 적이 있니?
> B: Yes, I have met him.
> 응, 그를 만난 적 있어.

03 A: Mom, where have you been?
엄마, 어디에 다녀오셨어요?
B: I have just been out to the supermarket.
막 슈퍼마켓에 다녀왔단다.

01-03   현재완료 진행형   p. 18

A 배열 영작

01 She has been learning tennis for two years.

02 Peter hasn't been sleeping well lately.

03 Has it been raining since last night?

B 문장 완성

01 I have[I've] been waiting for the bus

02 have you been playing the guitar

03 Judy has been watching TV for two hours

> **내신 기출**
>
> 01 It has[It's] been snowing since last Friday.
> 지난 금요일 이후로 계속 눈이 내리고 있다.
> 02 They have[They've] been playing the board game for three hours.
> 그들은 3시간째 보드게임을 하고 있다.
> 03 Greg has been working at the bank since January.
> Greg은 1월 이후로 은행에서 일하고 있다.

01-04   과거완료 긍정문/부정문   p. 19

A 배열 영작

01 The train had already left before you arrived here.
[Before you arrived here, the train had already left.]

02 He was late for school because he had missed the bus.
[Because he had missed the bus, he was late for school.]

B 문장 완성

01 We had[We'd] lived[We lived] in Seoul

02 had already arrived when I came in

03 After I had gone to bed, an earthquake hit
[An earthquake hit after I had gone to bed]

> **내신 기출**
>
> 01 didn't have talked → hadn't talked[didn't talk]
> 우리는 만나기 전에 전화로 얘기해 본 적이 없었다.
> 해설   과거에 일어난 일보다 먼저 일어난 일을 나타내므로 과거완료 부정문인 「had not+p.p.」의 형태로 쓴다. 시간의 순서를 분명하게 나타내는 접속사 before가 있으므로 과거완료 대신 과거시제도 쓸 수 있다.
> 02 has → had
> 그는 그 자동차 회사가 벌금을 냈다는 뉴스를 보도했다.
> 해설   뉴스를 보도한 것보다 벌금을 낸 것이 먼저 일어난 일이므로 과거완료 긍정문인 「had+p.p.」의 형태로 쓴다.
> 03 hasn't fixed → hadn't fixed[didn't fix]
> Mason이 아직 내 자전거를 고치지 않아서 나는 그것을 탈 수 없었다.

01-05 cannot+have+p.p. p. 20

A 배열 영작

01 It cannot have been true.

02 Beth cannot have stolen your idea.

03 Amy cannot have seen me at the library.

B 문장 완성

01 Emma cannot[can't] have cheated

02 They cannot[can't] have known each other

03 James cannot[can't] have been a chef

내신 기출

A: Did you hear that Kathy left for Ottawa last week?

Kathy가 지난주에 오타와로 떠났다는 것 들었니?

B: Really? Where did you hear that? ① Kathy cannot [can't] have left without saying goodbye!

정말? 어디서 들었어? Kathy가 작별 인사도 없이 떠났을 리가 없어!

A: Her sister told me she left last Tuesday.

그 애 언니가 지난 화요일에 그녀가 떠났다고 내게 말했어.

B: I've texted her many times. ② She cannot[can't] have forgotten me!

내가 그녀에게 여러 번 문자를 보냈는데, 그녀가 나를 잊었을 리가 없어!

01-06 may+have+p.p. p. 21

A 배열 영작

01 You may have bought a stolen phone.

02 It may not have been a joke.

03 They may have canceled the contract.

B 문장 완성

01 I may have hurt your feelings

02 Steve may not have been the real winner

03 She may not have worried about the mistake at school

내신 기출

01 may not have gotten on

02 may have moved

03 may have been true

01-07 must+have+p.p. p. 22

A 배열 영작

01 The players must have been nervous.

02 She must not have taken the train.

03 Jake must have caught a cold.

B 문장 완성

01 They must have had a good time

02 It must have rained hard last night

03 Mike must not[mustn't] have been at home yesterday

내신 기출

Janis bought those shoes. She told me they were uncomfortable.

Janis는 저 신발을 구입했다. 그녀는 내게 그것이 불편하다고 말했다.

① She must have regretted buying them.

그녀는 그것들을 구입한 것을 후회했음에 틀림없다.

The necklace looks great, and it seems like real gold.

그 목걸이는 아주 좋아 보이고, 진짜 금처럼 보인다.

② It must have been made from real gold.

그것은 진짜 금으로 만들어졌음에 틀림없다.

01-08 should+have+p.p. p. 23

A 배열 영작

01 I should have studied harder.

02 You should not have made such mistakes.

03 We should have played better last time.

B 문장 완성

01 He should have paid more attention to

02 I should not[shouldn't] have made

03 You should not[shouldn't] have bought the used bike

내신 기출

01 I should not[shouldn't] have spent all my money shopping.

나는 쇼핑에 내 돈을 모두 쓰지 말았어야 했다.

02 I think that I should have tried to visit new places.

나는 새로운 곳을 방문할 시도를 했어야 했다고 생각한다.

03 I should have eaten healthy food and worked out.

나는 건강에 좋은 음식을 먹고 운동을 했어야 했다.

01-09 would rather A than B p. 24

A 배열 영작

01 I would rather walk than take a bus.

02 He would rather not answer the question.

03 I would rather sleep than watch TV.

B 문장 완성

01 would rather keep silent than tell a lie

02 would rather not sell the old furniture

03 I would[I'd] rather exercise than skip dinner

01 A: Did you see Emma's new bag? Really cool! I want to have one, too.
　　너는 Emma의 새 가방을 봤니? 정말 멋지더라! 나도 하나 갖고 싶어.

　　B: Well, I would[I'd] rather go abroad than buy a bag.
　　글쎄, 나는 가방을 사느니 차라리 해외에 가는 게 낫겠어.

02 A: Dan is too boring. I would[I'd] rather stay home than meet him.
　　Dan은 너무 지루해. 나는 그를 만나느니 차라리 집에 머무는 게 낫겠어.

　　B: Really? Dan is a nice guy. Everyone likes him.
　　정말? Dan은 멋진 애야. 모든 사람이 그 애를 좋아해.

03 A: Will you take the subway today?
　　너 오늘 지하철 탈거니?

　　B: I'm late, so I would[I'd] rather take a taxi than take the subway.
　　나는 늦어서 지하철 대신 차라리 택시를 타는 게 낫겠어.

01-10 used to
p. 25

A 배열 영작

01 The gallery used to be a train station.

02 There used to be an apple tree in the backyard.

03 We used to hang out more often.

B 문장 완성

01 Peter used to have acne

02 He used to[would] go fishing

03 My grandmother used to be a nurse

① There used to be a pancake house in my town.
우리 동네에는 팬케이크 가게가 있었다.

② I used to[would] go there with my family.
나는 가족들과 그곳에 가곤 했다.

③ We used to[would] spend a lot of time there.
우리는 그곳에서 많은 시간을 보내곤 했다.

Sadly, the pancake house has closed.
슬프게도, 그 팬케이크 가게는 문을 닫았다.

I miss those happy moments sometimes.
나는 그런 행복한 추억이 가끔 그립다.

감점 피하기

He used to[would] cook fish

Unit **01~10**

Step 1 기본 다지기 p. 26

| 배열 영작 |

01 Haenyeo have become the symbol of Jeju Island.

02 Have you ever had Spanish food before?

03 Jake has been sleeping all afternoon.

04 They thought I had already arrived.

05 She cannot have missed the train.

06 Mason may have made a big mistake.

07 She must not have heard me correctly.

08 Alice used to have long blonde hair.

| 빈칸 완성 |

09 has, come back

10 haven't been

11 hadn't broken

12 cannot[can't] have missed

13 must have left

14 shouldn't have driven

15 would rather sleep than play

16 used to be a park

| 오류 수정 |

17 hear → heard

18 didn't have → haven't

19 learned[has been learned] → learning[has learned]

20 has → had

21 know → have known

22 regret → have regretted

23 shouldn't → should

24 not rather → rather not

25 am used to praying → used to pray

17 해설 '~한 적이 있다'의 의미는 현재완료의 경험 용법에 해당하므로 「have[has]+p.p.」로 쓴다.

18 해설 현재완료의 부정문은 「have not[haven't]+p.p.」로 쓴다.

19 해설 3년째 계속 해오고 있는 일이므로 현재완료 진행형인 「have[has] been -ing」 또는 현재완료형 「have[has]+p.p.」로 쓴다.

20 해설 배가 고프지 않은 것보다 피자를 먹은 것이 먼저 일어난 일이므로 과거완료(had+p.p.)로 쓴다.

21 해설 '과거에 ~했을 리가 없다'의 의미이므로 「cannot[can't] have p.p.」로 쓴다.

22 해설 '과거에 ~했음에 틀림없다'의 의미이므로 「must have p.p.」로 쓴다.

23 해설 '과거에 ~했어야 했다'의 의미이므로 「should have p.p.」로 쓴다.

24 해설 '~하지 않는 게 낫겠다'의 의미를 나타내는 would rather의 부정은 「would rather not+동사원형」으로 쓴다.

25 해설 '과거에 ~하곤 했다'의 의미이므로 「used to+동사원형」으로 쓴다.

| 문장 완성 |

26 have already read
27 Have you ever seen
28 destroyed, had built
29 has been raining[has rained]
30 may have gone
31 cannot[can't] have gone to bed
32 must not[mustn't] have brushed
33 used to be a fountain
34 would rather sing than dance

| 문장 전환 |

35 Has the lawyer gone back to his country?
36 Steve has not[hasn't, has never] tried raw fish before.
37 has been reading a newspaper
38 I should not[shouldn't] have stayed up late last night.
39 I would[I'd] rather not attend the meeting.

| 대화 완성 |

40 Has, gone, have been waiting
41 had lived, moved
42 may[must] have eaten, cannot[can't, mustn't] have eaten
43 should have watered
44 would rather go, than skip, used to go

35 **해석** 그 변호사는 자신의 나라로 돌아갔나요?
36 **해석** Steve는 전에 생선회를 먹어본 적이 (전혀) 없다.
37 **해석** 우리 아빠는 한 시간 동안 신문을 읽고 계신다.
38 **해석** 나는 어젯밤에 늦게까지 깨어 있지 말아야 했다.
39 **해석** 나는 그 회의에 참석하지 않는 게 낫겠다.
40 **해석** A: 스쿨버스가 이미 떠났니?
     B: 아니, 나는 그것을 15분 째 기다리고 있어.
41 **해석** A: 너는 LA에 가본 적 있니?
     B: 물론이지. 나는 아이오와에 이사 오기 전에 LA에 살았었어.
42 **해석** A: 네가 탁자 위에 있던 복숭아를 먹었니?
     B: 아니. Peter가 그것을 먹었을지도 몰라(먹은 것이 틀림없어).
     A: 난 그렇게 생각하지 않아. 그가 그것을 먹었을 리가 없어(먹지 않았음에 틀림없어). 그는 복숭아 알레르기가 있거든.
43 **해석** A: 봐! 나뭇잎들이 떨어졌어.
     B: 너는 더 자주 그 식물에 물을 줬어야 했어.
     A: 네 말이 맞아. 내가 그것을 잘 돌보지 못했어.
44 **해석** A: 나는 살을 좀 뺄 필요가 있어. 저녁을 굶자.
     B: 흠. 나라면 저녁을 굶느니 차라리 체육관에 가겠어.
     A: 나는 전에 매일 체육관에 가곤 했어. 하지만 그건 너무 힘들었어.

45 (1) has been reading[has read] a book for an hour
    (2) has not[hasn't] eaten his sandwich yet
46 had already gone to bed, came home at 11 o'clock

47 Peter and Alice have been playing badminton for two hours
48 cannot[can't, mustn't] have been
49 should have brought my umbrella
50 (1) There used to be
    (2) used to play

45

시각	해야 할 일
오전 10~11시	책 읽기
오후 1시	샌드위치 먹기

해석 (1) Jake는 1시간째 책을 읽고 있다(1시간 동안 책을 읽었다).
     (2) Jake는 아직 자신의 샌드위치를 먹지 않았다.
해설 (1) 1시간째 계속 하고 있는 일이므로 현재완료 진행형 또는 현재완료형으로 쓴다.
     (2) 아직 완료하지 않은 일이므로 현재완료 부정문으로 쓴다.
46 **해석** 나는 우리 아빠가 11시에 집에 오셨을 때 이미 잠자리에 들어 있었다.
해설 아빠가 집에 들어온 것보다 내가 잠자리에 든 것이 먼저 일어난 일이므로 과거완료 시제로 쓴다.
47 **해석** A: Peter와 Alice는 배드민턴을 치고 있니?
     B: 응, 그래.
     A: 그들은 언제 배드민턴을 치기 시작했니?
     B: 2시간 전에 치기 시작했어.
해설 현재완료 진행형인 「주어+have[has]+been+동사원형+-ing」 형태로 쓴다. 이때, 주어가 복수형 Peter and Alice이므로 have를 쓴다.
48 **해석** A: 오늘 아침에 Mike가 공원에서 달리고 있는 것을 봤어.
     B: Mike였을 리가 없어(Mike가 아니었음에 틀림없어). 그는 뉴욕으로 떠났거든.
해설 '~였을 리가 없다'라는 의미의 「cannot[can't] have p.p.」 또는 '~이 아니었음에 틀림없다'라는 의미의 「must not[mustn't] have p.p.」로 쓴다.
49 **해석** 아침에 무척 날이 흐렸다. 엄마가 내게 우산을 가져가라고 말했지만 나는 가져가지 않았다. 오후에 폭우가 내렸다. 나는 우산을 가져갔어야 했다.
해설 '~했어야 했다'의 의미로 과거에 하지 않은 일에 대한 후회를 나타내므로 「should have p.p.」로 쓴다.
50 **해설** '과거에 ~하곤 했다' 또는 '~이 있었다'라는 의미는 「used to+동사원형」으로 쓴다.

Unit 02   부정사

02-01   to부정사의 용법(명사/형용사/부사)   p. 30

A 배열 영작

01 I got a chance to see the Northern Lights.
02 Some scientists met to discuss the matter.
03 The project was to do a wall painting.

B 문장 완성

01 to save the animals
02 Lindsay was so excited to see
03 I need someone to talk with

A 배열 영작

01 I believe it necessary to respect myself.

02 The machine makes it easy to clean the house.

03 Sally thinks it difficult to believe the man.

B 문장 완성

01 I find it important to say

02 consider it important to recycle

03 They think it wrong to tell lies

내신 기출

01 thinks it better to give

02 made it a rule to read

03 found it useless to say

A 배열 영작

01 He watched the girl whisper something.

02 Ethan felt the floor shake.

03 Josh heard them talking about Ben.

B 문장 완성

01 listen to him play[playing] the guitar

02 saw someone sneak[sneaking]

03 I looked at you get[getting] off the bus

내신 기출

01 We saw a dog run[running] after a cat.
우리는 개가 고양이를 쫓아 달리는(달리고 있는) 것을 봤다.

02 They heard the sirens go[going] off for about 3 minutes.
그들은 사이렌이 약 3분 동안 울리는(울리고 있는) 것을 들었다.

03 Alex felt something touch[touching] his shoulder.
Alex는 무언가가 그의 어깨에 닿는(닿고 있는) 것을 느꼈다.

A 배열 영작

01 She lets her dog sleep on her bed.

02 The teacher made the students line up.

03 He had his house designed by experts.

B 문장 완성

01 Beth let me stay

02 The teacher had his students take part in

03 Jessie made me clean up my room

내신 기출

01 to encourage students

02 practiced hard to pass

03 many friends to help you

02-02　It(가주어) ~ to부정사　p. 31

A 배열 영작

01 It is unusual to have snow in April.

02 It is dangerous to play in the street.

03 It is good to work as a team.

B 문장 완성

01 It is[It's] important to live

02 It was difficult to tell

03 It is[It's] hard to exercise every day

내신 기출

01 It is[It's] healthy to donate blood regularly.
정기적으로 헌혈을 하는 것은 건강에 좋다.

02 It is[It's] necessary to prevent water pollution.
수질 오염을 막는 것이 필요하다.

03 It is[It's] dangerous to drive a car on an icy road.
빙판길에서 운전하는 것은 위험하다.

02-03　to부정사의 의미상 주어　p. 32

A 배열 영작

01 It was impossible for him to catch any fish.

02 It is nice of you to help me.

03 It is boring for me to watch soccer.

B 문장 완성

01 It was difficult for us to choose

02 It is[It's] careless of her to break

03 It is[It's] kind of you to invite us

내신 기출

01 It is[It's] necessary for you to help your parents.
네가 너의 부모님을 돕는 것이 필요하다.

02 It is[It's] foolish of him to make the same mistake twice.
같은 실수를 두 번 하다니 그는 어리석다.

03 It can be dangerous for people to eat raw fish.
사람들이 생선회를 먹는 것은 위험할 수 있다.

감점 피하기

It is[It's] generous of him to help the poor.
가난한 사람들을 도와주다니 그는 관대하구나.

02-07　help/get+목적어+목적격 보어　p. 36

A 배열 영작

01 Mom got me to feed the fish.
02 Peter helped the old man take the elevator.
03 She got him to fix her computer.

B 문장 완성

01 got her to cut
02 help me (to) move this table
03 Vitamin C helps you (to) stay healthy

01 picking → to pick
　그 가수는 매니저가 그를 데리러 오게 했다.
　해설　get의 목적격 보어로 to부정사가 오므로 picking을 to pick으로 고쳐 쓴다.

02 take → to take
　Lisa는 자신의 아들이 쓰레기를 내다 버리도록 시켰다.
　해설　get의 목적격 보어로 to부정사가 오므로 take out을 to take out으로 고쳐 쓴다.

03 speaking → (to) speak
　그 선생님은 내가 영어를 더 잘 말할 수 있도록 도왔다.
　해설　help의 목적격 보어로 동사원형이나 to부정사가 오므로 speaking을 speak 또는 to speak로 고쳐 쓴다.

02-08　의문사+to부정사　p. 37

A 배열 영작

01 Let me know where to get off.
02 She told me when to water the plants.
03 He found out where to buy the book.

B 문장 완성

01 how to play
02 I do not[don't] know what to buy
03 She decided who(m) to blame

01 A: Which shop will you buy the boots from?
　　너는 어느 상점에서 그 부츠를 살 거니?
　B: I'm not sure. I still haven't decided where to buy them.
　　잘 모르겠어. 아직 그것을 어디에서 사야 할지 결정하지 못했어.

02 A: What a noise! What is the little boy doing over there?
　　정말 시끄럽네! 어린 남자아이가 저쪽에서 뭘 하고 있니?
　B: His parents should teach him how to behave in public places.
　　그의 부모는 공공장소에서 그가 어떻게 행동해야 하는지 가르쳐야 해.

03 A: What do you do when you get in trouble?
　　너는 곤란에 처할 때 무엇을 하니?
　B: I ask my family for advice. They tell me what to do.
　　나는 가족에게 조언을 구해. 그들은 나에게 무엇을 해야 할지 말해줘.

02-09　too … to부정사　p. 38

A 배열 영작

01 The device was too big to use.
02 She was too afraid to try skydiving.
03 This book is too difficult for me to understand.

B 문장 완성

01 too heavy for him to lift
02 too young to vote
03 This shirt is too small for Jason to wear

01 The news is too good to be true.
　그 소식은 너무 좋아서 사실일 리가 없다.
02 Bora is too sick to go camping with her friends.
　보라는 너무 아파서 친구들과 캠핑을 하러 갈 수 없다.
03 The necklace was too expensive for me to buy.
　그 목걸이는 너무 비싸서 내가 살 수 없었다.

감점 피하기

The pants are too long for him to wear.
그 바지는 너무 길어서 그가 입을 수 없다.

02-10　… enough to부정사　p. 39

A 배열 영작

01 You're young enough to change the world.
02 He is rich enough to have a private jet.
03 Chris is nice enough to help his friends.

B 문장 완성

01 large enough to hold
02 Angela is smart enough to solve
03 You are[You're] not old enough to drink coffee

01 The dog barked loudly enough to wake me up.
　그 개가 나를 깨울 만큼 충분히 시끄럽게 짖었다.

02 It was warm enough for us to go on a picnic.
우리가 소풍을 갈 만큼 충분히 날씨가 따뜻했다.

03 The couch is comfortable enough for me to fall asleep on it.
그 소파는 내가 그 위에서 잠들 만큼 충분히 편안하다.

02-11 seem to부정사
p. 40

A 배열 영작
01 The man seems to be an actor.
02 They seemed to have lots of free time.
03 She seems to enjoy an active lifestyle.

B 문장 완성
01 seemed to hate herself
02 Amy seems to be disappointed
03 Kevin seemed to like the hip-hop music

내신 기출
01 Mr. Wilson seems to enjoy his job.
Wilson 씨는 자신의 일을 즐기는 것 같다.

02 The play seemed to be long and boring.
그 연극은 길고 지루했던 것 같았다.

03 Sophia seems to have a great time with her friends.
Sophia는 친구들과 무척 즐거운 시간을 보내는 것 같다.

02-12 It takes … to부정사
p. 41

A 배열 영작
01 It takes three days to get a passport.
02 It takes effort to be happy.
03 It took her 5 hours to make the dress.

B 문장 완성
01 It took a lot of money to build
02 does it take to get to
03 It took them three weeks to paint the wall

내신 기출
01 It will[It'll] take her a lot of effort to lose weight.
그녀가 살을 빼는 데 많은 노력이 들 것이다.

02 It took him the whole morning to clean the house.
그가 그 집을 청소하는 데 오전 내내 걸렸다.

03 It will[It'll] take us a lot of money to travel to Brazil.
우리가 브라질을 여행하는 데는 많은 돈이 들 것이다.

| Step 1 | 기본 다지기 | p. 42 |

| 배열 영작 |
01 He wants to become a farmer.
02 It is important to experience other cultures.
03 It was not easy for her to solve the problem.
04 He thinks it boring to live without a smartphone.
05 I saw my mom come into my room.
06 My interest in music made me join the club.
07 We discussed how to save energy.
08 Jason is talented enough to be an artist.
09 It takes me no effort to finish my homework.

| 빈칸 완성 |
10 chance to think
11 for us to find
12 heard students cheer[cheering]
13 me to walk
14 where to catch
15 too late for me to learn
16 kind enough to help
17 seems to be happy
18 took me five months to read

| 오류 수정 |
19 see → to see
20 This → It
21 for → of
22 drink → to drink
23 to walk → walk[walking]
24 wash → washed
25 listen → to listen
26 to buy how → how to buy
27 early too → too early
28 enough hard → hard enough
29 resting → to rest
30 text → to text

---

19 해설 '~하기 위해'의 의미로 목적을 나타내는 부사적 용법의 to부정사로 써야 한다.

20 해설 진주어인 to부정사구가 문장 뒤에 있으므로 문장 맨 앞에 This가 아닌 가주어 It을 써야 한다.

21 해설 사람의 성품이나 특징을 나타내는 형용사인 careless가 쓰였으므로 의미상 주어를 「of+목적격」으로 쓴다.

22 해설 가목적어 it이 쓰였으므로 진목적어를 to부정사 형태(to drink ~)로 써야 한다.

23 해설 지각동사의 목적격 보어는 동사원형이나 현재분사를 쓴다.

24 해설 목적어와 목적격 보어의 관계가 수동이므로 목적격 보어를 과거분사(p.p.)로 써야 한다.

25 해설 get의 목적격 보어는 to부정사 형태로 써야 한다.

26 **해설** '어떻게 ~하는지[~하는 방법]'의 의미는 「how+to부정사」의 형태로 써서 나타낸다.

27 **해설** '너무 ~해서 …할 수 없는'의 의미는 「too+형용사/부사+to부정사」의 형태로 써서 나타낸다.

28 **해설** '~할 만큼 충분히 …하게'의 의미는 「부사+enough+to부정사」의 형태로 써서 나타낸다.

29 **해설** '~인 것 같다, ~처럼 보이다'의 의미는 「seem+to부정사」의 형태로 써서 나타낸다.

30 **해설** '~하는 데 …의 시간/돈/노력이 든다'의 의미는 「It takes+시간/돈/노력+to부정사」의 형태로 써서 나타낸다.

Step 2 응용하기   p. 44

| 문장 완성 |

31 decided to make
32 It, to please
33 it useless to speak
34 saw, take[taking] pictures
35 makes us read
36 help you (to) study
37 what to eat[what we should eat]
38 too cold, to go out
39 big enough to carry
40 seems to be busy
41 take you, to get

| 문장 전환 |

42 It is important for you to manage time effectively.
43 I don't know how to ride a bike.
44 He was too tired to walk any more.
45 She is wise enough to make a good decision.
46 The tennis match seems to be very exciting.

| 대화 완성 |

47 to become
48 it difficult to understand
49 dance[dancing], talk[talking]
50 let, swim
51 help, to get
52 take, to walk

---

42 **해석** 네가 시간을 효율적으로 관리하는 것이 중요하다.

43 **해석** 나는 자전거 타는 법을 모른다.

44 **해석** 그는 너무 피곤해서 더 이상 걸을 수 없었다.

45 **해석** 그녀는 좋은 결정을 내릴 만큼 충분히 현명하다.

46 **해석** 테니스 경기는 매우 흥미로운 것 같다.

47 **해석** A: 너는 뭐가 되고 싶니?
B: 내 꿈은 음식 사진작가가 되는 거야.

48 **해석** A: 너는 이 책을 읽었니?
B: 응. 나는 그 책을 이해하는 것이 어렵다는 것을 알았어.

49 **해석** A: 나는 Tommy가 체육관에서 춤추는(춤추고 있는) 것을 봤어.
B: 그는 춤 경연 대회를 위해 연습하고 있었던 게 틀림없어.
A: 그 애가 친구에게 그 경연 대회에 대해 말하는(말하고 있는) 것을 들었어.

50 **해석** A: 네 아이가 어른 없이 수영하도록 해서는 안 돼.
B: 응. 네 말이 맞아.

---

51 **해석** A: 네가 영화 보러 가는 것을 좋아한다면 이 앱을 깔아. 그건 네가 더 싼 영화 티켓을 구하도록 도울 수 있어.
B: 내게 말해줘서 고마워.

52 **해석** A: 이 근처에 서점이 있나요?
B: 네. 도서관 옆에 하나 있어요. 당신이 거기에 걸어가는 데 10분이 걸릴 거예요.

Step 3 고난도 도전하기   p. 45

53 (1) too short to reach the top shelf
   (2) so short that he cannot[can't] reach the top shelf
54 (1) kind of you to help me
   (2) happy to have a friend[happy that I have a friend]
55 (1) seems to know a lot
   (2) took him just ten minutes to solve

---

53 **해설** (1) 「too+형용사+to부정사」의 형태로 써서 '너무 ~해서 …할 수 없는'의 의미를 나타낸다.
(2) 「too+형용사/부사+to부정사」는 「so+형용사/부사+that+주어+cannot[can't] ~」 구문과 바꿔 쓸 수 있다.

54 **해석** 안녕, Judy야. 네가 도와줘서 고맙다고 말하고 싶어. 내가 공원에서 자전거를 잃어버렸을 때, 너는 나와 같이 찾아줬어. (1) 나를 돕다니 너는 정말 친절했어. (2) 너 같은 친구가 있어서 나는 매우 행복해.
해설 (1) 사람의 성품을 나타내는 형용사인 kind가 있으므로 to부정사의 의미상 주어를 「of+목적격」으로 쓴다.
(2) 감정을 나타내는 형용사 뒤에 to부정사를 써서 감정의 원인을 나타낸다. to부정사는 that절로 바꿔 나타낼 수도 있다.

55 **해석** A: (1) Ron은 역사에 대해 많이 알고 있는 것 같아.
B: 왜 그렇게 생각해?
A: 어제 역사 시간에 시험을 봤거든. (2) 그가 모든 문제를 푸는 데 겨우 10분이 걸렸어.
해설 (1) 「seem+to부정사」의 형태로 써서 '~인 것 같다'의 의미를 나타낸다.
(2) 「It takes+목적어+시간+to부정사」의 형태로 써서 '목적어가 ~하는 데 …의 시간이 걸리다'의 의미를 나타낸다.

Unit 03   동명사

03-01   동명사의 부정   p. 46

A 배열 영작

01 Your problem is not coming to class on time.
02 She imagined not going to the dentist.
03 They complained of not having time to rest.

B 문장 완성

01 not forgetting me
02 not using plastic bags
03 Not giving up your dreams is important

01 replying not → not replying

네 메시지에 답하지 않아서 미안해.

해설 동명사의 부정은 동명사 바로 앞에 not을 써야 한다.

02 Don't drink → Not drinking[Not to drink]

탄산음료를 마시지 않는 것이 네 건강에 좋다.

해설 주어 역할을 하므로 drink를 동명사 또는 to부정사 형태로 쓰고 앞에 not을 써서 나타낸다.

03 move → moving

그녀는 중국으로 이사가지 않는 것을 고려하고 있다.

해설 consider는 동명사만을 목적어로 취하는 동사이므로 move를 동명사 형태로 써야 한다.

🎯 감점 피하기

are → is

컴퓨터 게임을 전혀 하지 않는 것이 나에게 중요하다.

03-02 동명사의 의미상 주어
p. 47

A 배열 영작

01 I'm sure of her passing the exam.

02 My sister hates my wearing her clothes.

03 We objected to his joining the club.

B 문장 완성

01 their[them] studying together

02 are proud of our[us] volunteering

03 The teacher is worried about his[him] bullying others

01 She felt ashamed of her son's[son] being rude.

그녀는 자신의 아들이 무례한 것이 부끄러웠다.

02 He was concerned about her not calling him back.

그는 그녀가 다시 전화하지 않을까봐 걱정했다.

03 We were angry at the woman's[woman] lying to us.

우리는 그 여자가 우리에게 거짓말한 것에 화가 났다.

03-03 동명사와 to부정사
p. 48

A 배열 영작

01 Remember to lock the door when you leave.
[When you leave, remember to lock the door.]

02 Don't forget to bring your homework.

03 She stopped drinking coffee for her health.

B 문장 완성

01 Amy regrets posting mean comments

02 They stopped to take pictures

03 He forgot leaving his cellphone at home

① try to read

해설 '~하려고 노력하다'의 의미가 되도록 try 뒤에 to부정사를 쓴다.

② remember going

해설 작년에 갔던 것을 기억하는 것이므로 동명사를 목적어로 쓴다.

③ regret not getting

해설 과거에 하지 않은 일을 후회하는 것이므로 동명사를 목적어로 쓴다.

A: Jake, 너는 한 달에 책을 얼마나 많이 읽니?

B: 나는 한 달에 세 권을 읽으려고 노력해.

A: 오, 너 Jenny Brown의 신간 소설을 읽고 있구나. 나는 정말 그것을 읽고 싶어. 그녀는 내가 가장 좋아하는 작가야.

B: 작년에 그녀의 책 사인회에 갔던 것을 기억하니?

A: 물론이지. 난 그때 그녀의 사인을 받지 못한 것이 후회돼.

🎯 감점 피하기

stopped to buy

A: 저기 있는 그녀를 봐! 그녀는 무엇을 하고 있니?

B: 그녀는 과일을 좀 사기 위해 멈췄어.

03-04 by/without+동명사
p. 49

A 배열 영작

01 Have your soup without making noise.

02 He lost weight by giving up eating fast food.

B 문장 완성

01 by breaking their promises

02 without blinking your eyes

03 She left without saying a word

01 By watching movies

02 without buying anything

03 by listening to classical music

03-05 동명사의 주요 표현 1
p. 50

A 배열 영작

01 The new museum is worth visiting.

02 I feel like staying in today.

03 Would you mind sending me the itinerary?

B 문장 완성

01 Would[Do] you mind sharing

02 I am[I'm] looking forward to seeing

03 I feel like eating out tonight

① I feel like watching a movie

② It is[It's] worth watching

③ Would[Do] you mind booking a ticket for me?

A: 나는 영화를 보고 싶어. 볼만한 영화가 있니?
B: 〈겨울왕국〉은 어때? 그것은 볼만한 가치가 있어.
A: 오, 흥미롭게 들리는데. 나를 위해 표를 예매해 주겠니?
B: 그래.

03-06 동명사의 주요 표현 2
p. 51

A 배열 영작

01 I'm thinking of taking swimming lessons.
02 Thank you for helping me.
03 Stress can stop us from falling asleep.

B 문장 완성

01 He is[He's] thinking of going abroad
02 prevent colds from spreading
03 Do not[Don't] worry about making mistakes

내신 기출

① I am[I'm] thinking of taking part in a science camp.
② But I'm worried about making friends at the camp.

A: 나는 과학 캠프에 참가하려고 생각 중이야.
B: 좋은 생각이네!
A: 하지만 나는 캠프에서 친구들을 사귀는 것이 걱정이야.
B: 걱정하지 마. 괜찮을 거야.

내신 서술형 잡기
Unit 01~06

Step 1   기본 다지기
p. 52

| 배열 영작 |

01 He is ashamed of not knowing the answer.
02 Lisa talked about my missing classes.
03 She always tries to be positive.
04 They built a database by collecting a lot of data.
05 This book is worth reading several times.
06 Terrorism kept us from visiting the city.
07 She stopped to smell the flowers on the street.

| 빈칸 완성 |

08 Not listening to others
09 not living
10 his[him] wasting
11 remember taking
12 by eating
13 without stopping
14 mind showing
15 thinking of traveling

| 오류 수정 |

16 getting not → not getting
17 he → his[him]
18 to have → having
19 follow → following
20 see → seeing
21 come → coming

16 해설 동명사의 부정은 동명사 바로 앞에 not을 써서 나타낸다.
17 해설 동명사의 의미상 주어는 소유격이나 목적격으로 나타낸다.
18 해설 과거에 한 일을 잊는 것이므로 forget 뒤에 동명사를 써서 나타낸다.
19 해설 '~함으로써'의 의미는 「by+동명사」의 형태로 나타낸다.
20 해설 '~하기를 고대하다'의 의미는 「look forward to+동명사」의 형태로 나타낸다.
21 해설 '목적어가 ~하는 것을 막다'의 의미는 「stop/keep/prevent+목적어+from+동명사」의 형태로 나타낸다.

Step 2   응용하기
p. 53

| 문장 완성 |

22 not going
23 does not[doesn't] like our[us] saying
24 stopped her dog from biting
25 do not[don't] feel like going out
26 regrets not getting up

| 문장 전환 |

27 wild animals'[animals] losing their homes
28 He hit the target without making a mistake.
29 I'm sure of his completing the mission.
30 Please remember to write your history report.
31 They look forward to not studying on their vacation.

| 대화 완성 |

32 not replying
33 her wearing
34 regret lending
35 by recycling
36 mind, shutting, No
37 stop them from leaving

27 해석 우리는 야생동물들이 그들의 서식지를 잃을까봐 걱정한다.
28 해석 그는 실수하지 않고 표적을 맞혔다.
29 해석 나는 그가 임무를 완수하리라고 확신한다.
30 해석 너의 역사 보고서 쓰는 것을 기억하렴.
31 해석 그들은 방학에 공부를 하지 않기를 고대한다.
32 해석 A: 너 내 문자 읽었니?
　　　 B: 아, 네게 답장하지 않아서 미안해.
33 해석 A: 너는 네 여동생과 옷을 같이 입니?
　　　 B: 아니, 나는 그녀가 내 옷을 입는 게 싫어!
34 해석 A: Mark가 네 돈을 갚았니?
　　　 B: 아니, 나는 그에게 내 돈을 빌려 준 것을 후회해.

35 해석 A: 나는 많은 해양 동물들이 플라스틱 쓰레기를 먹은 후에 죽는다고 들었어.
B: 맞아. 우리는 플라스틱 제품을 재활용함으로써 플라스틱 쓰레기를 줄일 수 있어.

36 해석 A: 저는 이 방이 춥게 느껴져요. 제가 창문을 닫아도 될까요?
B: 네, 그러세요.

37 해석 A: Anne과 Jason이 너와 함께 머물고 있지, 그렇지 않니?
B: 아니. 그들은 어젯밤에 떠났어.
A: 아, 정말?
B: 응, 나는 그들이 떠나는 것을 막을 수 없었어.

Step 3   고난도 도전하기   p. 54

38 (1) to buy
   (2) watching the movie
   (3) to return
39 (1) Not watching TV too much is
   (2) I'm proud of her becoming
40 ⓒ → entering

38 해석

	미나	수호
한 일	영화 보기	영화 보기
할 일	우유 좀 사기	책 반납하기

(1) 미나는 우유를 좀 사는 것을 잊었다.
(2) 미나와 수호는 영화를 본 것을 기억한다.
(3) 수호는 책을 반납하는 것을 기억해야 한다.

해설 '~할 것을 잊다/기억하다'는 'forget/remember+to부정사'로 나타내고, '~한 것을 잊다/기억하다'는 'forget/remember+동명사'로 나타낸다.

39 해설 (1) 동명사의 부정은 동명사 바로 앞에 not을 써서 나타내고, 동명사가 주어로 쓰이면 단수 취급하므로 단수형 동사를 써야 한다.
(2) 동명사의 의미상 주어는 동명사 앞에 소유격이나 목적격을 써서 나타낸다.

40 해석 내 남동생은 항상 아무 말도 하지 않고 내 컴퓨터를 사용한다. 나는 그가 내 물건을 사용하는 것을 싫어한다. 하지만 나는 그가 내 방에 들어오는 것을 막을 수 없어서 우리는 많이 싸운다. 엄마는 내가 내 남동생과 싸우는 것에 화를 내신다.

해설 '목적어가 ~하는 것을 막다[하지 않도록 하다]'의 의미를 나타낼 때는 「stop/keep/prevent+목적어+from+동명사」로 나타낸다.

Unit 04   분사

04-01   현재분사   p. 55

A 배열 영작
01 The girl waiting at the bus stop is Julia.
02 That's the bridge connecting the two cities.
03 Andy is the boy wearing thick glasses.

B 문장 완성
01 people watching him
02 Look at the sun rising
03 Your smiling face makes me happy

내신 기출

01 The student wearing headphones
02 The man dancing on[in] the street
03 A diet containing lots of vegetables

04-02   과거분사   p. 56

A 배열 영작
01 They played instruments made out of plastic.
02 Look at the picture painted by Van Gogh.
03 Some children are picking up the fallen leaves.

B 문장 완성
01 She ate dried fruit
02 He is[He's] erasing the scores written
03 Peter bought a cellphone made in Korea

내신 기출

01 the broken mirror
02 a puppy named after her sister
03 I am[I'm] eating a banana grown

04-03   지각동사+목적어+목적격 보어   p. 57

A 배열 영작
01 She heard the front door open.
02 Jack smelled it burn in the kitchen.
03 Sophia felt something crawling up her arm.

B 문장 완성
01 She is[She's] watching pigeons eat[eating]
02 He caught someone[somebody] steal[stealing]
03 Thomas heard his name called from behind

내신 기출

01 rushed → rush[rushing]
나는 소방관들이 산불을 끄기 위해 돌진하는(돌진하고 있는) 것을 봤다.
해설 지각동사(saw)의 목적어와 목적격 보어가 능동의 관계이면 목적격 보어로 동사원형이나 현재분사를 쓴다.

02 repair → repaired
그는 자신의 차가 정비공에 의해 고쳐진 것을 보았다.
해설 지각동사(watched)의 목적어와 목적격 보어가 수동의 관계이면 목적격 보어로 과거분사를 쓴다.

03 to nod → nod[nodding]
그녀는 Smith가 수업에서 깜빡 조는(졸고 있는) 것을 알아챘다.
해설 지각동사(noticed)의 목적어와 목적격 보어가 능동의 관계이면 목적격 보어로 동사원형이나 현재분사를 쓴다.

04-04 사역동사+목적어+목적격 보어 p. 58

A 배열 영작

01 She had her room painted pink.

02 His poor attitude made us disappointed.

03 He has his car checked twice a year.

B 문장 완성

01 let you use my pen

02 making his voice heard

03 Mike had a tooth pulled out this afternoon

내신 기출

01 refresh → refreshed

짧은 낮잠은 학생들이 생기를 되찾게 한다.

해설 사역동사(make)의 목적어와 목적격 보어가 수동의 관계이면 목적격 보어로 과거분사를 쓴다.

02 to repair → repaired

Cole 씨는 오늘 아침에 지붕을 고쳤다.

해설 사역동사(had)의 목적어와 목적격 보어가 수동의 관계이면 목적격 보어로 과거분사를 쓴다.

03 picked → pick

그는 기사가 자신의 아들을 공항에서 데려오게 했다.

해설 사역동사(had)의 목적어와 목적격 보어가 능동의 관계이면 목적격 보어로 동사원형을 쓴다.

04-05 get+목적어+목적격 보어 p. 59

A 배열 영작

01 The climbers got their bags carried.

02 Mom got the carpet cleaned today.

03 I should get the product refunded.

B 문장 완성

01 He got his breakfast delivered

02 can get the price lowered

03 You must get him to tell the truth

내신 기출

01 got his white shirt cleaned, he is[he's] getting it ironed

02 Steven got his ankle sprained, He got it treated

04-06 분사구문 p. 60

A 배열 영작

01 Reading the article, he dropped his cup in surprise.

[He dropped his cup in surprise, reading the article.]

02 Stopping by the library, I ran into my friend.

[I ran into my friend, stopping by the library.]

03 Being on a diet, she skips dinner.

[She skips dinner, being on a diet.]

B 문장 완성

01 Walking along the street

02 Not seeing positive reviews

03 getting out of the taxi

내신 기출

01 Wanting to win the game, they practiced hard.

경기에 이기고 싶었기 때문에 그들은 열심히 연습했다.

02 Having nothing to eat, I just went to bed.

먹을 것이 아무것도 없어서 나는 그냥 잠자리에 들었다.

03 Traveling across Italy, they noticed the beauty of the architecture.

이탈리아를 횡단 여행하면서 그들은 건축의 아름다움을 알아챘다.

감점 피하기

Being very powerful, volcanoes[they] can destroy entire cities.

매우 강력하기 때문에 화산(그것들)은 도시 전체를 파괴할 수 있다.

04-07 with+명사+분사 p. 61

A 배열 영작

01 Kate calmed her mind with her eyes closed.

02 She's sitting on a chair with her legs crossed.

03 He walked down the street with his bodyguards following.

B 문장 완성

01 with his eyes fixed

02 with my arms folded

03 She likes cooking with music playing

내신 기출

01 with his cape waving

02 with (the) others left behind

03 with her dog leading her

내신 서술형 잡기 Unit 01~07

Step 1 기본 다지기 p. 62

| 배열 영작 |

01 The bird singing on the tree is very loud.

02 The stolen car was found by the police.

03 I often see students using their phones in class.

04 Mr. Lee had some pizza delivered to his classroom.

05 Sandra got her eyes tested last week.

06 Eating a sandwich, she waited for the train.

[She waited for the train, eating a sandwich.]

07 He is playing the piano with his eyes closed.
  [With his eyes closed, he is playing the piano.]

| 빈칸 완성 |

08 wearing a mask
09 named Robert
10 saw, rescued[saved]
11 get, changed
12 have, dyed
13 Thinking about[of]
14 with, umbrella folded

| 오류 수정 |

15 study → studying
16 injuring → injured
17 to wave → wave[waving]
18 disappointing → disappointed
19 watered → to water
20 Want → Wanting
21 boiled → boiling

15 **해설** 능동(~하고 있는)의 의미로 명사를 꾸미므로 현재분사(-ing)로 써야 한다.
16 **해설** 수동(~되어진)의 의미로 명사를 꾸미므로 과거분사(p.p.)로 써야 한다.
17 **해설** 지각동사(watched)의 목적어와 목적격 보어의 관계가 능동이므로 목적격 보어로 동사원형이나 현재분사를 써야 한다.
18 **해설** 사역동사(made)의 목적어와 목적격 보어의 관계가 수동이므로 목적격 보어로 과거분사를 써야 한다.
19 **해설** get의 목적어와 목적격 보어의 관계가 능동이므로 목적격 보어로 to부정사를 써야 한다.
20 **해설** '~때문에'라는 의미는 이유를 나타내는 분사구문(= Because ~)에 해당하므로 동사 Want를 현재분사 형태인 Wanting으로 바꿔 써야 한다.
21 **해설** 「with+명사+분사」 구문에서 명사와 분사의 관계가 능동이면 현재분사를 써야 한다.

Step 2 응용하기   p. 63

| 문장 완성 |

22 the sun rise[rising]
23 buy a used car
24 I felt the ground shake[shaking]
25 Joe had his garage remodeled
26 get his house repaired
27 Working in a cornfield
28 with his arms folded

| 문장 전환 |

29 plays written by William Shakespeare
30 The woman holding a book is
31 a man stealing food at the market
32 Walking along the street, I saw a man with five dogs.
  [I saw a man with five dogs, walking along the street.]
33 Feeling nervous, Jisu took a deep breath.
  [Jisu took a deep breath, feeling nervous.]

| 대화 완성 |

34 the boy waiting
35 saw her[Emily] run[running]
36 got me to wash, have, hair shampooed
37 have, tooth pulled out

29 **해석** 그는 William Shakespeare에 의해 쓰인 희곡을 읽기를 좋아한다.
30 **해석** 책을 들고 있는 여성은 나의 숙모이다.
31 **해석** 우리는 한 남자가 시장에서 음식을 훔치는 것을 보았다.
32 **해석** 길을 따라 걸으면서 나는 다섯 마리의 개와 함께 있는 남자를 보았다.
33 **해석** 불안한 감정을 느껴서 지수는 숨을 깊이 들이쉬었다.
34 **해석** A: 문 앞에서 기다리고 있는 남자아이를 아니?
  B: 응. 그는 내 사촌이야.
35 **해석** A: 너 오늘 Emily 봤니?
  B: 응. 나는 오늘 아침에 그녀(Emily)가 공원에서 달리는(달리고 있는) 것을 봤어.
36 **해석** A: 엄마는 내가 우리 개를 씻기게 하셨어.
  B: 너의 개는 털을 샴푸 하는 것을 좋아하니?
  A: 아니. 즐기지 않아.
37 **해석** A: 오늘 쇼핑하러 가는 게 어때?
  B: 미안하지만 나는 이를 하나 뽑기 위해 치과에 가야 해.

Step 3 고난도 도전하기   p. 64

38 Waving my hands, I said goodbye to my friends.
  [I said goodbye to my friends, waving my hands.]
39 attending this school are good at sports
40 heard a dog bark[barking] loudly

38 **해설** '~하면서'라는 의미는 동시 동작을 나타내는 분사구문을 써서 나타내므로 wave를 현재분사 형태인 waving으로 바꿔 쓴다. 분사구문은 주절의 앞 또는 뒤에 모두 올 수 있다.
39 **해설** 능동의 의미로 명사를 꾸미므로 attend를 현재분사 형태로 써서 나타낸다.
40 **해석**
> A: Angela, 너 피곤해 보여. 무슨 일 있니?
> B: 어젯밤에 잠을 거의 못 잤어.
> A: 왜?
> B: 어떤 개가 밤새 시끄럽게 짖었거든.

Q: 왜 Angela는 어젯밤에 잠을 충분히 잘 못 잤는가?
A: 그녀는 어떤 개가 시끄럽게 짖는(짖고 있는) 것을 들었기 때문이다.
해설 지각동사(hear)의 목적어와 목적격 보어의 관계가 능동이므로 목적격 보어로 동사원형이나 현재분사를 쓴다.

Unit 05　관계사

05-01　주격 관계대명사
p. 65

A 배열 영작

01 Loki is a god who plays tricks on others.

02 Madeleines are small cakes which look like sea shells.

03 I know the woman who comes from Chicago.

B 문장 완성

01 the carnivals which[that] are held

02 The woman who[that] lives there

03 He is[He's] a poet who[that] loves nature

내신 기출

01 We donated to a charity which protects wild animals.
우리는 야생 동물을 보호하는 자선단체에 기부했다.

02 The man who held the door for me was handsome.
나를 위해 문을 잡아준 그 남자는 잘생겼다.

03 Venice is a romantic city which is known as "The Bride of the Sea."
베니스는 '바다의 신부'로 알려진 로맨틱한 도시이다.

🎯 감점 피하기

I have a friend who loves books.
나는 책을 무척 좋아하는 친구가 있다.

05-02　목적격 관계대명사
p. 66

A 배열 영작

01 I met the woman whom you talked about.

02 The man who she interviewed is a famous soccer player.

03 I like the jacket that Mark gave to Fred.

B 문장 완성

01 The person (who(m)[that]) I wanted to meet

02 This is the picture (which[that]) you were looking for
 [This is the picture for which you were looking]

03 That is[That's] the boy (who(m)[that]) I saw in the library

내신 기출

01 The shiny object which Stanley found in the dirt was real gold.
Stanley가 먼지 속에서 발견한 빛나는 물건은 진짜 금이었다.

02 I had dinner with an old friend whom I hadn't seen for a long time.
나는 오랫동안 만나지 못했던 옛 친구와 함께 저녁을 먹었다.

03 A news anchor is the job which he wanted to get.
뉴스 앵커는 그가 갖고 싶어 했던 직업이다.

05-03　소유격 관계대명사
p. 67

A 배열 영작

01 Jake fixed the chair whose wheels were broken.

02 I met a girl whose name was the same as mine.

03 Bill met a man whose accent was unique.

B 문장 완성

01 The student whose name starts with A

02 two vases whose necks were really narrow

03 I know a boy whose brother is a famous singer

내신 기출

01 I read the story about the god whose name is Neptune.
나는 이름이 Neptune인 신에 대한 이야기를 읽었다.

02 Do you know the city whose name means "Holy Faith"?
이름이 '신성한 믿음'을 의미하는 도시를 아니?

03 The music teacher whose course I'm taking is kind.
내가 듣고 있는 강좌의 음악 선생님은 친절하다.

05-04　관계대명사 that
p. 68

A 배열 영작

01 He is someone that I already know.

02 Pizza is the food that makes me feel good.

03 He often tells people things that are secrets.

B 문장 완성

01 the hottest days that I know[I have[I've] (ever) known]

02 things that are 50 times their body weight

03 I will[I'll] support everything that you do

내신 기출

01 some cheese you can use

02 The car accident that happened this morning

03 boy and the dog that are playing together

05-05　관계대명사 what
p. 69

A 배열 영작

01 Find what keeps you motivated.

02 The price is what you pay for a product.

03 What impressed me was his good decision.

B 문장 완성

01 get what you want

02 She loved what Joe gave

03 He always knows what I think

01 are → is

Edward가 오늘 밤에 먹고 싶어 하는 것은 피자와 파스타이다.

해설 what이 이끄는 문장이 주어 역할을 하면 단수형의 동사를 쓴다.

02 that → what

많은 십대들은 유명 인사들이 하는 것을 따라하기를 좋아한다.

해설 do의 목적어 역할을 하면서 '~하는 것'의 의미를 나타내는 관계대명사 what으로 써야 한다.

03 what → which[that]

이탈리아어에서 온 많은 영어 단어들이 있다.

해설 앞에 선행사 many English words가 있으므로 관계대명사 which나 that으로 써야 한다.

🎯 **감점 피하기**

what → who[that]

아이들을 돕는 그 사람들은 자원봉사자들이다.

해설 앞에 선행사 The people이 있으므로 관계대명사 who나 that으로 써야 한다.

05-06 관계대명사의 계속적 용법   p. 70

A 배열 영작

01 He said nothing, which made her angry.

02 She has a brother, who is a high school student.

03 We went to the museum, which was closed.

B 문장 완성

01 which is a volcanic island

02 my sister, who is two years older

03 My best friend is Peter, who is good at sports

내신 기출

01 I learned to play baseball from my dad, who was a baseball player.

나는 아빠에게 야구를 배웠는데, 그는 야구선수였다.

02 I'll move to a new team, which has produced many excellent players.

나는 새로운 팀으로 이적할 건데, 그곳은 많은 뛰어난 선수들을 배출해왔다.

03 Eggs contain a lot of vitamin D, which keeps our bones healthy.

달걀은 많은 비타민 D를 함유하고 있는데, 그것은 우리의 뼈를 건강하게 지킨다.

05-07 관계대명사의 생략   p. 71

A 배열 영작

01 Benjamin Franklin is the person I respect.

02 This is the hospital I was born in.

03 Do you like music composed by Mozart?

B 문장 완성

01 The girl (who[that] is) eating snacks

02 the vegetable (which[that]) I hate

03 Judy showed the pictures (which[that]) she took

내신 기출

01 ①. I know the girl picking up trash over there.

해설 「주격 관계대명사+be동사+분사」에서 '주격 관계대명사+be동사'는 생략할 수 있다.

02 ③. The vegetables I bought yesterday went bad.

해설 목적격 관계대명사 that은 생략할 수 있다.

① 나는 저쪽에서 쓰레기를 줍고 있는 여자아이를 안다.

② Sophia는 전자기타를 연주할 수 있는 그 남자를 무척 좋아한다.

③ 내가 어제 산 채소는 상했다.

④ 방금 지나쳐 간 여자는 유명한 배우이다!

05-08 관계부사 when   p. 72

A 배열 영작

01 I remember the day when we first met.

02 Autumn is the time when apples are ripe.

03 This year is when the Olympics are held.

B 문장 완성

01 (the day) when I go hiking

02 (the time) when the plane takes off

03 I will[I'll] never forget (the day) when my sister was born

내신 기출

01 Do you remember (the day) when we visited the city in Texas?

너는 텍사스에 있는 그 도시를 방문한 날을 기억하니?

02 2025 is (the year) when I'll graduate from middle school.

2025년은 내가 중학교를 졸업할 해이다.

03 Winter is (the time) when we make snowmen.

겨울은 우리가 눈사람을 만드는 때이다.

🎯 **감점 피하기**

That was (the time) when we had a big fight.

그때는 우리가 크게 싸운 때였다.

05-09 관계부사 where   p. 73

A 배열 영작

01 I know the house where Brian lives.

02 Paris is the city where Monet was born.

03 This is the museum where the *Mona Lisa* hangs.

B 문장 완성

01 the office where my mom[mother] works

02 The pool where I swim

03 Do you remember the restaurant where we had dinner last week

01 The hotel where I stayed is located on the Upper West Side.
내가 머물렀던 호텔은 어퍼웨스트사이드에 위치해 있다.

02 Markets are (places) where you can taste local food.
시장은 지역 음식을 맛볼 수 있는 장소이다.

03 Alicia misses the beach where she used to go swimming with her family.
Alicia는 가족과 함께 수영하러 가곤 했던 해변을 그리워한다.

05-10 관계부사 why
p. 74

A 배열 영작

01 This is the reason why he became a chef.
02 Can you guess why she called you?
03 I couldn't understand why they fought.

B 문장 완성

01 (the reason) why he was running
02 (The reason) why she did not[didn't] attend the class
03 He wants to know (the reason) why you changed your name

01 Jacob wants to know (the reason) why dinosaurs became extinct.
Jacob은 공룡이 멸종된 이유를 알고 싶어 한다.

02 That's (the reason) why he hasn't finished his work yet.
그것이 그가 아직 일을 끝내지 못한 이유이다.

03 Dave doesn't know (the reason) why he needs to read books.
Dave는 자신이 책을 읽어야 하는 이유를 알지 못한다.

05-11 관계부사 how
p. 75

A 배열 영작

01 This is the way I saved money.
02 I don't know how she succeeded.
03 Tell me how you completed the project.

B 문장 완성

01 how[the way] Ava treats him
02 how[the way] she became a volleyball player
03 I asked how[the way] he won the game

01 He didn't remember how he used this machine.
그는 이 기계를 사용한 방법을 기억하지 못했다.

02 Stella told me how she found the hidden files.
Stella는 내게 그녀가 어떻게 숨겨진 파일을 찾았는지 말해주었다.

03 People don't know how the accident happened again.
사람들은 어떻게 그 사고가 다시 발생했는지 모른다.

감정 피하기

This is how he became famous.
이것이 그가 유명해진 방법이다.

내신 서술형 잡기
Unit **01~11**

Step 1 기본 다지기
p. 76

| 배열 영작 |

01 Benjamin has a friend who hates cats.
02 Is this the picture which you took in London?
03 Adam drives a car whose design is unique.
04 Hawaii is the place that I really want to visit.
05 This diamond ring is what I want.
06 I'll travel with Laura, who is my best friend.
07 Joe bought the jacket he had chosen before.
08 We went to the city where Mr. Anderson was raised.
09 I couldn't understand why he left early.
10 Tell me how you solved the problem.

| 빈칸 완성 |

11 movie which[that] I[I've] wanted
12 friend whose brother works
13 first flight which[that] goes
14 what I ordered
15 Cindy, who is
16 The man talking
17 the time when the game[match] starts[begins]
18 house where he, lived
19 the reason why you lied
20 the way he opened

| 오류 수정 |

21 doesn't → don't
22 which → whose
23 is → are
24 that → what
25 that → which
26 was made → which[that] was made 또는 made
27 that → when
28 which → where
29 which → why
30 the way how → the way[how]

21 **해설** 주격 관계대명사 뒤의 동사는 선행사의 인칭과 수에 일치시키므로 복수형 주어(Ants)에 맞춰 복수형 동사를 써야 한다.

22 **해설** '도시의 야경'의 의미로 접속사이자 소유격 대명사의 역할을 해야 하므로 소

유격 관계대명사 whose로 써야 한다.

23 해설 선행사가 사람과 동물이 같이 나오므로 이에 맞춰 be동사도 복수형으로 써
야 한다.

24 해설 앞에 선행사가 없으므로 관계대명사 what을 써야 한다.

25 해설 선행사가 사물(my new phone)이며 계속적 용법으로 쓰였으므로 관계대명
사 which를 쓴다.

26 해설 뒤에 현재분사나 과거분사가 오면 '주격 관계대명사+be동사'를 생략할 수 있
다. 단, 주격 관계대명사 단독으로는 생략할 수 없다.

27 해설 선행사가 때를 나타내는 the day이며 관계사절이 「주어+동사」가 포함된 완
벽한 문장이므로 관계부사 when이 알맞다.

28 해설 선행사가 장소를 나타내는 The town이며 관계사절이 「주어+동사」가 포함
된 완벽한 문장이므로 관계부사 where가 알맞다.

29 해설 선행사가 이유를 나타내는 the reason이며 관계사절이 「주어+동사+목적
어」가 포함된 완벽한 문장이므로 관계부사 why가 알맞다.

30 해설 the way와 how는 함께 쓰지 않고 둘 중 하나만 써야 한다.

| Step 2 | 응용하기 | p. 78 |

| 문장 완성 |

31 a person who[that] made
32 whose sister is an actress
33 which[that] you told me
34 which[that] looks like an egg
35 What he wants is
36 which was his lifelong dream
37 pictures which[that] he took
38 how[the way] we make friends
39 where I used to[would] hang out
40 (the reason) why he canceled
41 (the year) when my sister was born

| 문장 전환 |

42 She gave Antonio a box which[that] was filled with
jewels.
43 Are they the people who(m)[that] Andy interviewed?
44 Mary has a boyfriend whose name is Oliver.
45 Valentine's Day is (the day) when couples show their
love to each other.
46 Do you remember (the place) where we first met?
47 Do you know (the reason) why he was in a hurry?

| 대화 완성 |

48 who[that] played
49 who has lived
50 how you put, which[that] I found
51 whose hometown is
52 What I want to do, where we went

42 해석 그녀는 Antonio에게 보석으로 가득 찬 상자를 주었다.
43 해석 그들이 Andy가 인터뷰한 사람들이니?
44 해석 Mary는 이름이 Oliver인 남자친구가 있다.
45 해석 밸런타인데이는 커플들이 서로에게 사랑을 표현하는 날이다.
46 해석 너는 우리가 처음 만난 장소를 기억하니?
47 해석 너는 그가 서둘렀던 이유를 아니?

48 해석 A: 너는 시상식에서 피아노를 연주했던 남자를 아니?
B: 응. 그는 우리 음악 선생님이야.
49 해석 A: 너는 형제나 자매가 있니?
B: 응. 나는 언니가 한 명 있는데, 그녀는 2018년부터 서울에 살고 있어.
50 해석 A: 나는 네가 어떻게 그렇게 빨리 퍼즐을 맞췄는지 알고 싶어.
B: 그건 간단해. 내가 찾은 설명서를 따라 하기만 하면 돼.
51 해석 A: 내가 프랑스어를 배우는 것은 무척 힘들어.
B: 나는 파리가 고향인 친구가 한 명 있어. 그가 너를 도울 수 있을 거야.
A: 오, 정말 고마워.
52 해석 A: 네 생일에 무엇을 하고 싶니?
B: 내가 생일에 하고 싶은 것은 캠핑 여행을 가는 거예요.
A: 오, 정말? 작년 여름에 우리가 캠핑을 갔던 산에 가자.

| Step 3 | 고난도 도전하기 | p. 79 |

53 (1) boy who[that] is holding
(2) dog that are walking
54 who was the son of Zeus
55 (1) English words which[that] are from
(2) what I expected

53 해석 (1) 여자아이의 손을 잡고 있는 남자아이가 있다.
(2) 해변을 따라 걷고 있는 여자아이와 개가 있다.
해설 (1) 선행사가 사람(a boy)이므로 주격 관계대명사 who나 that을 쓰고 선행
사가 단수이므로 단수형 be동사 is를 써서 현재진행형으로 문장을 완성
한다.
(2) 선행사가 사람과 동물(a girl and a dog)이므로 주격 관계대명사 that을
쓰고 선행사가 복수이므로 복수형 be동사 are를 써서 현재진행형으로
문장을 완성한다.
54 해설 선행사가 사람(Hercules)이며 계속적 용법으로 쓰였으므로 주격 관계대명
사 who를 써서 완성한다.
55 해석 A: 다른 언어에서 온 많은 영어 단어들이 있어.
B: 예를 들면?
A: 원래 '마사지하다'를 의미하는 샴푸는 사실 힌디어야.
B: 오, 정말? 그건 내가 예상했던 것이 아니네.
해설 (1) 선행사가 사물(many English words)이므로 주격 관계대명사 which
나 that을 써서 완성한다.
(2) 앞에 선행사가 없으며 '~하는 것'의 의미로 문장에서 보어 역할을 하므로
관계대명사 what을 써서 완성한다.

Unit 06   수동태

06-01   현재진행형 수동태   p. 80

A 배열 영작

01 Your favorite song is being played on the radio.
02 The sea animals are being saved by volunteers.

B 문장 완성

01 is being cleaned by my sister
02 are not[aren't] being manufactured

03 History is being made every day

내신 기출

01 The terrorists are being investigated by the FBI.
테러리스트들은 FBI에게 조사를 받고 있다.
02 A tall building is not[isn't] being built in downtown (by them).
높은 건물이 (그들에 의해) 시내에 지어지고 있지 않다.
03 The cosmetics are being tested on rabbits (by them).
화장품이 (그들에 의해) 토끼들에게 실험되고 있다.

06-02 현재완료형 수동태
p. 81

A 배열 영작

01 The children have been exposed to the flu.
02 Many architects have been inspired by nature.
03 Stress has been linked to depression.

B 문장 완성

01 have been discovered
02 has not[hasn't] been revealed
03 Earphones have been provided to the passengers

내신 기출

01 The painting has been stolen by the thieves.
그 그림은 그 도둑들에 의해 도난당했다.
02 The drone has not[hasn't] been designed by a high school student.
그 드론은 고등학생에 의해 디자인되지 않았다.
03 Extreme weather has been brought by global warming.
극심한 기후가 지구온난화에 의해 야기되었다.

06-03 조동사가 있는 수동태
p. 82

A 배열 영작

01 The party will be held at 7 p.m.
02 The warning signs may not be removed.
03 The survey must be analyzed by experts.

B 문장 완성

01 may not be played
02 can be interpreted
03 Humans will[are going to] be sent to Mars

내신 기출

01 can be found
02 will be remembered
03 should be played by

06-04 4형식 문장의 수동태 1
p. 83

A 배열 영작

01 The new logo will be shown to you tomorrow.
02 We were asked a question by Minho.
03 His dad was sent a text message by Harry.

B 문장 완성

01 was told the unbelievable story
02 was bought for Amy by him
03 Those students were taught history by me

내신 기출

01 (1) Ava was sent too many gifts by Kate.
Ava는 Kate에 의해 너무 많은 선물을 받았다.
(2) Too many gifts were sent to Ava by Kate.
너무 많은 선물이 Kate에 의해 Ava에게 보내졌다.
02 (1) The woman was given a prescription by the doctor.
그 여자는 의사에게 처방전을 받았다.
(2) A prescription was given to the woman by the doctor.
처방전은 의사에 의해 그 여자에게 주어졌다.

🔊 감점 피하기

A question was asked of her by me.
나에 의해 그녀에게 질문이 있었다.

06-05 4형식 문장의 수동태 2
p. 84

A 배열 영작

01 A car was bought for me by my parents.
02 The sandwich was made for him by Mia.
03 Fairy tales were read to the children by her.

B 문장 완성

01 are sold to tourists
02 The letter was written to
03 Tickets will be sold to you online

내신 기출

01 ①. Pad thai was cooked for us by the woman.
그 여자는 우리에게 팟타이를 요리해주었다.
02 ③. The green blouse was bought for Amy by her sister.
그녀의 언니가 Amy에게 초록색 블라우스를 사주었다.
해설 buy, cook 등의 동사가 들어 있는 4형식 문장은 간접목적어인 사람을 주어로 수동태 문장을 만들지 않는다.

06-06 5형식 문장의 수동태 1
p. 85

A 배열 영작

01 He was elected the new pope.

02 Tomatoes were considered poisonous until the 1800s.

03 He was called an antique furniture dealer.

B 문장 완성

01 He was advised to quit

02 My friends were asked to come

03 He was kept alive by a feeding tube

> **내신 기출**
>
> 01 was found empty
>
> 02 was named a World Heritage Site
>
> 03 were ordered not to cross

06-07 5형식 문장의 수동태 2
p. 86

A 배열 영작

01 Mike was seen to dance with her.

02 We are helped to communicate by cellphones.

03 I was made to clean the windows by my dad.

B 문장 완성

01 He was heard to complain[complaining]

02 They were helped to get better

03 Daniel was never seen to laugh[laughing]

> **내신 기출**
>
> 01 play → to play[playing]
>
> 　해석　Gary가 바이올린을 연주하는 것이 들렸다.
>
> 　해설　수동태에서 지각동사의 목적격 보어는 to부정사나 현재분사로 바꿔 쓴다.
>
> 02 crossed → to cross
>
> 　해석　한 소년이 나이 든 여성이 길을 건너는 것을 도왔다.
>
> 　해설　help의 목적격 보어로 쓰인 동사원형은 수동태에서 to부정사로 바꿔 쓴다.
>
> 03 feel → to feel
>
> 　해석　그들은 부모님에 의해 기분이 좋아졌다.
>
> 　해설　사역동사의 목적격 보어로 쓰인 동사원형은 수동태에서 to부정사로 바꿔 쓴다.

06-08 동사구의 수동태
p. 87

A 배열 영작

01 I was brought up by my grandmother.

02 The event was put off until this Friday.

03 Your complaints will be dealt with by us.

B 문장 완성

01 A dog was run over

02 is looked up to by

03 He was spoken ill of by his neighbors

> **내신 기출**
>
> 01 My tablet was taken away (by someone) last night.
> 　어젯밤에 내 태블릿이 (누군가에 의해) 도난당했다.
>
> 02 Peter's invitation will be turned down by Olivia.
> 　Peter의 초대는 Olivia에 의해 거절될 것이다.
>
> 03 The painting was made fun of by a young artist.
> 　그 그림은 한 젊은 미술가에 의해 조롱당했다.
>
> 🎯 **감점 피하기**
>
> His dog was taken care of by me.
> 그의 개는 나에 의해 보살핌을 받았다.

06-09 by 이외의 전치사를 쓰는 수동태
p. 88

A 배열 영작

01 His novel is based on a true story.

02 Rocks are divided into three types.

03 The kitchen is filled with a sweet smell.

B 문장 완성

01 is known as

02 will[is going to] be made into a movie

03 Are you satisfied with your school lunch

> **내신 기출**
>
> 01 is known for
>
> 02 was satisfied with
>
> 03 is made from

내신 서술형 잡기
Unit 01~09

| Step 1 | 기본 다지기 | p. 89 |

| 배열 영작 |

01 The article is being written by Ms. Carter.

02 These shoes have been made in Vietnam.

03 Endangered species must be protected.

04 She was given a surprise present by him.

05 The laptop was bought for me by my dad.

06 Our organization was named One More Generation.

07 They were made to read the book by their teacher.

08 His idea was laughed at by his friends.

09 is being, used
10 has been prepared
11 can be called
12 was cooked for
13 be made wise
14 were seen to go
15 was put off by
16 be made into

| 오류 수정 |

17 be → being
18 accept → accepted
19 me → of me
20 to → for
21 go → to go
22 go → to go[going]
23 care → care of
24 by → on

17 **해설** 현재진행형 수동태는 「am/are/is+being+p.p.」로 나타낸다.
18 **해설** 현재완료형 수동태는 「have/has+been+p.p.」로 나타낸다.
19 **해설** 4형식 문장에서 직접목적어를 주어로 하는 수동태로 쓸 때 간접목적어 앞에 전치사를 써야 하며, 동사 ask는 전치사 of를 쓴다.
20 **해설** 동사 buy는 직접목적어만을 주어로 하는 수동태로 쓸 수 있으며, 간접목적어 앞에 전치사 for를 쓴다.
21 **해설** allow는 목적격 보어로 to부정사를 취하므로 to go로 써야 한다.
22 **해설** 지각동사가 쓰인 문장을 수동태로 쓸 때 목적격 보어로 쓰인 동사원형은 to부정사로 고쳐 쓰고 현재분사는 그대로 쓴다.
23 **해설** 동사구(take care of)는 하나의 동사로 취급하여 수동태로 쓰므로 by 앞에 of를 써야 한다.
24 **해설** be based 다음에는 전치사 on이 와서 '~에 기반을 두다'의 의미를 나타낸다.

Step 2   응용하기   p. 90

| 문장 완성 |

25 is being removed
26 has been[was] offered
27 can be predicted
28 was read to
29 were cooked for us
30 is considered a genius
31 am made to exercise
32 is looked up to by
33 is known as

| 문장 전환 |

34 The children's hospital is being renovated (by them).
35 Many songs have been written by the musician.
36 A lot of things can be dealt with by computers.
37 They were taught German by Mr. Baker.
[German was taught to them by Mr. Baker.]

38 The result of the match was told to us by Max.
[We were told the result of the match by Max.]
39 She was seen to leave[leaving] the house at 9 o'clock by us.
40 His suggestion was turned down by the manager.

| 대화 완성 |

41 is being cleaned
42 was told to, has been rejected
43 is called, is seen to be
44 am disappointed in
45 can be prevented
46 was run over by, be taken care of
47 was[is] made from

34 **해석** 어린이 병원이 (그들에 의해) 수리되고 있다.
35 **해석** 많은 노래가 그 음악가에 의해 작곡되었다.
36 **해석** 많은 것들이 컴퓨터에 의해 처리될 수 있다.
37 **해석** 그들은 Baker 선생님에 의해 독일어를 배웠다.
38 **해석** 시합의 결과는 Max에 의해 우리에게 말해졌다.
39 **해석** 그녀는 우리에 의해 9시에 집을 떠나는(떠나고 있는) 것이 보였다.
40 **해석** 그의 제안은 매니저에 의해 거절되었다.
41 **해석** A: 저것 좀 봐. 교실 바닥이 로봇에 의해 청소되고 있어.
B: 와, 놀랍다!
42 **해석** A: Harris가 네 아이디어를 내게 말해줬어. 그는 네 아이디어를 받아들였니?
B: 아니. 내 제안은 거절당했어.
A: 그 말을 들으니 유감이네.
43 **해석** A: 내가 제일 좋아하는 축구선수는 손이야. 그는 많은 사람들에게 훌륭한 선수로 불려.
B: 나도 그를 좋아해. 그는 지금까지 최고의 한국 선수로 보여.
44 **해석** A: 너 슬퍼 보인다. 무슨 일 있니?
B: 난 영어 말하기 대회에서 상을 못 받았어. 내 자신이 실망스러워.
A: 기운 내! 다음에는 더 잘할 거야.
45 **해석** A: 독감이 유행이야. 하지만 손을 씻음으로써 그것을 막을 수 있어.
B: 알겠어요. 손을 자주 씻을게요.
46 **해석** A: 너 그 소식 들었니? 어젯밤에 Patrick이 차에 치였어.
B: 큰일 났네. 그가 많이 다쳤니?
A: 그의 왼쪽 다리가 부러졌어. 그는 병원에서 두 달 동안 보살핌을 받아야 해.
47 **해석** A: 이 와인은 달콤한 포도로 만들어졌어. 좀 먹어봐.
B: 오, 맛있다.

Step 3   고난도 도전하기   p. 92

48 (1) was heard playing the piano
(2) has been loved by many people
(3) was made to set the table by
49 The TV was turned off by Jake
50 (1) known for (2) crowded with (3) satisfied with

48 **해설** (1) '~ 되고 있는'이라는 뜻은 현재진행형 수동태로 쓰며, 지각동사의 목적격 보어로 쓰인 현재분사는 그대로 쓴다.
(2) 과거부터 현재까지 계속되어 온 상태이므로 현재완료형 수동태인 「have

[has]+been+p.p.+by+행위자」의 형태로 쓴다.

(3) 사역동사 make가 쓰인 수동태 문장이므로 목적격 보어를 to부정사 형태로 쓴다.

49 **해석** TV는 어젯밤에 Jake에 의해 꺼졌다.

> A: 난 어젯밤에 TV를 보다가 잠들었어. Jake, 네가 그것을 껐니?
> B: 응, 그래.

해설 동사구인 turn off를 하나의 단어로 취급하여 수동태로 쓴다.

50 **해석** 나는 작년 여름에 가족과 함께 부산에 갔다. 부산은 아름다운 해변들로 유명하다. 우리는 해운대 해변을 방문했다. 그곳은 많은 사람들로 붐볐다. 우리는 또한 그곳에서 맛있는 해산물도 즐겼다. 나는 우리의 방문이 무척 만족스러웠다.

해설 be known for: ~로 유명하다, be crowded with: ~로 붐비다. be satisfied with: ~에 만족하다

Unit 07   접속사

07-01   as
p. 93

A 배열 영작

01 She got wiser as she got older.
  [As she got older, she got wiser.]
02 You called me as I arrived home.
  [As I arrived home, you called me.]
03 The road is slippery as it is snowing.
  [As it is snowing, the road is slippery.]

B 문장 완성

01 As she stood up
02 As I was taking pictures
03 As it rained heavily, we stayed (at) home.
  [We stayed (at) home as it rained heavily.]

내신 기출

> 01 As I got off the bus
> 02 As Eva always lies to me
> 03 As time went by
>
> 🔊 **감점 피하기**
>
> as he arrives tomorrow

07-02   since
p. 94

A 배열 영작

01 I have known Paul since I was 10.
  [Since I was 10, I have known Paul.]
02 He went to bed early since he was tired.
  [Since he was tired, he went to bed early.]

03 The station was closed since it snowed a lot.
  [Since it snowed a lot, the station was closed.]

B 문장 완성

01 since she was eighteen
02 since I saw you last
03 Jake could not[couldn't] come here since he was in New York [Since Jake was in New York, he could not[couldn't] come here]

내신 기출

> 01 since it lies on
> 02 since he finished high school
> 03 Since Ricky caught a cold

07-03   although/even though
p. 95

A 배열 영작

01 Although they made mistakes, they kept trying.
  [They kept trying although they made mistakes.]
02 Even though it is good, I don't need it.
  [I don't need it even though it is good.]
03 Although he's young, he has lots of experience.
  [He has lots of experience although he's young.]

B 문장 완성

01 although[even though] I was tired
02 Although[Even though] we cannot[can't] see air
03 Although[Even though] I was sick, I went to school
  [I went to school although[even though] I was sick

내신 기출

> 01 Although[Even though] these shoes are old, they still look good.
> 이 신발은 오래됐지만 여전히 좋아 보인다.
> 02 Although[Even though] we had a big lunch, I am still hungry.
> 우리는 점심을 거하게 먹었지만 나는 여전히 배가 고프다.
> 03 Although[Even though] his family was poor, he succeeded as a violinist.
> 그의 가족은 가난했지만 그는 바이올리니스트로 성공했다.

07-04   so that ~
p. 96

A 배열 영작

01 Amy drinks warm milk so that she can sleep well.
02 He spoke loudly so that everyone could hear him.

B 문장 완성

01 so that we can eat fresh food
02 so that I could get well

03 Mark is studying hard so that he can pass the test

01 Jessy and her friends visited Paris so that they could see the Eiffel Tower.
Jessy와 그녀의 친구들은 에펠탑을 보기 위해 파리를 방문했다.

02 Mia is walking fast so that she will not[won't] be late for school.
Mia는 학교에 늦지 않기 위해 빨리 걷고 있다.

03 They left the house early in the morning so that they could avoid large crowds.
그들은 많은 인파를 피하기 위해 아침에 일찍 집을 떠났다.

04 It's better to wear a hat so that you can protect your skin from the sun.
태양으로부터 네 피부를 보호하기 위해 모자를 쓰는 것이 낫다.

07-05 so … that ~
p. 97

A 배열 영작

01 It's raining so hard that he can't drive now.
02 The ground was so slippery that she fell many times.

B 문장 완성

01 so popular that it sold out
02 so hungry that I want to eat
03 It was so dark that I could not[couldn't] see anything

01 can → cannot[can't]
그녀는 너무 피곤해서 깨어 있을 수 없다.
해설 의미상 '너무 ~해서 …할 수 없다'의 의미가 되어야 적절하므로 can을 cannot[can't]으로 고쳐 써야 한다.

02 angry so → so angry
그는 너무 화가 나서 말을 할 수 없었다.
해설 「so+형용사/부사+that+주어+동사」의 순서로 쓴다.

03 nervously → nervous
Olivia는 너무 긴장해서 어떤 것에도 집중할 수 없었다.
해설 be동사 뒤에 주격보어가 와야 하므로 부사(nervously)가 아니라 형용사(nervous)로 써야 한다.

🎧 감점 피하기
sadly → sad
그들은 너무 슬퍼서 어떤 것도 하지 못했다.

07-06 명사절 접속사 that
p. 98

A 배열 영작

01 The truth is that you made a big mistake.
02 The trouble is that I don't have any money.
03 The problem is that she is too honest.

B 문장 완성

01 The truth is that tomatoes are good
02 The problem is that plastic waste is dangerous
03 The fact is that Sandra went to Australia.

01 The truth is that two heads are better than one.
사실은 백지장도 맞들면 낫다는 것이다.

02 The point is that natural disasters like storms can be very dangerous.
요점은 폭풍우 같은 자연재해가 매우 위험할 수 있다는 것이다.

03 The problem is that my parents and friends will not understand me.
문제는 나의 부모님과 친구들이 나를 이해하지 않을 것이라는 점이다.

07-07 if/whether
p. 99

A 배열 영작

01 He asked her if she was all right.
02 The question is whether we stop or keep going.
03 She wasn't sure whether he was busy.

B 문장 완성

01 I did not[didn't] know if you were angry
02 doubts whether (or not) I am[I'm] trying
03 He wants to know if she likes flowers

01 I wasn't sure if[whether] my SNS account was hacked or not.
나는 내 SNS 계정이 해킹됐는지 아닌지 확신할 수 없었다.

02 Sheila wants to know if[whether] aliens really exist or not.
Sheila는 외계인이 정말 존재하는지 아닌지 알고 싶어 한다.

03 She will ask him if[whether] he can help her or not.
그녀는 그가 그녀를 도울 수 있는지 아닌지 그에게 물을 것이다.

🎧 감점 피하기
I'm not sure if Chris will come to class (or not).
나는 Chris가 수업에 올지 (안 올지) 확신할 수 없다.

| 배열 영작 |

01 I enjoy reading books as I grow older.
   [As I grow older, I enjoy reading books.]
02 He couldn't go to work since he was sick.
   [Since he was sick, he couldn't go to work.]
03 Although we speak different languages, we are all
   friends.[We are all friends although we speak different
   languages.]
04 Julie went to bed early so that she could get up easily.
05 Mark is so handsome that every girl likes him.
06 The point is that everyone should obey the rule.
07 I wasn't sure if he was telling the truth.

| 빈칸 완성 |

08 as[when] she was living
09 Since[As, Because] I got up late
10 Even though[if] she was hungry
11 so that he can[could] save time
12 so beautiful that
13 The problem is that
14 whether, he can[could] play

| 오류 수정 |

15 will arrive → arrives
16 is → was
17 Because → Although[Even though, Even if, Though]
18 that so → so that
19 so that nervous → so nervous that
20 if → that
21 that → if[whether]

15 **해설** 시간의 부사절(as Emily ~)에서는 현재시제가 미래를 대신한다.
16 **해설** 때를 나타내는 since가 이끄는 부사절에서는 과거시제로 쓴다.
17 **해설** 의미상 양보의 의미를 나타내는 접속사(Although, Even though 등)를 써야 한다.
18 **해설** '~하기 위해서'의 의미로 목적을 나타내므로 「so that+주어+동사 ~」로 쓴다.
19 **해설** '너무 …해서 ~하다'의 의미이므로 「so+형용사/부사+that+주어+동사 ~」로 쓴다.
20 **해설** '~라는 것'의 의미로 문장에서 보어 역할을 하는 접속사 that이 알맞다.
21 **해설** 동사 wonder의 목적어절을 이끌며, '~인지'의 의미를 나타내는 접속사 if나 whether가 알맞다.

| 문장 완성 |

22 Although Eddie has
23 if[whether] he is (at) home
24 As it got darker
25 since[as, because] they need help
26 so that everybody could follow
27 that he is not[isn't] interested in music
28 Noah is so cute that

| 문장 전환 |

29 I stood in line so that I could order a snack.
30 I don't know if his training methods are right.
31 She is so stressed that she can't sleep.
32 He has worked for a bank since he was 25.
33 Although he often makes mistakes, he is a good
   person.

| 대화 완성 |

34 as[since, because] I was taking a shower
35 so popular that it sold out
36 so that I could avoid
37 that I don't have, if[whether] she[Mia] can help

29 **해석** 나는 간식을 주문하기 위해 줄을 섰다.
30 **해석** 나는 그의 훈련 방법이 옳은지 모르겠다.
31 **해석** 그녀는 너무 스트레스를 받아서 잠을 잘 수 없다.
32 **해석** 그는 25살 이후로 은행에서 일해 왔다.
33 **해석** 그는 종종 실수를 하지만 좋은 사람이다.
34 **해석** A: 내가 어젯밤에 네게 전화했어.
   B: 미안해. 내가 샤워를 하고 있어서 전화를 받을 수 없었어.
35 **해석** A: 너 콘서트 티켓 구했니?
   B: 아니. 그 콘서트는 너무 인기 있어서 10분 만에 매진됐어.
36 **해석** A: 너 학교에 지각했니?
   B: 아니. 지각하는 것을 피하려고 택시를 탔어.
37 **해석** A: 너 미술 프로젝트 끝마쳤니?
   B: 아니. 아직. 문제는 내가 충분한 시간이 없다는 거야.
   A: Mia에게 도움을 요청하는 게 어때?
   B: 그녀(Mia)가 나를 도울 수 있을지 잘 모르겠어.

38 He practiced tennis hard so that he could be a
   champion.
39 (1) since I started middle school
   (2) Although they are very young
40 if Jason is from Canada (or not)

38 **해석** 그는 챔피언이 되기 위해서 테니스를 열심히 연습했다.
   해설 '~하기 위해'의 의미로 목적을 나타내는 to부정사 대신 「so that+주어+동사 ~」의 형태로 바꿔 쓸 수 있다.
39 **해석** (1) 나는 중학교에 들어간 이후로 중국어를 공부해왔다.
   (2) 그들은 무척 어리지만 실제로 세상에 변화를 가져왔다.

해설 (1) 중학교에 들어가서 중국어를 공부하기 시작해서 지금도 하고 있는 것이므로 '~ 이후로'의 의미를 나타내는 접속사 since를 이용하여 바꿔 쓸 수 있다.

(2) '~지만'의 의미로 양보의 의미를 연결하는 접속사 although를 이용하여 바꿔 쓸 수 있다.

40 **해석** Clara: Jason은 캐나다 출신이니?

Tom: 응, 그래.

→ Clara는 Jason이 캐나다 출신인지 (아닌지) Tom에게 묻는다.

해설 '~인지'의 의미로 목적어절을 이끄는 접속사 if 뒤에 주어와 동사의 순서로 써서 문장을 완성한다.

Unit 08 가정법

08-01 가정법 과거 p. 104

A 배열 영작

01 If I had wings, I could fly. [I could fly if I had wings.]

02 If Sally were here, she would help me.
[Sally would help me if she were here.]

03 If he knew my address, he might send me a letter.
[He might send me a letter if he knew my address.]

B 문장 완성

01 came, would not[wouldn't] let

02 had, would go

03 If there were no electricity, we could do nothing
[We could do nothing if there were no electricity]

내신 기출

01 has → had
백만 달러가 있다면 Emma는 자신의 가족을 도울 텐데.
해설 가정법 과거의 조건절에서 동사는 과거시제로 쓴다.

02 can → could
우주에 공기가 있다면 우리는 쉽게 다른 행성을 방문할 수 있을 텐데!
해설 가정법 과거의 주절은 「조동사의 과거형+동사원형」으로 쓴다.

03 is → were
오늘이 금요일이면 나는 바다를 보러 부산에 갈 텐데.
해설 가정법 과거의 조건절에서 be동사는 주어의 인칭과 수에 관계없이 were로 쓴다.

ⓖ 감점 피하기

was → were
내가 너라면 나는 포기하지 않을 텐데.

08-02 가정법 과거완료 p. 105

A 배열 영작

01 If I had not been so lazy, I might not have missed the bus.
[I might not have missed the bus if I had not been so lazy.]

02 If Kevin had met you, he would have liked you.

[Kevin would have liked you if he had met you.]

03 If you hadn't made an SNS account, I couldn't have found you. [I couldn't have found you if you hadn't made an SNS account.]

B 문장 완성

01 had loved, would not[wouldn't] have left

02 had known, could have made

03 If it had not[hadn't] rained, we would have gone to the park [We would have gone to the park if it had not[hadn't] rained]

내신 기출

01 I didn't tell Chris the truth, so he was hurt.
나는 Chris에게 진실을 말하지 않아서 그는 상처받았다.
→ If I had told Chris the truth, he would not[wouldn't] have been hurt.
내가 Chris에게 진실을 말했더라면 그는 상처받지 않았을 텐데.

02 As we didn't have enough time, we couldn't finish the project.
우리는 충분한 시간이 있지 않아서 그 프로젝트를 끝마칠 수 없었다.
→ If we had had enough time, we could have finished the project.
우리가 충분한 시간이 있었다면 그 프로젝트를 끝마칠 수 있었을 텐데.

03 Our team didn't win the game because Tom hurt his leg.
Tom이 다리를 다쳐서 우리 팀은 경기에 이길 수 없었다.
→ If Tom had not[hadn't] hurt his leg, our team might have won the game.
Tom이 다리를 다치지 않았더라면 우리 팀이 경기에 이겼을 텐데.

08-03 I wish+가정법 과거 p. 106

A 배열 영작

01 I wish I could draw like Picasso.

02 I wish I had no homework.

03 I wish you were here with me.

B 문장 완성

01 I wish you lived

02 I wish every day could be

03 I wish my sister would buy new sneakers for me

내신 기출

01 I want to have a big brother, but I don't.
나는 형이 있으면 좋겠지만 없다.
→ I wish I had a big brother.
내가 형이 있다면 좋을 텐데.

02 I want to talk with my dog, but I can't.
나는 내 개와 말하고 싶지만 말할 수 없다.
→ I wish I could talk with my dog.
내가 나의 개와 말할 수 있으면 좋을 텐데.

03 I'm sorry that this beautiful dress isn't mine.

이 아름다운 드레스가 내 것이 아니라서 유감이다.

→ I wish this beautiful dress were mine.

이 아름다운 드레스가 내 것이면 좋을 텐데.

08-04 as if+가정법 과거

p. 107

A 배열 영작

01 Jamie talks as if he were rich.

02 Angela walks as if she were a fashion model.

03 Peter talks as if he knew everything.

B 문장 완성

01 as if he understood

02 as if he were a teacher

03 She acts as if she were busy all the time

01 Harry looks sick, but he is not.

Harry는 아픈 것처럼 보이지만 그녀는 아프지 않다.

→ Harry looks as if he were sick.

Harry는 아픈 것처럼 보인다.

02 Julie talks she lives in New York, but she doesn't live there.

Julie는 뉴욕에 사는 것처럼 말하지만 그녀는 거기 살지 않는다.

→ Julie talks as if she lived in New York.

Julie는 뉴욕에 사는 것처럼 말한다.

03 My mom thinks that I am still a little kid, but I'm not a little kid.

엄마는 내가 아직 내가 어린아이라고 생각하지만 나는 어린아이가 아니다.

→ My mom always treats me as if I were (still) a little kid.

엄마는 항상 내가 어린아이인 것처럼 나를 대한다.

감정 피하기

He acts like as if he is an actor, but he isn't.

그는 배우인 것처럼 행동하지만 그는 배우가 아니다.

→ He acts as if he were an actor.

그는 자신이 배우인 것처럼 행동한다.

08-05 It's time+(that)+주어+과거동사

p. 108

A 배열 영작

01 It's time that we had lunch.

02 It's time you tried something new!

03 It's about time he got a job.

B 문장 완성

01 It's time (that) she finished

02 It's time (that) you paid attention to him

03 It's time (that) Nora made a decision

01 (1) It's time Keira put on her makeup.

Keira가 화장을 할 시간이다.

(2) It's time she got ready for the big date.

그녀가 중요한 데이트를 준비할 시간이다.

02 (1) It's time Jack studied harder.

Jack이 더 열심히 공부할 때이다.

(2) It's time he became a top student in his class.

그가 반에서 일 등을 할 때이다.

08-06 가정법 과거를 이용한 표현

p. 109

A 배열 영작

01 What would you do if you were in my place?

[If you were in my place, what would you do?]

02 What would you do if time stopped?

[If time stopped, what would you do?]

03 What would you do if the sun disappeared?

[If the sun disappeared, what would you do?]

B 문장 완성

01 If you were, would you do

02 What would you do if you won

03 What would you do if you lived on Mars

[If you lived on Mars, what would you do]

01 A: What would you do if you were president?

네가 대통령이라면 무엇을 할 거니?

B: I would make my country safer.

나는 우리나라를 더 안전하게 만들 거야.

02 A: What would you do if you became a celebrity?

네가 유명인사가 된다면 뭘 할 거니?

B: I'd fly around the world in first class.

나는 일등석을 타고 전 세계를 날아다닐 거야.

03 A: What would you do if you could see the future?

네가 미래를 볼 수 있다면 뭘 할 거니?

B: I'd try to change it.

나는 미래를 바꾸려고 애쓸 거야.

내신 서술형 잡기

Unit 01~06

| Step 1 | 기본 다지기 | p. 110 |

| 배열 영작 |

01 If I were you, I would give him flowers.

[I would give him flowers if I were you.]

02 If I hadn't fallen asleep, I would have watched the match. [I would have watched the match if I hadn't fallen asleep.]

03 I wish I had a kind sister like you.

04 He's acting as if he were my brother.

05 It's time you had a rest.

06 What would you do if the world was going to end tomorrow? [If the world was going to end tomorrow, what would you do?]

| 빈칸 완성 |

07 If he had, would[might] buy

08 had taken, would have succeeded

09 I wish, could sing

10 as if he knew

11 It's time, made

12 would you do, could go

| 오류 수정 |

13 will → would

14 prepared → had prepared

15 will → would

16 will own → owned

17 is → were

18 meet → met

13 **해설** 가정법 과거의 주절은 「조동사의 과거형+동사원형」으로 쓴다.

14 **해설** 가정법 과거완료의 조건절은 「had+p.p.」로 쓴다.

15 **해설** I wish 가정법과 조동사 will이 사용되었으므로 「조동사의 과거형(would)+동사원형」으로 쓴다.

16 **해설** as if 가정이므로 조건절의 동사를 과거형으로 쓴다.

17 **해설** 가정법 과거 if절의 be동사는 주어에 관계없이 were를 쓴다.

18 **해설** 「What would you do if you+과거동사 ~?」의 형태로 써서 '만약 ~라면 너는 어떻게 하겠니?'라는 의미를 나타내므로 조건절은 과거형으로 쓴다.

Step 2 **응용하기** p. 111

| 문장 완성 |

19 would you do

20 as if I were

21 If he did not[didn't] tell, would like

22 I wish I were

23 If you lived, might meet

24 could have passed, had studied

| 문장 전환 |

25 I knew the answer, I could tell you

26 you had not[hadn't] helped me, I could not[couldn't] have solved the problem

27 I had my own room

28 she were my close friend

| 대화 완성 |

29 you were, would help

30 I could tell

31 were, would do

32 had not been, would have had

33 went to bed

25 **해석** 나는 답을 모르기 때문에 너에게 말해줄 수 없다.
→ 내가 답을 알면 너에게 말해줄 수 있을 텐데.

26 **해석** 네가 나를 도와주지 않기 때문에 나는 그 문제를 풀 수 없었다.
→ 네가 나를 도와주지 않았더라면 나는 그 문제를 풀 수 없었을 텐데.

27 **해석** 나는 내 방을 갖고 싶지만 가지고 있지 않다.
→ 내 방이 있으면 좋을 텐데.

28 **해석** 사실 Emiy는 나의 친한 친구가 아니다.
→ Emily는 나의 친한 친구인 것처럼 행동한다.

29 **해석** A: 네가 만약 경찰관이라면 어떻게 하겠니?
B: 난 어려움에 처한 사람들을 도울 텐데.

30 **해석** A: 너 Brad 아니?
B: 그럼. 그는 재미있어서 친구들 사이에 무척 인기 있어.
A: 내가 그 애처럼 재미있는 농담을 말할 수 있으면 좋을 텐데.

31 **해석** A: 오, 이런. 난 과학 숙제하는 걸 깜빡했어.
B: 내가 너라면 쉬는 시간 동안 과학 숙제를 할 텐데.

32 **해석** A: 너 놀이공원에서 솜사탕 먹었니?
B: 아니, 너무 배가 불렀어. 배부르지 않았더라면 조금 먹었을 텐데.

33 **해석** A: 벌써 11시야. 잠자리에 들 시간이란다.
B: 알겠어요, 엄마.

Step 3 **고난도 도전하기** p. 112

34 hadn't watched[hadn't stayed up watching], wouldn't have been

35 He talks as if he were interested in classical music.

36 (1) I had (some[any]) close friends
(2) I could speak French
(3) I were good at math

34 **해석**

> Mia는 영화를 보느라 늦게까지 깨어있었고 학교에 늦었다.

Mia가 밤늦게까지 (깨어서) 영화를 보지 않았더라면 그녀는 학교에 지각하지 않았을 텐데.

해설 과거의 일에 대한 반대 상황을 가정하는 것이므로 가정법 과거완료로 표현한다.

35 **해설** as if 가정법이므로 be동사를 were로 쓴다.

36 **해석** (1) 내가 친한 친구들이 (조금이라도) 있으면 좋을 텐데.
(2) 내가 프랑스어를 말할 수 있으면 좋을 텐데.
(3) 내가 수학을 잘하면 좋을 텐데.

> White 선생님께.
> (1) 저는 친한 친구가 없어요. (2) 저는 프랑스어를 말할 수 없어요. (3) 저는 수학을 못 해요. 어떻게 해야 하죠?

해설 「I wish+주어+과거동사[조동사의 과거형+동사원형]」의 형태로 쓴다.

09-01 the+비교급, the+비교급   p. 113

A 배열 영작

01 The older we grow, the wiser we become.
02 The less you spend, the more you save.
03 The harder you work, the faster you'll finish.

B 문장 완성

01 The earlier, the sooner
02 The more, the healthier
03 The less you know, the more you believe

01 the more you learn
02 The farther you go
03 the better it tastes

09-02 비교급 표현 「비교급+than any other」   p. 114

A 배열 영작

01 History is more important than any other subject.
02 She was greater than any other scientist.

B 문장 완성

01 smaller than any other country
02 colder than any other day
03 nicer than any other restaurant
04 He is more famous than any other singer

01 Sirius is brighter than any other star in the sky.
우리반 시리우스는 하늘에 있는 다른 어떤 별보다 더 밝다.
02 Jisu is more diligent than any other boy in my school.
지수는 우리 학교에 있는 다른 어떤 남자아이보다 더 부지런하다.
03 Being a dentist is more attractive for him than any other job. [Being a dentist is more attractive than any other job for him.]
치과의사가 되는 것은 그에게 다른 어떤 직업보다 더 매력 있다.

감점 피하기

Mia is prettier than any other girl in my class.
Mia는 우리 반의 다른 어떤 여자아이보다 더 예쁘다.

09-03 비교급 표현 「No (other)+비교급+than」   p. 115

A 배열 영작

01 No other invention is greater than the smartphone.

02 No student in his class is taller than him.

B 문장 완성

01 No other member, more popular than
02 No place, drier than
03 No other man is richer than Bill

01 No (other) boy in my class is funnier than Mark.
우리 반의 (다른) 어떤 남자아이도 Mark보다 더 웃기지 않다.
02 No (other) subject is harder for me than math.
[No (other) subject is harder than math for me.]
(다른) 어떤 과목도 나에게 수학보다 더 어렵지 않다.
03 No (other) painting in the museum is more expensive than this (one).
그 박물관에 있는 (다른) 어떤 그림도 이것보다 더 비싸지 않다.

09-04 최상급 표현   p. 116

A 배열 영작

01 She is the closest friend I've ever had.
02 Your spaghetti is the best I've ever eaten.
03 Lisbon is the nicest city she has ever visited.

B 문장 완성

01 the most beautiful lake (that) he has[he's] ever been
02 the cutest animal (that) I have[I've] ever seen
03 This is the most boring movie (that) I have[I've] ever watched

01 the best song (that) we have[we've] ever heard
02 the most difficult language (that) he has[he's] ever learned
03 the busiest man (that) she has[she's] ever met

09-05 do를 이용한 강조   p. 117

A 배열 영작

01 He did look happy to see her.
02 Peter does like playing mobile games.
03 I do love doing nothing.

B 문장 완성

01 do worry about
02 We did enjoy our vacation
03 I did call you yesterday

01 We do hope
02 The singer did have

03 My sister does hate tomatoes

🔊 감점 피하기

did do

09-06 It … that 강조구문

p. 118

A 배열 영작

01 It was Leo that swam in the pool.
02 It was in Seoul that I was born.
03 It is the earphone which he's looking for.

B 문장 완성

01 is chocolate that[which] she eats
02 is your smile that[which] makes
03 It was at the bus stop that James met her

내신 기출

01 It was Judy that[who] lost her wallet on the bus.
   버스에서 지갑을 잃어버린 것은 바로 Judy였다.
02 It is my little brother that[who(m)] I've been waiting for.
   내가 기다리고 있는 사람은 바로 내 남동생이다.
03 It was at the age of five that I learned how to ride a bike.
   내가 자전거 타는 법을 배운 것은 바로 5살 때였다.

09-07 부정어구 도치

p. 119

A 배열 영작

01 Never has Minju worn glasses.
02 Rarely does it rain in the desert.
03 Hardly did he try his best.

B 문장 완성

01 Hardly could she believe
02 No sooner had I arrived
03 Never will he come back home again

내신 기출

01 Rarely does Julia eat fast food.
   Julia는 좀처럼 패스트푸드를 먹지 않는다.
02 Never has Dave seen such a beautiful lake.
   Dave는 그렇게 아름다운 호수를 본 적이 전혀 없다.
03 Seldom was she as happy as that moment.
   그녀는 그 순간만큼 행복했던 적이 거의 없다.

09-08 전체부정/부분부정

p. 120

A 배열 영작

01 I don't always have breakfast.
02 Neither of them is perfect.
03 Not every person can be an artist.

B 문장 완성

01 Not all (the) students[Not all of the students], want
02 do not[don't] know anything
03 None of them paid attention to me

내신 기출

01 Many countries have a president. + But some countries don't.
   많은 나라에는 대통령이 있다. + 하지만 어떤 나라에는 없다.
   → Not all countries have a president.
   모든 나라에 대통령이 있는 건 아니다.
02 This book isn't worth reading. + That book isn't worth reading, either.
   이 책은 읽을 가치가 없다. + 저 책도 읽을 가치가 없다.
   → Neither of the books is worth reading.
   그 책들 모두 읽을 가치가 없다.
03 Honesty is the best policy. + But sometimes it is not.
   정직은 최상의 방책이다. + 하지만 가끔은 아니다.
   → Honesty is not always the best policy.
   정직이 항상 최상의 방책은 아니다.

🔊 감점 피하기

You can't use this room. + And you can't use that room.
너는 이 방을 사용할 수 없다. + 그리고 너는 저 방을 사용할 수 없다.
→ You can use neither room[neither of the rooms].
   너는 어느 방도 사용할 수 없다.
You can use neither this room nor that room.
또는 You can neither use this room nor that room.로도 바꿀 수 있다.

내신 서술형 잡기   Unit 01~08

Step 1   기본 다지기

p. 121

| 배열 영작 |

01 The richer you get, the more you want.
02 Dave is more positive than any other student.
03 No other girl in her class is shorter than her.
04 This is the funniest joke I've ever heard.
05 Spinach does have a lot of nutrients.
06 It was a better future that we wanted.
07 Never did she dream of becoming a doctor.
08 Not everybody agrees with the rules.

09 The more, the more

10 cheaper than any other

11 No other, bigger than

12 the coldest city, have, visited

13 does look

14 did solve

15 It was my grandfather[grandpa] that[who]

16 will I forget

17 doesn't always

| 오류 수정 |

18 hard → harder

19 biggest → bigger

20 fast → faster

21 more → most

22 had → have

23 what → that

24 he had → had he

25 can't → can

18 해설 '더 ~할수록 더 …하다'의 의미는 「the+비교급, the+비교급」의 형태로 써서 나타낸다.

19 해설 「비교급+than any other ~」의 형태로 써서 최상급의 의미를 나타낸다.

20 해설 「부정주어+비교급+than ~」의 형태로 써서 최상급의 의미를 나타낸다.

21 해설 '지금까지 ~한 중 가장 …한'의 의미는 「최상급+(that)+주어+have ever+p.p.」의 형태로 써서 나타낸다.

22 해설 동사를 강조할 때는 do동사(did) 뒤에 동사원형을 쓴다.

23 해설 부사구 last night를 강조하는 「It … that」 강조구문이므로 what을 that으로 고쳐 쓴다.

24 해설 '~하자마자 …했다'의 의미는 「No sooner had+주어+p.p.+than+주어+동사의 과거형」의 형태로 써서 나타낸다.

25 해설 문장 앞에 Not이 있으므로 부분부정의 의미를 나타내려면 can't를 can으로 고쳐 써야 한다.

Step 2 응용하기 p. 122

| 문장 완성 |

26 is longer than

27 more ambitious than any other student

28 The fewer, the more

29 the most shocking, (that) I have[I've] ever heard

30 None of them will go

31 It was Chris that[who] sent

32 Never have I met

33 had I arrived, rang

34 does worry about her cat

| 문장 전환 |

35 It was in 1969 that humans first landed on the moon.

36 The higher we go up, the colder the air becomes.

37 is higher than any other mountain in the world

38 bag in the shop is more expensive than this (bag[one])

39 Jim did try his best to make it better.

40 Never did I dream of seeing you again.

41 Not all people like drinking coffee.

| 대화 완성 |

42 The more, the fewer

43 the most beautiful, have ever visited

44 have I eaten

45 It was, that[who], does enjoy

46 better than, player, is better than

35 해석 인간이 최초로 달에 착륙한 것은 바로 1969년이었다.

36 해석 우리가 더 높이 올라갈수록 공기는 더 차가워진다.

37 해석 에베레스트 산은 세상에서 다른 어떤 산보다 더 높다.

38 해석 그 가게에 있는 다른 어떤 가방도 이것(이 가방)보다 더 비싸지 않다.

39 해석 Jim은 상황을 더 나아지게 하려고 정말로 최선을 다했다.

40 해석 너를 다시 볼 거라고는 전혀 꿈도 꾸지 못했다.

41 해석 모든 사람들이 커피 마시는 것을 좋아하지는 않는다.

42 해석 A: 내가 또 실수를 했어.
　　　B: 네가 더 조심할수록 더 적은 실수를 하게 돼.

43 해석 A: 너 하와이에 가본 적 있니?
　　　B: 응. 하와이는 내가 가봤던 곳 중 가장 아름다운 장소야.
　　　A: 나도 곧 그곳에 방문하기 고대하고 있어.

44 해석 A: 나는 멕시코 음식을 먹어본 적이 전혀 없어.
　　　B: 정말? 난 네가 나초를 먹어봐야 한다고 생각해. 그것은 맛있어.

45 해석 A: 이 파스타 정말 맛있다. 누가 만들었니?
　　　B: 그걸 만든 건 바로 Angela야.
　　　A: 오, 그녀는 정말 요리를 잘하는구나.
　　　B: 맞아. 그녀는 요리하는 것을 정말로 즐겨.

46 해석 A: 난 Brian이 세상에서 다른 어떤 테니스 선수보다 잘한다고 생각해.
　　　B: 나는 그렇게 생각하지 않아. 나는 Daniel이 세상에서 다른 어떤 선수보다 잘한다고 생각해.

Step 3 고난도 도전하기 p. 124

47 (1) shorter than any other
　　(2) No other, run faster than
　　(3) the tallest, ever seen

48 the more she wants to swim

49 (1) It was Peter that[who] bought a blue cap at this store yesterday.
　　(2) It was at this store that Peter bought a blue cap yesterday.

50 (1) the most exciting, I have[I've] ever gone on
　　(2) Not everybody likes to feel scared

47 해석

	Mia	Judy	Amy
신장	165센티미터	158센티미터	162센티미터
달리기 시간/100미터	15초	17초	13초

(1) Judy가 셋 중에서 다른 어떤 여자아이보다 더 작다.

(2) 셋 중에서 다른 어떤 여자아이도 Amy보다 더 빨리 달릴 수 없다.

(3) Mia는 우리가 본 여자아이 중에 가장 키가 크다.

해설 「비교급+than any other ~」나 「부정주어+비교급+than ~」의 형태로 써서 최상급의 의미를 나타낸다. 또한, '이제껏 ~한 것 중 가장 …한'이라는 뜻의 최상급 표현은 「최상급+명사+(that)+주어+have[has] p.p.」로 나타낸다.

48 해석 날이 더 따뜻해질수록 그녀는 더 수영하고 싶어 한다.

해설 「the+비교급+주어+동사, the+비교급+주어+동사」의 형태로 써서 '더 ~할수록 더 …하다'의 의미를 나타낸다.

49 해석 (1) 어제 이 가게에서 파란 모자를 산 사람은 바로 Peter였다.
(2) 어제 Peter가 파란 모자를 산 곳은 바로 이 가게였다.

해설 동사를 제외한 나머지 문장 성분을 강조할 때는 It과 that 사이에 강조하고 싶은 말을 넣고 나머지를 that 뒤에 써서 나타낸다.

50 해석

> A: 저건 어땠어?
> B: (1) 그것은 내가 이제껏 타 봤던 것 중에 가장 신나는 놀이기구야. 너도 타보는 게 어때?
> A: 그건 나에게 너무 무서워. (2) 모든 사람이 무서움을 느끼는 것을 좋아 하지는 않아.
> B: 알겠어. 우리 뭐 좀 간단히 먹을까?
> A: 좋아. 가자.

해설 (1) 「최상급(+that)+주어+have ever+p.p.」의 형태로 써서 '지금까지 ~한 것 중 가장 …한'의 의미를 나타낸다.
(2) '모두 ~한 것은 아니다'의 의미를 나타내는 부분부정이므로 Not every-body ~로 시작하여 쓴다.

중학
영어

쓰작

쓰기 + 작문

3

—

정답 및 해설

서술형 WORKBOOK

Unit 01 ▶ 시제와 조동사

01-01 현재완료 긍정문
p. 6

A 01 Smartphones have changed our lives completely.
02 My uncle has just become a dad.
03 He has entered the skyscraper before.
04 We have moved to New York.

B 01 Jane has forgotten
02 David has taken Taekwondo classes
03 I have[I've] been to Stonehenge before
04 They have[They've] lived in Seoul since they were little

C ① Alice has learned the guitar for 7 years.
Alice는 7년째 기타를 배우고 있다.
② She has played the guitar in the school band.
그녀는 학교 밴드에서 기타를 연주해왔다.
③ Also, she has made many songs since then.
또한 그녀는 밴드를 위해 그때 이후로 많은 노래를 만들어왔다.
④ She has just become the leader of the band.
그녀는 막 밴드의 리더가 되었다.

01-02 현재완료 부정문/의문문
p. 7

A 01 Have you ever visited an online bookstore?
02 The shopping mall has not opened yet.
03 Have they finished shooting the movie?
04 I have never been in a difficult situation.

B 01 Lucy has not[hasn't] skipped a class
02 Have you ever bought anything
03 I have not[haven't] watered the plants
04 Has the debate already started

C 01 A: Have you ever met my friend Charlie?
너는 내 친구 Charlie를 만나 본 적 있니?
B: No, but I have always wanted to meet him.
아니, 하지만 항상 그를 만나고 싶었어.
02 A: Has Julia lived in Chicago for 15 years?
Julia는 15년 동안 시카고에서 살았니?
B: Yes, she has lived there since she was born.
응, 그녀는 태어난 이후로 거기에서 살았어.
03 A: Have the singers arrived at the TV station?
그 가수들은 방송국에 도착했나요?
B: No, they haven't arrived yet.
아니요, 그들은 아직 도착하지 않았어요.

01-03 현재완료 진행형
p. 8

A 01 I have been doing volunteer work since 2019.
02 How long has Jimmy been practicing dancing?
03 They have been cleaning up the house for an hour.
04 He has been reading a novel since lunchtime.

B 01 I have[I've] been writing a travel blog
02 She has[She's] been staying in my house
03 has Nancy been teaching English
04 It has[It's] been raining since last Friday

C 01 She has been collecting stamps since she was a child.
그녀는 아이였을 때 이후로 우표를 모으고 있다.
02 Mom has been looking for the missing package for 10 minutes.
엄마는 10분 동안 잃어버린 소포를 찾고 있다.
03 They have been working at the company since March.
그들은 3월 이후로 그 회사에서 일하고 있다.

01-04 과거완료 긍정문/부정문
p. 9

A 01 His parents thought that he had made a big mistake.
02 She had never written a poem until then.
03 I was shocked that somebody had stolen my bike.

B 01 She had[She'd] practiced[She practiced] singing
02 had gone to bed
03 had not[hadn't] booked in advance
04 they had[they'd] done their best

C 01 is → had
내가 극장에 도착했을 때 뮤지컬은 이미 시작했었다.
해설 내가 도착한 것보다 뮤지컬이 시작된 것이 먼저 일어난 일이므로 과거완료 시제로 쓴다.
02 been knowing[had not been knowing] → known[did not know]
그가 우리에게 말하기 전에는 우리는 그가 아팠던 것을 알지 못했었다.
해설 know와 같은 인지 동사는 진행형으로 쓰지 않는다.
03 has → had
그녀는 이미 식사를 했기 때문에 더 먹고 싶지 않았다.
해설 먹고 싶지 않았던 것보다 식사를 한 것이 먼저 일어난 일이므로 과거완료 시제로 쓴다.

01-05 cannot+have+p.p.
p. 10

A 01 He cannot have deleted the text message.
02 The team cannot have won the match.
03 The accident cannot have been a mistake.
04 The singer cannot have remembered all his fans.

B 01 cannot[can't] have misunderstood
02 cannot[can't] have been
03 My sister cannot[can't] have studied last night
04 Jake cannot[can't] have cleaned his room

C ① You cannot[can't] have seen Mark there.
② He cannot[can't] have left without saying anything.
A: 나는 오늘 아침에 공원에서 Mark가 자전거를 타고 있는 것을 봤어.
B: ① 네가 거기에서 Mark를 봤을 리가 없어. 그는 어제 보스턴으로 떠났거든.
A: 정말? ② 그가 아무 말도 없이 떠났을 리가 없어.
B: 그의 어머니가 아프셔서 그는 갑자기 떠나야 했어.
A: 그 말을 들으니 정말 유감이야.

01-06 may+have+p.p. p. 11

A 01 They may have been very short.
02 The movie may not have been released yet.
03 Brian may have skipped the class last week.
04 Amy may not have collected the data.

B 01 may have made him annoyed
02 Brenda may have changed her mind
03 He may have lost weight
04 She may not have seen a doctor

C 01 Andrew may have arrived
02 may have broken
03 She may not have done her homework yet

01-07 must+have+p.p. p. 12

A 01 They must have been hungry.
02 Somebody must have drunk this milk.
03 She must not have attended online classes.
04 Your umbrella must have been lost.

B 01 They must have closed
02 It must have snowed
03 She must not[mustn't] have left for
04 He must have been a volleyball player

C After having dinner, Dad went straight to bed.
저녁 식사 후에 아빠는 곧바로 잠자리에 들었다.
① Dad must have been tired after work.
아빠가 퇴근 후에 피곤했던 것이 틀림없다.
Jason and Julie went to an amusement park yesterday.
They looked delighted this morning.
Jason과 Julie는 어제 놀이공원에 갔다. 그들은 오늘 아침에 즐거워 보였다.
② They must have had a good time there.
그들은 그곳에서 즐거운 시간을 보냈던 것이 틀림없다.

01-08 should+have+p.p. p. 13

A 01 We should have eaten something.
02 He should not have lied to his parents.
03 You should have read the book to the end.
04 We shouldn't have seen the boring movie.

B 01 Gerald should have joined
02 You should not[shouldn't] have talked
03 We should have been cautious
04 I should not[shouldn't] have sent Judy the text
message[the text message to Judy]

C 01 I should have apologized to her first.
내가 그녀에게 먼저 사과했어야 했다.
02 I should not[shouldn't] have eaten the ice cream.
나는 아이스크림을 먹지 말았어야 했다.

03 I should not[shouldn't] have bought this chair.
나는 이 의자를 사지 말았어야 했다.

01-09 would rather A than B p. 14

A 01 I'd rather take a walk than read a book.
02 They would rather not refuse his suggestion.
03 I'd rather buy a new computer than fix my old one.
04 She would rather not have her hair cut.

B 01 would rather keep, talk to
02 would rather walk barefoot, wear high heels
03 He would[He'd] rather not go shopping alone
04 We would[We'd] rather play tennis than go to the
movies

C 01 A: Do you want to exchange the shirt for another one?
셔츠를 다른 것으로 교환해 드릴까요?
B: No, I would[I'd] rather get a refund than exchange it.
아니요, 교환하느니 차라리 환불받는 게 좋겠어요.
02 A: I'm hungry. Let's cook something.
배고파. 뭐 좀 만들자.
B: Well, I would[I'd] rather order food than cook
something.
글쎄. 무언가를 요리하느니 차라리 주문하는 게 좋겠어.
03 A: Emily, do you want some orange juice?
Emily, 오렌지 주스 좀 마실래?
B: No, I would[I'd] rather have a cup of coffee than
orange juice.
아니, 오렌지 주스보다 차라리 커피를 한 잔 마시고 싶어.

01-10 used to p. 15

A 01 My dad used to be a baseball player.
02 She used to have a lizard.
03 He used to take a walk every morning.
04 There used to be a post office on the corner.

B 01 He used to be very shy
02 I used to[would] play soccer
03 They used to be friends
04 We used to[would] swim in the river

C ① There used to be a tall tree on the playground.
② I used to[would] climb up the tree.
③ I used to[would] spend a lot of time on the tree.
어렸을 때 나는 활동적이었어! ① 운동장에 큰 나무 한 그루가 있었다. ② 나는 그
나무에 오르곤 했다. ③ 나는 나무 위에서 많은 시간을 보내곤 했다. 슬프게도, 그 나
무는 베어졌다. 나는 때때로 그것이 정말 그립다.

Unit 02 ▶ 부정사

02-01   to부정사의 용법(명사/형용사/부사)   p. 16

A　01 To spend money wisely is important.
　　02 I don't have time to eat a snack.
　　03 His plan is to take a trip to Africa.
　　04 She must be honest to say that.

B　01 to buy furniture
　　02 I decided to think positively
　　03 the person to win two Nobel Prizes
　　04 They practiced hard to pass the audition

C　01 to get clean water
　　02 You need to change
　　03 looking for someone to hang out with

02-02   It(가주어) ~ to부정사   p. 17

A　01 It is not easy to achieve your dreams.
　　02 It was Jason's idea to paint the wall.
　　03 It is bad to cheat on tests.
　　04 Is it possible to join the club now?

B　01 It is[It's] essential to maintain
　　02 It is[It's] dangerous to listen to music
　　03 It is[It's] impossible to predict the future
　　04 It is[It's] important to use your time wisely

C　01 It is[It's] very hard to get perfect grades.
　　　만점을 받는 것은 무척 힘들다.
　　02 It is[It's] smart to think twice before you make a decision.
　　　결정을 하기 전에 두 번 생각하는 것이 현명하다.
　　03 It is[It's] necessary to understand other people's points of view.
　　　다른 사람들의 견해를 이해하는 것이 필요하다.

02-03   to부정사의 의미상 주어   p. 18

A　01 It is hard for kids to stay in one place.
　　02 It was careless of him to lose his passport.
　　03 It is silly of her to say that.
　　04 It was fun for Cindy to play with her friends.

B　01 It is[It's] important for seniors to exercise
　　02 It was wise of her to follow
　　03 It was not[wasn't] easy for Dylan to choose
　　04 It is[It's] difficult for me to remember people's names

C　01 In Korea, it is[it's] natural for us to ask someone's age.
　　　한국에서 우리가 누군가의 나이를 묻는 것은 자연스럽다.
　　02 It is[It's] very kind of her to take care of stray cats.
　　　길고양이들을 돌보다니 그녀는 정말 친절하구나.

　　03 It is[It's] important for you to bounce back from failure.
　　　네가 실패를 딛고 일어서는 것이 중요하다.

02-04   It(가목적어) ~ to부정사   p. 19

A　01 He thinks it important to pursue his dream.
　　02 She finds it hard to express her feelings to others.
　　03 I believe it important to listen to others carefully.

B　01 We found it possible to impress
　　02 I believe it efficient to work
　　03 She thought it difficult to learn
　　04 He makes it a rule to go to bed at 11 (o'clock)

C　01 found it convenient to use
　　02 believe it foolish to give up
　　03 think it wrong to judge

02-05   지각동사＋목적어＋목적격 보어   p. 20

A　01 I often see him help other students.
　　02 The teacher watched us making a poster.
　　03 She felt someone pushing her from behind.
　　04 Didn't you hear him call you from across the road?

B　01 They watched the volcano grow[growing]
　　02 He smelled something burn[burning]
　　03 Ashley noticed someone look[looking] at her
　　04 Jessie saw him cook[cooking] in the kitchen

C　01 Mary felt the breeze touch[touching] her cheeks.
　　　Mary는 산들바람이 자신의 뺨을 건드리는[건드리고 있는] 것을 느꼈다.
　　02 I saw a man fall[falling] into the water.
　　　나는 한 남자가 물속으로 떨어지는[떨어지고 있는] 것을 봤다.
　　03 She heard her children shout[shouting] on the street.
　　　그녀는 자신의 아이들이 길에서 소리치는[소리치고 있는] 것을 들었다.

02-06   사역동사＋목적어＋목적격 보어   p. 21

A　01 Chocolate makes me feel happy.
　　02 My teacher let us play soccer at lunchtime.
　　03 My dad always has me get up early.
　　04 I made my friend watch my bag for a while.

B　01 made my school cancel
　　02 made us organize the classroom
　　03 He had her tell the truth
　　04 She let her dogs run free

C　01 make her cry
　　02 had the computer virus removed
　　03 will not[won't] let me wear

02-07 help/get＋목적어＋목적격 보어　　p. 22

A 01 Female elephants help each other look after their babies.
02 Mom got me to have breakfast.
03 He helped his dad to make dinner.
04 She got her husband to change the light bulb.

B 01 helped me (to) make many friends
02 I got her to reserve
03 helps me (to) relieve stress
04 George can get his dog to roll over

C 01 carrying → (to) carry
내가 이 책들을 옮기는 걸 도와줄 수 있니?
해설　help의 목적격 보어로 동사원형이나 to부정사가 오므로 carrying을 carry나 to carry로 고쳐 쓴다.

02 cut → to cut
Brown 씨는 아내가 자신의 머리를 짧게 자르게 했다.
해설　get의 목적격 보어로 to부정사가 오므로 cut을 to cut으로 고쳐 쓴다.

03 taking → to take
그 간호사는 환자가 약을 좀 먹게 했다.
해설　get의 목적격 보어로 to부정사가 오므로 taking을 to take로 고쳐 쓴다.

02-08 의문사＋to부정사　　p. 23

A 01 Could you explain how to use this audio guide?
02 I worry about what to wear every day.
03 He couldn't decide when to go camping.
04 I don't know where to start.

B 01 He decided what to put
02 Do you know how to protect your skin
03 tell me where to catch a taxi
04 They did not[didn't] know when to share the big news

C 01 A: You must not ride your bike on this road.
이 길에서 자전거를 타면 안 돼요.
B: I'm sorry. I didn't know where to ride my bike.
죄송해요. 자전거를 어디에서 타야 하는지 몰랐어요.

02 A: I heard that our natural resources are running out.
우리의 천연자원이 고갈되고 있다고 들었어.
B: Right. We should learn how to use our resources more wisely.
맞아. 우리는 우리의 자원을 어떻게 더 현명하게 사용해야 하는지 배워야 해.

03 A: I still haven't decided what to wear to the Halloween party.
나는 핼러윈 파티에 무엇을 입어야 할지 아직 결정하지 못했어.
B: How about dressing up as a witch?
마녀 복장을 하는 건 어때?

02-09 too … to부정사　　p. 24

A 01 Time is too important to waste.
02 She is too timid to try new things.
03 This poem is too difficult for me to understand.
04 The music was too loud for him to concentrate.

B 01 Ben was too sleepy to finish
02 too expensive for her to buy
03 I am[I'm] too busy to go to the movies
04 The juice is too sweet for me to drink

C 01 He was too exhausted to hang out with his friends.
그는 너무 피곤해서 친구들과 어울려서 시간을 보낼 수 없었다.
02 The tree was too high for them to climb.
그 나무는 너무 높아서 그들이 오를 수 없었다.
03 Kate is too shy to say anything to the boy.
Kate는 너무 수줍음이 많아서 그 소년에게 어떤 말도 할 수 없다.

02-10 … enough to부정사　　p. 25

A 01 She isn't old enough to drive a car.
02 The mouse is small enough to go through the hole.
03 Jen is wise enough to admit her mistakes.
04 This book is easy enough for children to understand.

B 01 cold enough to go skiing
02 simple enough for elderly people to use
03 large enough to hold 5,000 people
04 He spoke loudly enough for us to hear

C 01 She is creative enough to design these buildings.
그녀는 이 건물들을 디자인할 만큼 충분히 창의적이다.
02 Frank was brave enough to save the child from the river.
Frank는 강에서 그 아이를 구할 만큼 충분히 용감했다.
03 The weather is good enough for us to go climbing.
날씨가 우리가 등산을 하러 갈 만큼 충분히 좋다.

02-11 seem to부정사　　p. 26

A 01 Carter's blog seems to be educational.
02 You seem to have nothing in common.
03 Jenny seemed to tell lies about her family.
04 The elevator seems to be out of order.

B 01 She seems to eat a lot
02 Justin seemed to be anxious about
03 Angela seems to read lots of books
04 He did not[didn't] seem to be afraid of failure

C 01 Ken seems to be very generous to say that.
Ken은 그렇게 말하다니 매우 관대한 것 같다.
02 Peter seems to like to take pictures of food.
Peter는 음식 사진을 찍는 것을 좋아하는 것 같다.

03 Rosy seemed to be interested in saving animals.
Rosy는 동물들을 구하는 것에 관심이 있는 것 같았다.

02-12 It takes ··· to부정사
p. 27

A 01 It takes lots of energy to climb up a mountain.
02 It takes time to learn a new language.
03 It took them two months to finish the project.
04 It took 5 million dollars to build the bridge.

B 01 It takes almost fourteen hours to go
02 It took him a lot of effort to succeed
03 It takes only ten minutes to make
04 It took almost six hours to put out the fire

C 01 It takes her fifteen minutes to walk to the park.
그녀가 공원에 걸어가는 데 15분이 걸린다.
02 It will take the engineer some effort to upgrade the system.
엔지니어가 시스템을 업그레이드하는 데 약간의 노력이 필요할 것이다.
03 It took Alice more than two hours to finish her essay.
Alice가 자신의 에세이를 끝내는 데 두 시간이 넘게 걸렸다.

Unit 03 ▶ 동명사

03-01 동명사의 부정
p. 28

A 01 Jack is considering not going to college.
02 Not saving your password in the shared computers is better.
03 He apologized for not attending the class.

B 01 Not wearing safety gear is
02 not being on time
03 not winning the prize
04 I am[I'm] sorry for not calling you

C 01 Wasting not → Not wasting
에너지와 물을 낭비하지 않는 것이 환경에 이롭다.
02 don't have → not having
그는 충분한 돈을 갖지 못한 것에 불평했다.
03 telling not → not telling
나는 그때 너에게 진실을 말하지 않은 것을 후회한다.
해설 01~03 동명사의 부정은 동명사 바로 앞에 not을 써야 한다. 또한, 전치사의 목적어는 동명사 형태로 써야 한다.

03-02 동명사의 의미상 주어
p. 29

A 01 My parents didn't like my dyeing hair.
02 I'm sure of his becoming a good writer.
03 I appreciate your giving me the opportunity.
04 They were concerned about her eating too much.

B 01 She was angry at their[them] throwing
02 Mike imagined her winning
03 your[you] traveling in Africa
04 They dislike his[him] playing the drums at night

C 01 They complained of the waiter's[waiter] being very unkind.
그들은 웨이터가 매우 불친절한 것에 대해 불평했다.
02 Her parents are proud of her getting a job.
그녀의 부모님은 그녀가 직업을 구한 것을 자랑스러워한다.
03 She felt ashamed of his[him] cheating in the exam.
그녀는 그가 시험에서 부정행위를 한 것에 부끄러움을 느꼈다.

03-03 동명사와 to부정사
p. 30

A 01 I tried eating Pad Thai.
02 Clara forgot to set the alarm clock.
03 Alice regretted lending me her book.
04 He remembered to book a plane ticket.

B 01 We remember volunteering
02 Pedro will never forget going
03 She stopped to answer the phone
04 Frankie stopped playing computer games

C ① try to park
해설 '~하려고 노력하다'의 의미가 되도록 try 뒤에 to부정사를 쓴다.
② remember to call
해설 앞으로 할 일을 기억하는 것이므로 to부정사를 목적어로 쓴다.
③ forget to take
해설 앞으로 할 일을 잊는 것이므로 to부정사를 목적어로 쓴다.
A: 오, 밖에 비가 오고 있어. 나는 비가 오면 실내에 주차하려고 노력하는데 오늘은 일기예보를 확인하지 못했어!
B: 아니, 저런! 너 Steve에게 전화해야 하는 거 기억하니? 오늘 그 애 생일이 잖아.
A: 응. 4시에 그 애를 만날 거야.
B: 나갈 때 우산 가져가는 것 잊지 마.
A: 알겠어, 그럴게.

03-04 by/without+동명사
p. 31

A 01 We can't survive without drinking water.
02 I found my old friend by using social media.
03 She fell asleep without turning off the TV.
04 He pays for things by putting his finger on a sensor.

B 01 by studying together
02 without making noise
03 without attempting new things
04 by taking online courses

C 01 by taking the stairs
02 without asking
03 by having a party

03-05 동명사의 주요 표현 1
p. 32

A 01 This area is worth preserving.
02 She is looking forward to going to the concert.
03 I don't feel like having lunch.
04 Would you mind not kicking my seat?

B 01 He looks forward to receiving
02 I feel like drinking
03 Your dream is worth trying
04 Would[Do] you mind analyzing the data

C ① It is worth visiting.
② I am[I'm] looking forward to visiting Bulguksa.

A: 나는 이번 주말에 경주에 갈 거야.
B: 정말 좋겠다. 그곳은 방문할 만한 가치가 있어.
A: 나도 그렇게 생각해.
B: 거기에서 뭘 할 거니?
A: 나는 불국사에 방문하기를 고대하고 있어.

03-06 동명사의 주요 표현 2
p. 33

A 01 The fever kept me from going to school.
02 Thank you for inviting me to the party.
03 They are thinking of moving to Seoul.
04 She is worried about failing the test.

B 01 stopped him from becoming a pilot
02 Are you thinking of taking
03 worry about making new friends
04 Thank you for sending me the present[sending the present to me]

C ① Do you worry about gaining weight?
② Orange juice can't prevent you from gaining weight.
③ Thank you for giving me this advice.

A: 왜 저녁을 거르니? 너는 살찌는 것에 대해 걱정하니?
B: 응. 나는 저녁 6시 이후에는 오렌지 주스만 마셔.
A: 오렌지 주스는 네가 살이 찌는 것을 막아줄 수 없어. 물을 많이 마시고 규칙적으로 운동을 해야 해.
B: 나에게 이런 충고를 해줘서 고마워.

Unit 04 ▶ 분사

04-01 현재분사
p. 34

A 01 The boy drinking water is Eric.
02 It was a very confusing situation.
03 The cat sleeping on the grass is very cute.
04 Did you hear the shocking news?

B 01 falling star
02 relaxing effect

03 There are[There're] many students playing online games
04 The girl standing at the door is Julia

C 01 Pour some boiling water
02 a chef running a restaurant
03 The boys watching the soccer game

04-02 과거분사
p. 35

A 01 They found hidden bombs.
02 Doctors are treating wounded soldiers.
03 Throw away the broken branches.
04 My grandfather gave me a watch made in Germany.

B 01 A woman named Laura
02 repair a[the] broken door
03 The plant called elephant ear
04 He bought some frozen food at the supermarket

C 01 We visited the palace built
02 made me excited
03 The police found the stolen car

04-03 지각동사＋목적어＋목적격 보어
p. 36

A 01 Nobody feels the earth moving.
02 I saw the window shut by wind.
03 She watched Jake play soccer.
04 He heard the rain falling on the roof.

B 01 She felt snow fall[falling]
02 hear the doorbell ring[ringing]
03 I saw someone[somebody] steal[stealing] her purse
04 She looked at a box left outside

C 01 walked → walk[walking]
그녀는 낯선 남자가 마을을 돌아다니는(돌아다니고 있는) 것을 봤다.
해설 지각동사(saw)의 목적어와 목적격 보어의 관계가 능동이므로 목적격 보어로 동사원형 또는 현재분사를 쓴다.

02 leaving → left
운전사는 버스에 놓여진 가방을 알아챘다.
해설 지각동사(noticed)의 목적어와 목적격 보어의 관계가 수동이므로 목적격 보어로 과거분사를 쓴다.

03 to beat → beat[beating]
그가 내게 왔을 때 나는 심장이 빨리 뛰는(뛰고 있는) 것을 느꼈다.
해설 지각동사(felt)의 목적어와 목적격 보어의 관계가 능동이므로 목적격 보어로 동사원형 또는 현재분사를 쓴다.

04-04 사역동사＋목적어＋목적격 보어
p. 37

A 01 They had the groceries delivered to their house.
02 My teacher had me hand in the report early.
03 The science project made us satisfied.
04 The golfer had his left knee examined.

B 01 Steve had his book wrapped

02 made her worried

03 I let her borrow my jacket

04 Judy had her hair dyed red

C 01 disappointing → disappointed

이 책은 나를 실망하게 했다.

해설 사역동사(made)의 목적어와 목적격 보어의 관계가 수동이므로 목적격
보어로 과거분사를 쓴다.

02 saved → save

엄마는 내가 돈을 모으게 했다.

해설 사역동사(had)의 목적어와 목적격 보어의 관계가 능동이므로 목적격
보어로 동사원형을 쓴다.

03 to cut → cut

Olivia는 오늘 오후에 머리를 자르려고 미용실에 갔다.

해설 사역동사(have)의 목적어와 목적격 보어의 관계가 수동이므로 목적격
보어로 과거분사를 쓴다.

04-05 get+목적어+목적격 보어 p. 38

A 01 I got my sister to bring my umbrella.

02 Susan got her left arm broken.

03 Get your bag packed for the trip.

04 Mark got his wallet stolen on the subway.

B 01 He got his suitcase carried

02 She got me to write

03 Violet got her passport made

04 They got an apple tree planted

C 01 got their homework checked, get it finished

02 got her left leg broken, get her friend to take care of

04-06 분사구문 p. 39

A 01 Catching his breath, Nobel kept reading the article.

[Nobel kept reading the article, catching his breath.]

02 Waving his hand, he walked out of the house.

[He walked out of the house, waving his hand.]

03 Being a foreigner, he needs a visa to stay in Korea.

[He needs a visa to stay in Korea, being a foreigner.]

04 Having a new job in Seoul, he has to move there.

[He has to move there, having a new job in Seoul.]

B 01 Going to the concert

02 Humming a song

03 thinking of her family in Canada

04 Watching the movie, she learned a lot

C 01 Waiting for Mark, I made some food.

[I made some food, waiting for Mark.]

02 Not knowing what to say on stage, she froze.

[She froze, not knowing what to say on stage.]

03 They watched the sunset, having some hot coffee.

[Having some hot coffee, they watched the sunset.]

04-07 with+명사+분사 p. 40

A 01 He went out with the lights turned on.

02 Sam kept sleeping with the alarm ringing.

03 She is sitting with the engine running.

04 Sandy is lying with her eyes closed.

B 01 with tears falling down

02 with one eye covered

03 with his head bent down

04 She went to bed with the robot cleaner working

C 01 with the door closed

02 with his shoelaces untied

03 with her dog lying beside her

Unit 05 ▶ 관계사

05-01 주격 관계대명사 p. 41

A 01 The man who saved us was a police officer.

02 He created a machine which could crush vegetables.

03 A barista is a person who makes coffee.

04 Blueberries contain nutrients which can improve your vision.

B 01 The woman who[that] is standing

02 a printer which[that] works well

03 The people who[that] asked the way

04 The mountain which[that] is near my house is Mt. Bukhan

C 01 Haenyeo are female divers in Jeju Island who harvest seafood.

해녀는 해산물을 채취하는 제주도에 있는 여성 다이버들이다.

02 I went to the amusement park which was completed last month.

나는 지난달에 완공된 놀이공원에 갔다.

03 My grandma thanked the woman who gave her help with her smartphone.

할머니는 스마트폰으로 자신에게 도움을 준 여자에게 고마워했다.

05-02 목적격 관계대명사 p. 42

A 01 The sneakers which she wanted to buy are sold out.

02 They didn't like the dishes which she made.

03 The TV show which I like is on tonight.

04 She is a baseball player whom he wanted to scout.

B 01 The museum (which[that]) she told me

02 The store (which[that]) my sister works[is working] at

[The store at which my sister works[is working]]

03 The woman (who(m)[that]) I saw

04 The photos (which[that]) Ben took became famous

C 01 Kimberly believed <u>the man whom she didn't even</u>
<u>know</u>.

Kimberly는 그녀가 알지도 못하는 남자를 믿었다.

02 He put on <u>a hat which he bought yesterday</u>.

그는 어제 산 모자를 썼다.

03 Barry found <u>the wallet which he lost three days ago</u>.

Barry는 그가 3일 전에 잃어버렸던 지갑을 찾았다.

05-03 소유격 관계대명사 p. 43

A 01 Paul has a friend whose hobby is traveling.

02 She has a cat whose eyes are really big.

03 They live in the house whose roof is red.

04 The book whose cover is torn is mine.

B 01 The man whose painting is

02 My friend whose birthday is today

03 I saw a tree whose branches were long

04 She has a brother whose job is a basketball player

C 01 The fish <u>whose favorite food is clams</u> uses a tool to
open them.

가장 좋아하는 먹이가 조개인 그 물고기는 조개를 여는 데 도구를 사용한다.

02 A woman <u>whose last name is Connelly is waiting for</u>
<u>you</u>.

성이 Connelly인 여자가 너를 기다리고 있다.

03 Grace met <u>a writer whose articles are very interesting</u>.

Grace는 기사가 무척 흥미로운 한 작가를 만났다.

05-04 관계대명사 that p. 44

A 01 Do you have something that you recommend?

02 This pottery that Sam broke is his grandfather's.

03 I remember the first piece of music that we played.

B 01 the kindest men (that[who(m)]) I know

02 The wild animals that[which] are

03 a person that[who] tells a story

04 We have everything (that) you need

C 01 the most beautiful woman I saw[I have[I've] (ever) seen]

02 James is the only student that can play

03 I want to buy something that makes

05-05 관계대명사 what p. 45

A 01 We ate what mom had cooked for us.

02 What he really wanted was the truth.

03 Did you understand what I just said?

04 That is not what I meant to say.

B 01 what you like

02 What she says is

03 Daisy gave what she bought

04 What he prepared was a sandwich

C 01 that → what

그녀는 신문에서 읽은 것을 나에게 말해줬다.

해설 앞에 선행사가 없고 '~하는 것'의 의미로 직접목적어 역할을 하므로
관계대명사 what으로 써야 한다.

02 are → is

우리 부모님이 걱정하시는 것은 할머니의 건강이다.

해설 관계대명사 what이 이끄는 절이 문장의 주어로 쓰이면 단수형 동사가
온다.

03 what → which[that]

Peggy는 선물로 받은 목도리를 하고 있다.

해설 앞에 사물 선행사 a scarf가 있으므로 목적격 관계대명사 which나
that으로 써야 한다.

05-06 관계대명사의 계속적 용법 p. 46

A 01 Ashley married Steve, who was a chef.

02 I have an old laptop, which was my brother's.

03 He wants to invite Mark, whom I hate.

04 The students solved the math problem, which was very
difficult.

B 01 his glasses, which help

02 a new car, which was expensive

03 They are[They're] my cousins, who are the same age

04 She met an old friend, who did not[didn't] recognize
her

C 01 The credit card is in my wallet, <u>which is on the table</u>.

신용카드가 내 지갑 안에 있는데, 그것은 탁자 위에 있다.

02 Angela met <u>Peter yesterday, who told her the bad</u>
<u>news</u>.

Angela는 어제 Peter를 만났는데, 그는 그녀에게 안 좋은 소식을 말해주었다.

03 We are looking at <u>Seorak mountain, which is covered</u>
<u>with snow</u>.

우리는 설악산을 보고 있는데, 그것은 눈으로 덮여 있다.

05-07 관계대명사의 생략 p. 47

A 01 Did you see the sneakers Sam bought?

02 My dad is the person I admire most.

03 The boy standing next to Amy is James.

04 Dokdo is an island located between Korea and Japan.

B 01 The moive (which[that] was) made

02 the girl (who(m)) you were talking to

03 The man (who is) coming toward me

04 Math is the subject (which[that]) I am[I'm] interested in

C 01 ②. Jake told me that he didn't receive the email I sent

해설 목적격 관계대명사 which는 생략할 수 있다.

02 ④ I remember the traffic accident caused by a dog
해설 「주격 관계대명사+be동사+분사」 구문에서 '주격 관계대명사+be동사」는 생략할 수 있다.
해석 ① 〈문자도〉는 조선시대 후기에 유행했던 일종의 민속화이다.
② Jake는 내가 보낸 이메일을 받지 못했다고 내게 말했다.
③ Joanne은 창문이 큰 집에 산다.
④ 나는 개로 인해 발생한 교통사고를 기억한다.

05-08 관계부사 when
p. 48

A 01 I like days when it rains.
02 Tell me the exact time when the plane lands.
03 She missed the summer when she traveled to Europe.
04 My parents want to know the date when my report card arrives.

B 01 (the day) when the vacation begins
02 (the time) when we like
03 (the year) when he debuted
04 (The day) when I met her was sunny

C 01 April is (the month) when the cherry blossoms are in full bloom.
4월은 벚꽃이 만개하는 달이다.
02 Mrs. Smith was born in (the year) when the war broke out.
Smith 씨는 전쟁이 발발한 해에 태어났다.
03 (The day) when my friend left my town was the saddest day of my life.
내 친구가 우리 마을을 떠난 날은 내 인생에서 가장 슬픈 날이었다.

05-09 관계부사 where
p. 49

A 01 This is the store where I often buy clothes.
02 My grandpa still lives in the house where he was born.
03 It is the bookstore where I used to go.
04 There are lots of restaurants where we can go downtown.

B 01 The park where we used to go
02 the place (where) I found[I had found]
03 This is the animal shelter where I volunteer
04 That (place) is[That's] the aquarium where we met

C 01 Cancun is a city where many tourists travel every year.
칸쿤은 매년 많은 관광객이 여행하는 도시이다.
02 ABC Pizza is the restaurant where I like to go with my friends.
ABC Pizza는 내가 친구들과 함께 가기 좋아하는 식당이다.
03 This is the shop where you can buy organic food.
이곳은 네가 유기농 식품을 살 수 있는 가게이다.

05-10 관계부사 why
p. 50

A 01 I know why ants live in a colony.
02 The reason why we lost the game is obvious.
03 Tell me why you became a lawyer.
04 I want to know why Chinese people like the color red.

B 01 (the reason) why trees are important
02 (the reason) why David opened a restaurant
03 (the reason) why I went to Canada
04 (The reason) why he is[he's] in the hospital is not[isn't] clear.

C 01 She asked him (the reason) why he was absent from school.
그녀는 그가 학교에 결석한 이유를 그에게 물어봤다.
02 I didn't know (the reason) why he quit his job.
나는 그가 직장을 그만둔 이유를 알지 못했다.
03 I'll tell you (the reason) why I feel stressed out these days.
내가 요즘 스트레스를 받는 이유를 네게 말해줄게.

05-11 관계부사 how
p. 51

A 01 Tell me how you spend your free time.
02 Technology changed the way people live.
03 Can you tell me how the program works?
04 This is the way I became a smart consumer.

B 01 the way he speaks to her
02 how[the way] he made the instruments
03 how[the way] a caterpillar changes[is changing] into
04 Tell me the way you got the ticket

C 01 This is how people in the Joseon dynasty lived.
이것이 조선시대 사람들이 살았던 방법이다.
02 She taught us how we can persuade others.
그녀는 우리가 다른 사람들을 설득하는 방법을 우리에게 가르쳐주었다.
03 He asked how they adopted a dog.
그는 그들이 개를 입양한 방법을 물었다.

Unit 06 ▶ 수동태

06-01 현재진행형 수동태
p. 52

A 01 Our lives are being changed by global warming.
02 The child is being rescued by the lifeguard.
03 The truck is being driven by my dad.
04 The apples are being picked by the farmers.

B 01 is being put
02 are being discussed
03 are being washed by Mia

04 Your pizza is not[isn't] being delivered now

C 01 My luggage isn't being moved by the bellboy.
내 짐은 벨보이에 의해 옮겨지고 있지 않다.

02 He is being chased by two men on the street.
그는 길에서 두 남자에게 쫓기고 있다.

03 The school walls are being painted by some volunteers.
학교 벽은 몇몇 자원봉사자들에 의해 칠해지고 있다.

06-02 현재완료형 수동태
p. 53

A 01 Jeju Island has been hit by a snowstorm.

02 Vinegar has been used to flavor foods for many years.

03 An underwater city has been found off the coast of India.

04 The machine has been repaired recently.

B 01 has been used

02 has been translated

03 Jason has been injured

04 The toys have been donated to the children

C 01 A way to predict earthquakes has not[hasn't] been discovered by the researchers yet.
지진을 예측하는 방법이 연구자들에 의해 아직 발견되지 않았다.

02 A powerful storm has been predicted by scientists.
과학자들에 의해 강력한 폭풍이 예측되었다.

03 The idea of building a new library has been welcomed by many people.
새로운 도서관을 만들겠다는 아이디어는 많은 사람들에게 환영받았다.

06-03 조동사가 있는 수동태
p. 54

A 01 Auroras can be seen near the Artic.

02 The sweater shouldn't be washed in hot water.

03 Hard-shell clams cannot be eaten raw.

04 The truth about him may be revealed.

B 01 will be bought

02 The movie may not be released

03 This book can be used

04 The sauce should be kept in a refrigerator

C 01 can be found

02 may be canceled

03 must be completed

06-04 4형식 문장의 수동태 1
p. 55

A 01 The guests will be offered free lunch.

02 We were shown the room by the hotel staff.

03 The key was found for me by Hugo.

04 The medicine was given to him by the pharmacist.

B 01 will be given to you

02 are found for you by robots

03 was brought to us by the waiter

04 We were told horror stories by Katie

C 01 (1) The runners are shown their finish times by a large screen.
주자들은 큰 화면에 의해 그들의 종료 시간이 보여 진다.

(2) Their finish times are shown to the runners by a large screen.
그들의 종료 시간이 큰 화면에 의해 주자들에게 보여 진다.

해설 동사 show가 들어 있는 4형식 문장에서 직접목적어를 주어로 수동태를 만들 때 간접목적어 앞에 전치사 to를 써야 한다.

02 (1) Dave was given an award by the principal.
Dave는 교장선생님에게 상을 받았다.

(2) An award was given to Dave by the principal.
상이 교장선생님에 의해 Dave에게 주어졌다.

해설 동사 give가 들어 있는 4형식 문장에서 직접목적어를 주어로 수동태를 만들 때 간접목적어 앞에 전치사 to를 써야 한다.

06-05 4형식 문장의 수동태 2
p. 56

A 01 The card was given to her by me.

02 The dress was made for Marsha by her daughter.

03 His artwork was sold to the city museum.

04 The article was read to her mom by Ella.

B 01 was bought for me

02 were made for the students

03 was read to him

04 The soup was cooked for me by my friend

C 01 ①. The curry and rice was cooked for me by my dad.
아빠가 나에게 카레라이스를 요리해 주었다.

02 ④. The necklace was bought for Linda by Dave.
Dave는 Linda에게 목걸이를 사주었다.

06-06 5형식 문장의 수동태 1
p. 57

A 01 The name "hamburger" was borrowed from German.

02 Africa is considered the birthplace of humankind.

03 This remedy was found effective by some doctors.

04 The clerk was asked to show a black jacket by a customer.

B 01 are called the invisible people

02 is kept warm

03 We are[We're] allowed to play outside

04 The students were advised to do volunteer work by their teacher

C 01 is called a *gat*

02 is considered a role model

03 were advised not to go out

06-07 5형식 문장의 수동태 2 p. 58

A 01 She was heard talking on the phone by them.
02 We were made to wait outside by her.
03 He is often seen cooking food on the grill.
04 A fish was seen jumping out of the water.

B 01 I was helped to become
02 Sarah was seen to stand[standing]
03 Peter was heard to play[playing] the guitar
04 I was made to wake up early by my brother

C 01 called → to call[calling]
등산가들이 도움을 요청하는 소리가 들렸다.
해설 지각동사가 쓰인 문장의 수동태에서 목적격 보어로 to부정사나 현재분사가 올 수 있다.
02 learn → to learn
나는 할아버지에 의해 테니스를 배우게 되었다.
해설 사역동사가 쓰인 문장의 수동태에서는 목적격 보어로 to부정사를 쓴다.
03 run → to run[running]
그 도둑이 군중들 사이로 뛰어가는 것이 보였다.
해설 지각동사가 쓰인 문장의 수동태에서 목적격 보어로 to부정사나 현재분사가 올 수 있다.

06-08 동사구의 수동태 p. 59

A 01 I was brought up by a loving family.
02 Several events were put off because of the heavy rain.
03 The teacher is spoken ill of by the students.
04 The man was run over by a car this morning.

B 01 is thought of
02 are looked after by
03 Your problem will[is going to] be dealt with by
04 His proposal was turned down by the coach

C 01 The politician is looked up to by many people.
그 정치인은 많은 사람들에게 존경을 받는다.
02 The pain in my back was taken away by these pills.
허리의 통증이 이 약으로 인해 사라졌다.
03 He was made fun of by his classmates.
그는 반 친구들에 의해 놀림을 받았다.

06-09 by 이외의 전치사를 쓰는 수동태 p. 60

A 01 The secret is known to them.
02 I am not satisfied with my new phone.
03 He is known as one of the richest men in my town.
04 The rescue team is composed of twenty members.

B 01 was made into
02 This bag is made from
03 Are you tired of
04 The grass is covered with snow

C 01 is known for
02 are worried about
03 is filled with

Unit 07 ▶ 접속사

07-01 as p. 61

A 01 It started to rain as David went out.
[As David went out, it started to rain.]
02 We went home as it was late at night.
[As it was late at night, we went home.]
03 I ran to my dog as I got home.
[As I got home, I ran to my dog.]
04 I finished my homework early as you helped me.
[As you helped me, I finished my homework early.]

B 01 As technology develops
02 As I moved[was moving] the table
03 As Julie spoke her first words
04 She will[She'll] get a good grade as she is[she's] diligent. [As she is[she's] diligent, she will[she'll] get a good grade].

C 01 As it gets[is getting] colder
02 As she arrived at the airport
03 as I entered the room

07-02 since p. 62

A 01 He was disappointed since his friends forgot his birthday. [Since his friends forgot his birthday, he was disappointed.]
02 I have practiced the cello every day since I was little. [Since I was little, I have practiced the cello every day.]
03 Cathy has been interested in musicals since she was young. [Since Cathy was young, she has been interested in musicals.]

B 01 Since the sneakers were expensive
02 since I got a cat
03 since they were kids
04 Sean could not[couldn't] play basketball since he hurt his arm [Since Sean hurt his arm, he could not[couldn't] play basketball]

C 01 Since an ant has legs
02 since she moved here last year
03 Since I already returned the book

07-03 although/even though
p. 63

A 01 Although he is only five years old, he can speak three languages. [He can speak three languages although he is only five years old.]

02 He went swimming even though it was dangerous. [Even though it was dangerous, he went swimming.]

03 Although Jacob is older than her, he is shorter. [Jacob is shorter although he is older than her.]

04 Even though they live far apart, they fell in love. [They fell in love even though they live far apart.]

B 01 Although[Even though] my car is old

02 although[even though] she had little time

03 although[even though] she is[she's] busy

04 Although[Even though] he had a toothache, he did not[didn't] go to the dentist [He did not[didn't] go to the dentist although[even though] he had a toothache]

C 01 Although[Even though] spinach is healthy, I don't like it.
시금치는 건강에 좋지만 나는 그것을 좋아하지 않는다.

02 Although[Even though] it was cloudy, Nick was wearing sunglasses.
날씨가 흐렸지만 Nick은 선글라스를 쓰고 있었다.

03 Although[Even though] she was a successful author, she couldn't make a lot of money.
그녀는 성공한 작가였지만 많은 돈을 벌 수 없었다.

07-04 so that ~
p. 64

A 01 Do your best so that you won't regret anything.

02 My parents often go hiking so that they can stay healthy.

03 She prepared the ingredients so that she could make spaghetti.

04 I opened the windows so that I could get some fresh air.

B 01 so that we can practice

02 so that she could hide her face

03 so that no one could go outside

04 Paul saved money so that he could buy a new laptop

C 01 We hurried so that we could get on the plane.
우리는 비행기에 탑승하기 위해 서둘렀다.

02 She turned on the TV so that she could watch her favorite show.
그녀는 가장 좋아하는 프로그램을 보기 위해 TV를 켰다.

03 Stir the sauce constantly so that it can mix well.
잘 섞이도록 소스를 계속 저어라.

07-05 so … that ~
p. 65

A 01 I was so surprised that I fell down on the floor.

02 The subway is so crowded that we can't find a seat.

03 Roy is so nice that everybody likes him.

04 It was so cold that the lake was frozen.

B 01 so young that she looks like your sister

02 so heavy that I could not[couldn't] lift

03 so hard that I could not[couldn't] open

04 She was so sad that she could not[couldn't] eat anything

C 01 good so → so good
해설 「so+형용사/부사+that+주어+동사」의 형태로 쓴다.

02 could → could not[couldn't]
해설 의미상 '너무 ~해서 …할 수 없었다'의 의미가 되어야 적절하므로 could를 could not[couldn't]로 고쳐 써야 한다.

03 mud → muddy
해설 so와 that 사이에는 형용사 형태가 와야 하므로 명사형 mud가 아닌 muddy로 고쳐 써야 한다.

07-06 명사절 접속사 that
p. 66

A 01 The problem is that she is afraid of water.

02 The trouble is that he can't understand Korean.

03 The fact is that she doesn't like flowers.

04 The point is that we don't have enough money to buy it.

B 01 The fact is that the light bulb was

02 The point is that we should choose

03 The trouble is that they do not[don't] have food now

04 The problem is that he is[he's] lazy

C 01 The point is that I am[I'm] satisfied with my life.
요점은 내가 내 인생에 만족한다는 것이다.

02 The bad news is that he had a car accident yesterday.
나쁜 소식은 그가 어제 자동차 사고를 당했다는 것이다.

03 The truth is that a toothbrush contains more than 10 million bacteria.
진실은 칫솔에 천만 마리 이상의 세균이 있다는 것이다.

07-07 if/whether
p. 67

A 01 I wonder if my mom is angry.

02 The question is if he can arrive in time.

03 I don't remember whether I turned off the gas.

04 Can you tell me whether they speak Chinese?

B 01 if[whether (or not)] I can buy a carpet

02 if[whether (or not)] the device was useful

03 if[whether (or not)] money could make them happy

04 He doubts if[whether (or not)] the plan will work

C 01 I want to know if[whether] I can meet him at eleven or not.

나는 11시에 그를 만날 수 있을지 없을지 알고 싶다.

02 We didn't hear if[whether] he came back from his trip or not.

우리는 그가 여행에서 돌아왔는지 아닌지 듣지 못했다.

03 Sam wondered if he could go to a good university or not.

Sam은 그가 좋은 대학에 갈 수 있을지 없을지 궁금해했다.

Unit 08 ▶ 가정법

08-01 가정법 과거 p. 68

A 01 If I were you, I'd just do my best.
[I'd just do my best if I were you.]

02 If it snowed during the summer, I would be so happy.
[I would be so happy if it snowed during the summer.]

03 If he knew the truth, he might be angry.
[He might be angry if he knew the truth.]

04 If the moon disappeared, what would happen?
[What would happen if the moon disappeared?]

B 01 had, could travel

02 were no water, could not[couldn't] survive

03 If you had to live on, what would you take

04 If I met the actor, I would take a picture with him

C 01 can → could
내가 고양이라면 하루 종일 놀고 잘 수 있을 텐데.
해설 가정법 과거의 주절은 「조동사의 과거형+동사원형」으로 쓴다.

02 see → saw
만약 곰을 본다면 너는 어떻게 할 거니?
해설 가정법 과거의 조건절의 동사는 과거시제로 쓴다.

03 will → would
네가 영화 속 캐릭터가 될 수 있다면 누가 되고 싶니?
해설 가정법 과거의 주절은 「조동사의 과거형+동사원형」으로 쓴다.

08-02 가정법 과거완료 p. 69

A 01 If you had run, you would have caught the bus.

02 If there hadn't been a sign, we could have lost our way.

03 If I had seen you at the library, I would have said hello.

04 If we had left early, we would have arrived in time.

B 01 had not[hadn't] given, might have made

02 would not[wouldn't] have woken up, had been quiet

03 had not[hadn't] ignored, would not[wouldn't] have been

04 If she had bought it online, she could have got[gotten] a discount [She could have got[gotten] a discount if she had bought it online]

C 01 If he had driven more carefully, he would not[wouldn't] have had an accident.

그가 좀 더 주의해서 운전했더라면 사고가 나지 않았을 텐데.

02 If she had not[hadn't] come late, she might have met him.

그녀가 늦게 오지 않았더라면 그를 만날 수 있었을 텐데.

03 If it had not[hadn't] rained heavily, we could have played baseball.

비가 많이 오지 않았더라면 우리는 야구를 할 수 있었을 텐데.

08-03 I wish+가정법 과거 p. 70

A 01 I wish everything would be okay.

02 I wish it were sunny now.

03 I wish we could turn back time.

04 I wish I had a new smartphone.

B 01 I wish I had

02 I wish my boyfriend were

03 I wish every day could be

04 I wish they understood each other

C 01 I want to live in Paris, but I don't.
나는 파리에 살고 싶지만 그렇지 못하다.
→ I wish I lived in Paris.
내가 파리에 살면 좋을 텐데.

02 I want to go camping with you, but I can't.
나는 너와 함께 캠핑을 가고 싶지만 그럴 수 없다.
→ I wish I could go camping with you.
너와 함께 캠핑을 갈 수 있으면 좋을 텐데.

03 I want to be good at sports, but I'm not.
나는 운동을 잘하고 싶지만 그렇지 못하다.
→ I wish I were good at sports.
내가 운동을 잘하면 좋을 텐데.

08-04 as if+가정법 과거 p. 71

A 01 He spends money as if he were rich.

02 She talks as if she had a boyfriend.

03 You sometimes act as if you were my mom.

04 They seem as if they were close friends.

B 01 as if she had

02 They seem as if they lived

03 talks as if it were important

04 She looks as if she were exhausted

C 01 Ms. Knight is acting as if she were a professor.
Knight 씨는 마치 대학교수인 것처럼 행동하고 있다.

02 Judy talks as if she knew the famous singer.
Judy는 마치 유명한 가수를 아는 것처럼 말한다.

03 Mark wears glasses as if he had poor eyesight.
Mark는 마치 시력이 나쁜 것처럼 안경을 쓴다.

08-05 It's time+(that)+주어+과거동사 p. 72

A
01 It's time we tried harder.
02 It's time you took responsibility for your actions.
03 It's time that we decided on a major.
04 It's time that I bought some new clothes.

B
01 It's time (that) you told
02 It's time (that) we completed
03 It's time (that) Larry came back home
04 It's time (that) we took the train

C
01 (1) It's about time Emma cleaned her room.
　　Emma가 이제 자신의 방을 청소할 때이다.
　　(2) It's time she organized her clothes.
　　그녀가 자신의 옷들을 정리할 때이다.
02 (1) It's time Peter stopped playing computer games.
　　Peter가 컴퓨터 게임을 그만할 때이다.
　　(2) It's time he started on his homework.
　　그가 숙제를 시작할 때이다.

08-06 가정법 과거를 이용한 표현 p. 73

A
01 What would you do if you were God?
　　[If you were God, what would you do?]
02 What would you do if it never stopped raining?
　　[If it never stopped raining, what would you do?]
03 What would you do if you could travel to the past?
　　[If you could travel to the past, what would you do?]
04 What would you do if you won the Nobel Prize?
　　[If you won the Nobel Prize, what would you do?]

B
01 If there were
02 if you lived forever
03 If you met aliens
04 What would you do if you lost your memory
　　[If you lost your memory, what would you do]

C
01 A: What would you do if you were a teacher?
　　만약 네가 선생님이라면 어떻게 할 거니?
　　B: I would be good to all my students.
　　나는 모든 학생들에게 잘해줄 거야.
02 A: What would you do if you could become invisible?
　　만약 네가 투명 인간이 될 수 있다면 어떻게 할 거니?
　　B: I would fight crime.
　　나는 범죄와 싸울 거야.
03 A: What would you do if someone gave ten million dollars to you?
　　만약 누군가가 너에게 천만 달러를 준다면 어떻게 할 거니?
　　B: I'd help poor people.
　　나는 가난한 사람들을 도울 거야.

Unit 09 ▶ 비교, 특수 구문

09-01 the+비교급, the+비교급 p. 74

A
01 The more you study, the more you learn.
02 The harder you practice, the better you'll sing.
03 The earlier you get up, the more time you can save.

B
01 The warmer, the more
02 The less, the less energy
03 The harder, the stronger he became
04 The more you read, the more knowledge you get

C
01 the less I sleep
02 the easier you can learn a language
03 The more money we earn

09-02 비교급 표현 「비교급+than any other」 p. 75

A
01 Bamboo grows faster than any other plant.
02 Alaska is wider than any other state in America.
03 Bill is smarter than any other boy in his class.
04 Indonesia has more islands than any other country.

B
01 bigger than any other island
02 more friends than any other student
03 more interesting than any other subject
04 Steak is more expensive than any other dish

C
01 Sudan is bigger than any other country in Africa.
　　수단은 아프리카에 있는 다른 어떤 나라보다 더 크다.
02 The Yangtze River is longer than any other river in China.
　　양쯔강은 중국에 있는 다른 어떤 강보다 더 길다.
03 American football is more popular than any other sport in the U.S.
　　미식축구는 미국에서 다른 어떤 스포츠보다 더 인기 있다.

09-03 비교급 표현 「No (other)+비교급+than」 p. 76

A
01 No other month is shorter than February.
02 No other player is better than Colin.
03 No person is lazier than my brother.
04 No other desert in Asia is larger than the Gobi Desert.

B
01 No animal, longer
02 No other place, more crowded than
03 No other lake, deeper than
04 No dessert is more delicious than ice cream

C
01 No (other) month in Korea is colder than January.
　　한국에서 (다른) 어떤 달도 1월보다 더 춥지 않다.

02 No (other) student in my class is more diligent than Cathy.
우리 반에서 (다른) 어떤 학생도 Cathy보다 더 부지런하지 않다.

03 No (other) street food in Brazil is more popular than pastel.
브라질에서 (다른) 어떤 길거리 음식도 파스텔보다 더 인기 있지 않다.

09-04 최상급 표현
p. 77

A 01 This app is the most useful I've ever used.
02 The hotel is the dirtiest he has ever stayed at.
03 It is the best pizza I've ever eaten.
04 *The Little Mermaid* is the saddest fairy tale she's ever read.

B 01 the most beautiful, has ever visited
02 the most touching, have ever watched
03 the largest, has ever been
04 Tennis is the most difficult sport (that) I have[I've] ever learned

C 01 the sweetest dessert (that) I have[I've] ever eaten
02 the scariest animal (that) he has[he's] ever seen
03 the worst news (that) I have[I've] ever heard

09-05 do를 이용한 강조
p. 78

A 01 Music does make me happy.
02 I do know how to make yogurt.
03 Steve did send an email to Ms. Green.
04 My dad does enjoy cooking for my family.

B 01 do care about you
02 does affect
03 They do think
04 I did text you last night

C 01 My brother does hate
02 We do agree with
03 Chloe did look

09-06 It … that 강조구문
p. 79

A 01 It is confidence that leads us to success.
02 It was James that I met in the library.
03 It was yesterday that she wrote this letter.
04 It was a mosquito that kept me awake all night.

B 01 It was, that[which] caused
02 It was, that I discovered
03 It was a watch that[which] she bought
04 It is[It's] your family that[who] loves you (the) most

C 01 It was Taylor that[who(m)] Tom met on the weekend.
Tom이 주말에 만난 사람은 바로 Taylor였다.

02 It is my parents that[who(m)] I respect most in the world.
내가 세상에서 가장 존경하는 사람은 바로 우리 부모님이다.

03 It was at the airport that I met my old friend by chance.
내가 우연히 옛 친구를 만난 것은 바로 공항에서였다.

09-07 부정어구 도치
p. 80

A 01 Never have I tried going fishing.
02 Seldom does she walk to school.
03 Little did I know that she lives nearby.
04 No sooner had he heard the news than he began to cry.

B 01 Hardly can he believe
02 Little did she dream
03 Rarely does he take a bus
04 Never have I seen a rainbow

C 01 Never has she visited New York.
그녀는 뉴욕을 방문한 적이 전혀 없다.

02 Rarely does it snow in April.
4월에는 거의 눈이 내리지 않는다.

03 No sooner had he hung up the phone than the doorbell rang.
그가 전화를 끊자마자 초인종이 울렸다.

09-08 전체부정/부분부정
p. 81

A 01 None of us can speak French.
02 He doesn't always make wise decisions.
03 Not all people learn at the same speed.
04 No books here are available for purchase.

B 01 is not[isn't] always right
02 Neither of us had
03 She never apologizes
04 Not every girl likes the boy band

C 01 Not all (the) students[Not all of the students] take part in the school festival.
모든 학생들이 학교 축제에 참여하지는 않는다.

02 Neither scarf[Neither of the scarves] looked good on you.
그 스카프 모두 너에게 어울리지 않았다.

03 The comedy show is not[isn't] always funny.
코미디 쇼가 항상 재미있지는 않다.

쓰작 중학영어 시리즈

중학 내신
서술형 완벽대비

· **중학 교과서 진도 맞춤형** 내신 서술형 대비

· **한 페이지로 끝내는 핵심 영문법 포인트별 정리+문제 풀이**

· 효과적인 **3단계 쓰기 훈련**: 순서 배열 → 빈칸 완성 → 내신 기출

· 서술형 만점을 위한 **오답&감점 피하기 솔루션** 제공

· **최신 서술형 유형 100% 반영**된 <내신 서술형 잡기> 챕터별 수록

· 서술형 추가 연습을 위한 **워크북 제공**

부가자료 다운로드
www.cedubook.com

1센치 영문법

쉽고 빠르게 한 달 안에 끝!

1센치 영문법

1cm English Grammar

1cm의 책 두께로 중등과 고등 영어의 틈을 메운다!
1회 완독으로 영문법이 한눈에 돌아온다!
1권으로 꼭 알아야 할 핵심만 담는다!
1페이지 개념 정리로 쉽고 빠르게 넘어간다!

김기훈
인지영
김현진
김민지

CEDU BOOK 쎄듀

한 달 안에 끝!
영어 문법과 더 가까워지는 지름길!

01 기초 영문법의 결정판!
02 각종 커뮤니티에 올라온 수많은 영문법 질문을 분석!
03 학생들이 어려워하는 영문법의 핵심을 쉽게 빠르게 정리!

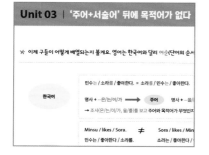

Warming Up!

어떤 개념을 배울지 그림으로 미리 보기!
도형으로 핵심 문법을 빠르게 파악!

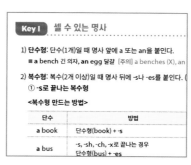

Key Points!

핵심 문법만 쉽고 간단하게!

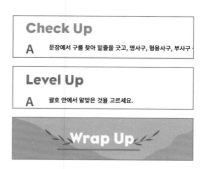

실력 Up!

단계별 문제로 핵심 문법 익히기!
다양한 문제로 영문법 기초를 튼튼하게!

쎄듀 초·중등 커리큘럼

	예비초	초1	초2	초3	초4	초5	초6
구문		천일문 365 일력 | 초1-3 | 교육부 지정 초등 필수 영어 문장		초등코치 천일문 SENTENCE 1001개 통문장 암기로 완성하는 초등 영어의 기초			
문법				초등코치 천일문 GRAMMAR 1001개 예문으로 배우는 초등 영문법			
		왓츠 Grammar		Start (초등 기초 영문법) / Plus (초등 영문법 마무리)			
독해				왓츠 리딩 70 / 80 / 90 / 100 A / B 쉽고 재미있게 완성되는 영어 독해력			
어휘				초등코치 천일문 VOCA&STORY 1001개의 초등 필수 어휘와 짧은 스토리			
		패턴으로 말하는 초등 필수 영단어 1 / 2 문장 패턴으로 완성하는 초등 필수 영단어					
ELT	Oh! My PHONICS 1 / 2 / 3 / 4 유·초등학생을 위한 첫 영어 파닉스						
		Oh! My SPEAKING 1 / 2 / 3 / 4 / 5 / 6 핵심 문장 패턴으로 더욱 쉬운 영어 말하기					
		Oh! My GRAMMAR 1 / 2 / 3 쓰기로 완성하는 첫 초등 영문법					

	예비중	중1	중2	중3
구문		천일문 STARTER 1 / 2		중등 필수 구문 & 문법 총정리
문법		천일문 중등 GRAMMAR LEVEL 1 / 2 / 3		예문 중심 문법 기본서
		GRAMMAR Q Starter 1, 2 / Intermediate 1, 2 / Advanced 1, 2		학기별 문법 기본서
		잘 풀리는 영문법 1 / 2 / 3		문제 중심 문법 적용서
		GRAMMAR PIC 1 / 2 / 3 / 4		이해가 쉬운 도식화된 문법서
			1센치 영문법	1권으로 핵심 문법 정리
문법+어법		첫단추 BASIC 문법·어법편 1 / 2		문법·어법의 기초
문법+쓰기	EGU 영단어&품사 / 문장 형식 / 동사 써먹기 / 문법 써먹기 / 구문 써먹기			서술형 기초 세우기와 문법 다지기
				올씀 1 기본 문장 PATTERN 내신 서술형 기본 문장 학습
쓰기		천일문 중등 WRITING LEVEL 1 / 2 / 3 *거침없이 Writing 개정		중등 교과서 내신 기출 서술형
		중학 영어 쓰작 1 / 2 / 3		중등 교과서 패턴 드릴 서술형
어휘	천일문 VOCA 중등 스타트 / 필수 / 마스터			2800개 중등 3개년 필수 어휘
	어휘끝 중학 필수편	중학 필수어휘 1000개	어휘끝 중학 마스터편	고난도 중학어휘 +고등기초 어휘 1000개
독해	ReadingGraphy LEVEL 1 / 2 / 3 / 4			중등 필수 구문까지 잡는 흥미로운 소재 독해
	Reading Relay Starter 1, 2 / Challenger 1, 2 / Master 1, 2			타교과 연계 배경 지식 독해
		READING Q Starter 1, 2 / Intermediate 1, 2 / Advanced 1, 2		예측/추론/요약 사고력 독해
독해전략			리딩 플랫폼 1 / 2 / 3	논픽션 지문 독해
독해유형			Reading 16 LEVEL 1 / 2 / 3	수능 유형 맛보기 + 내신 대비
			첫단추 BASIC 독해편 1 / 2	수능 유형 독해 입문
듣기	Listening Q 유형편 / 1 / 2 / 3			유형별 듣기 전략 및 실전 대비
		쎄듀 빠르게 중학영어듣기 모의고사 1 / 2 / 3		교육청 듣기평가 대비